KOCHKUNST IN BILDERN · 2

Das goldene Plattenbuch der Internationalen Kochkunst-Ausstellung 1984
215 Farbabbildungen
mit Beschreibungen von Küchenmeister Karl Brunnengräber

The Golden Book on Platters of the International Culinary Art Exhibition 1984
215 Colored Pictures
with Descriptions from Maître de Cuisine Karl Brunnengräber

Le livre d'or des plateaux de l'Exposition Internationale de l'Hôtellerie et de la Restauration 1984
215 photos en couleur
avec des descriptions de Maître de cuisine Karl Brunnengräber

Herausgeber:

Verband der Köche Deutschlands e. V.
Frankfurt am Main

HUGO MATTHAES DRUCKEREI UND VERLAG GMBH & CO. KG

ISBN 3-87516-196-3

Fotos: Foto Joppen, Frankfurt a. M.

© 1985 by Hugo Matthaes Druckerei und Verlag GmbH & Co. KG Stuttgart.
Printed in Germany – Imprimé en Allemagne
Herstellung einschließlich der Reproduktionen: Hugo Matthaes Druckerei und Verlag GmbH & Co. KG Stuttgart.

Vorwort des VKD zum IKA-Buch 1984

Der Gesamtvorstand des Verbandes der Köche Deutschlands hat einstimmig beschlossen, die im Jahre 1980 begonnene Dokumentation hervorragender, auf der IKA-HOGA präsentierter Arbeiten fortzusetzen. Das Werk „Kochkunst in Bildern" zeigt in seinem Band 2 Arbeiten der IKA-HOGA 1984, die größer als die Ausstellung 1980 war.

Zunächst wurde sehr ausführlich darüber diskutiert, ob man in Band 2 Umfang und Ausführung sowie die Art der Kommentierung beibehalten sollte. Es bot sich nicht nur die Möglichkeit der Aufsplittung in Einzelbücher – nach Sachgebieten aufgeteilt – an, um den jüngeren Kollegen einen erschwinglichen Kaufpreis zu bieten, sondern auch eine andere Form der Objektbeschreibung.

Man entschied sich für die Beibehaltung des Begonnenen, um der Kontinuität eines fast als klassisch zu betrachtenden Handwerkes in der Beschreibung seiner größten kulinarischen Ausstellung zu entsprechen. Darüber werden sich nicht nur die Freunde der Kochkunstliteratur freuen.

Die Qualität der Exponate hat in den meisten Fällen einen hohen Grad handwerklicher Perfektion erreicht, und die Intuition der Akteure beim Arrangement der unzähligen Köstlichkeiten aus aller Herren Länder hat Fachleute und Laien gleichermaßen verzaubert. Das Attribut „Kochkunst" ist voll gerechtfertigt. Der objektive Betrachter wird allerdings bei solcherlei perfekter Präsentation gelegentlich fragen:
– Sind die hier gezeigten Speisen für den Gaumen oder nur fürs Auge bestimmt?
– Sind die ausgestellten Speisen und deren Anrichteweise noch zeitgemäß?
– Wer hat im Alltagsgeschäft noch so viel Zeit, solche Kunstwerke herzustellen?
– Was kostet solche Handarbeit, und welcher Gast will Kochkunst noch bezahlen?

Nun, die Kochkunst war und ist beständig im Fluß. Solange Menschen sich in Gemeinschaften ernähren, hat die Kochkunst die Menschheit begleitet – damals, heute und sicher auch morgen. Allein schon aus dieser Tatsache ergibt sich ein hohes Maß an Flexibilität und Anpassung an die jeweilig gebotenen oder notwendigen Umstände. Es zeichnet sich eine Weiterentwicklung ab. Die IKA in Frankfurt ist alle 4 Jahre ein Beispiel dafür.

Bei kritischem Vergleich der jeweils gezeigten Arbeiten läßt sich immer wieder der aktuelle Trend im weltweiten gastronomischen Gewerbe erkennen und verfolgen. Das Werk „Kochkunst in Bildern" hilft Ihnen bei solchem Bemühen in einzigartiger Weise durch die hohe Qualität der Aufnahmen von nur ausgesuchten, als beispielhaft geltenden Kochkunstplatten mit den für den Fachmann gut verständlichen Kommentaren in englischer, französischer und deutscher Sprache.

Wir danken auch an dieser Stelle nochmals ausdrücklich allen Teilnehmern an der „Olympiade der Köche" 1984 in Frankfurt am Main, die allein durch ihr Wirken erst diese Dokumentation der Kochkunst möglich machten, und wir danken unserem unermüdlichen Kollegen Küchenmeister Karl Brunnengräber, der für Auswahl, Zusammenstellung und Kommentierung verantwortlich zeichnet, und seinen fleißigen Helfern. Von Frankfurt aus geht unser Gruß in alle Welt, zu allen Kollegen rund um den Globus mit allen guten Wünschen, möge dieses Buch gefallen und schöne Erinnerungen wachrufen.

Verbandspräsident
Heinz Hubert Veith

Verbandsdirektor
Helmut Häusner

Foreword of the VKD to the IKA-Book 1984

All the board members of the Association of Cooks in Germany have unanimously decided to continue documenting in book form the excellent pieces of work presented at the IKA-HOGA 1980. The publication "Kochkunst in Bildern" shows in its second volume the pieces of work displayed at the IKA-HOGA 1984, which was larger than that in 1980.

For a start, it was first discussed in detail whether in Volume 2 the length and manner of presentation as well as the commentary style should be retained. Not only the possibility of splitting up the book into single books existed – a division into specific fields – so as to offer the younger colleagues a reasonable sales price, but also the possibility of using a different form of description.

But the retaining of that begun was decided on, and this, by fulfilling the need of describing the greatest cookery show that displays a handicraft which is almost considered a classic art. This is something that not only cookery book friends will appreciate.

The quality of the exhibits did in most cases reach utter perfection in handicraft artistry and the intuition of the participants when arranging the innumerable delicacies from every corner of the world charmed the experts and laymen alike. The attribute "culinary art" is fully justified. In the case of such perfect presentations, an objective viewer, however, will occasionally ask:
- Are the foods shown here for the palate or for the eye?
- Are the foods displayed and their methods of serving still practicable today?
- In everyday practice, who still has enough time to prepare such pieces of art?
- How much does work done by hand cost and is there a guest who still wants to pay for a culinary delight?

Well, the art of cooking was and still is in steady swing. As long as people have been eating in company, the art of cooking has accompanied them – then, now and certainly tomorrow, too. For this reason alone, there is a great degree of flexibility and adjustment to the circumstances, offered in each case, and those necessary. A further advancement can be seen. The IKA in Frankfort is an example of this every 4 years.

A critical comparison of the single pieces of work displayed, makes it possible time and again to recognize and follow the present trends on the worldwide gastronomic scene. The publication "Kochkunst in Bildern" will be of help to you in your efforts, and this, in a very unique way, namely, through the fine quality of the photographs of only select, exemplary cookery platters with commentaries that are easily understood by experts, written in the English, French and German languages.

We would also like to take this opportunity to expressly thank all the participants of the "Olympics of Cooks" 1984 in Frankfort on the Main, who alone through their work this publication of culinary art have made possible. We also thank our untiring colleagues, Head cook, Karl Brunnengräber, who was responsible for the selection, composition and commentaries, and his industrious assistants. Our greetings to the world come from Frankfort. They go to all our colleagues all around the globe with the very best wishes. May this book be a pleasure to everyone and awake beautiful memories.

Verbandspräsident
Heinz Hubert Veith

Verbandsdirektor
Helmut Häusner

Préface de l'Association des Cuisiniers d'Allemagne au sujet du livre IKA 1984

Le Comité de l'Association des Cuisiniers d'Allemagne a décidé, à l'unanimité, de poursuivre la documentation d'œuvres excellentes commencée en 1980, présentées lors de l'IKA-HOGA. L'œuvre «Cuisine en Images» montre dans son volume no. 2, les recettes réalisées pour IKA-HOGA 1984, exposition qui a été plus importante encore que celle de 1980.

Tout d'abord il a été discuté en détail, si l'on gardait dans le volume 2 autant de recettes de même présentation ainsi que les textes s'y rapportant. Il n'y a pas seulement la posssibilité de séparer les différentes recettes par spécialité dans différente livres de manière à fournir un prix d'achat plus raisonnable pour les jeunes collègues, mais de donner également une autre présentation à la recette que l'on veut décrire.

On a décidé de continuer l'œuvre commencée, qui représente presque un classique dans sa description d'une de ces plus importantes expositions culinaires. Celle-ci ne sera pas seulement appréciée des amateurs de littérature culinaire. La qualité des produits exposés a, dans la plupart des cas, atteint un haut degré de perfection, la décoration des mets innombrables de différents pays a émerveillé aussi bien les professionnels que les profanes. L'art culinaire est dans ce cas justifié. Mais malgré tout, l'observateur objectif pourra poser les questions suivantes au sujet de telle présentation parfaite:

— Est-ce que ces chefs d'œuvres sont réalisés pour le palais ou seulement pour le régal des yeux?
— Est-ce que la présentation des mets est encore de notre époque?
— Qui a encore le temps de préparer de tels chefs-d'œuvre dans la vie quotidienne?
— Quel est le coût de ce travail et quel client l'apprécie à sa juste valeur?

L'art culinaire a été et reste d'actualité. Aussi longtemps, que les hommes se sont rassemblés autour d'un plat, l'art culinaire les a accompagné hier, aujourd'hui et certainement demain.

Par conséquent il y aura beaucoup de diversités et d'adaptations selon les circonstances données ou provoquées. Il en découle une progression permanente. L'exposition IKA de Francfort nous en donne l'exemple tous les quatre ans. Par la comparaison critique des compositions présentées, on reconnaît la tendance actuelle de la gastronomie mondiale.

L'œuvre «Cuisine en Images» vous aide dans ce travail de recherche d'une manière exceptionnelle par la qualité des prises de vue, en prenant comme exemple des mets avec leurs textes pour les professionnels en anglais, français et allemand. Nous voulons remercier par la même occasion, les participants à «l'Olympiade des Cuisiniers» à Francfort en 1984, qui par leur art ont permis cette documentation de l'art culinaire. Nos remerciements vont également à notre infatiguable collègue Chef de Cuisine Karl Brunnengräber, qui a eu la responsabilité du choix, de la composition et des textes, ainsi qu'à toute son équipe qui l'a aidé dans ce travail. De Francfort nous adressons à tous nos collègues du monde entier nos meilleurs vœux de réussite et espérons que ce livre leur plaira et leur rappelera de bons moments.

Verbandspräsident
Heinz Hubert Veith

Verbandsdirektor
Helmut Häusner

Rückblick auf die IKA-HOGA '84

Vier Jahre sind vergangen, seit in Frankfurt die IKA-HOGA '80, die Internationale Kochkunstschau, stattgefunden hat. Viel Wasser ist in dieser Zeit den Main hinuntergeflossen, und vieles hat sich in den vier Jahren, die eigentlich eine kurze Zeitspanne sind, auf dem Gebiet der Kochkunst geändert, und so war die IKA-HOGA '84 ein Spiegelbild der neuen Leistungen der Köche der Welt.

Zunächst war es gar nicht leicht, in die Aufwärtsbewegung hineinzugleiten und die geänderte Praxis der Ausstellungskunst, die gerade seit der IKA-HOGA '80 einen deutlichen Anstieg erkennen ließ, zu akzeptieren. Auf vielen ebenbürtig großen Veranstaltungen, von denen – stellvertretend für alle anderen und weil sie die letzte große Ausstellung vor der IKA-HOGA '84 war – das Internationale Gourmet-Festival in Osaka/Japan genannt werden soll, konnte für die Teilnahme an der nun schon zur Vergangenheit gehörenden IKA-HOGA '84 ein weltweit steigendes Interesse konstatiert werden.

Ihr war, was das rein Fachliche betrifft, ein voller Erfolg beschieden, und so hat die IKA bereits ihren festen Platz in den fachorientierten Köchekreisen und ist – dies soll ausdrücklich hervorgehoben werden – schon seit ihrer Gründung nicht nur eine deutsche Angelegenheit, sondern ein Gradmesser für alle großen internationalen Wettbewerbe.

Wer sich Zeit zur intensiven Betrachtung nahm, konnte feststellen, wie sich die Leistungen gebessert haben, so daß von einem Fortschritt gesprochen werden kann, der, so wollen wir gerne annehmen, andauern wird. Der zeitweilige frühere Stillstand ist diesem erfreulichen Fortschritt gewichen, den zu beleben alle ausstellenden Köche nun als ihre höchste Aufgabe betrachten sollten.

Manchem hat die Ausstellung Neues gebracht, und vielen jungen Fachleuten bot sich zum ersten Mal Gelegenheit, eine wirkliche Kochkunstschau zu erleben. Es ist daher zu begrüßen, daß sich die Leitung des Verbandes der Köche Deutschlands entschloß, der IKA-Dokumentation 1980 einen zweiten Band, die IKA-Dokumentation 1984, folgen zu lassen. Das Werk, das in einer Fortsetzung erscheinen soll, hat gewissermaßen schon seine Bewährungsprobe bestanden, und Band 2 darf nach seiner Fertigstellung sicher ebenso wie Band 1 zum festen Bestand der Fachliteratur und zu einem wertvollen Baustein gezählt werden.

Auch in Band 2 dieser kulinarischen Anthologie, der wie Band 1 ein Gemeinschaftswerk der Köche aus aller Welt ist, die ihr Können auf der IKA-HOGA '84 unter Beweis stellten, und der vom Herausgeber, dem Verband der Köche Deutschlands, den aufgeschlossenen Fachleuten gewidmet sein soll, wird der Versuch gemacht, unterschiedliche Ausstellungskunst sichtbar zu machen.

Mit den hier veröffentlichten Objekten, die von den Unterzeichnenden sorgfältig ausgewählt wurden, einer Aufgabe übrigens, die beide in den Ausstellungstagen vollauf beschäftigte, ist die Fülle dessen, was ausgestellt worden war, keineswegs erschöpft. Es wird hiermit nur ein kleiner Teil des vielseitigen Programms, das sich die teilnehmenden Köche und Köchinnen, Konditoren und Konditorinnen wie auch Patissiers gestellt hatten, in das Licht der Öffentlichkeit gerückt. Bei der Sichtung der vorhandenen Ausstellungsstücke waren wieder die Gesichtspunkte Vielseitigkeit, Formenreichtum und Wertstufe der modernen Anrichteweisen richtungweisend.

Die außerordentlich reiche Beschickung der Schau ermöglichte es, das Thema „Ausstellerische Kochkunst" gründlich zu studieren und bei dieser Gelegenheit alle die Dinge zu beleuchten, die durch ihre Eigenheit das Interesse der Mehrheit verdienen. Mögen die gezeigten Arbeiten für alle wißbegierigen Kollegen zu einem Quell der Anregungen werden und sie zu neuen Schöpfungen veranlassen. Jede Kochkunstschau soll der Welt nicht nur den gegenwärtigen Stand der Kochkunst und nicht nur das gegenwärtige Können auf diesem Gebiet zeigen, sondern soll darüber hinaus auch anregend und befruchtend wirken. Und diese Wirkung kann, wie wir meinen, der IKA-HOGA '84 in vollem Maße zugesprochen werden.

Dank der Beteiligung, und dies kann gar nicht oft genug hervorgehoben werden, von in- und ausländischen Betrieben aller Klassen und Größen ist es möglich, ein sehr genaues Spiegelbild des heutigen Ausstellungsstandes aufzuzeigen. So fand man bei der IKA-HOGA '84 neben Erzeugnissen aus Luxushotelküchen auch solche aus mittleren und bescheideneren Küchen, ein Umstand, der eine solche Schau äußerst wertvoll macht, denn nirgends mag es so darauf ankommen wie gerade bei einer solchen Veranstaltung, daß jeder Besucher etwas nach seinem Geschmack findet. Letzten Endes soll sich die jeweilige Praxis in einer solchen Ausstellungsdokumentation widerspiegeln.

Die „Olympiade der Köche der Welt" hat 1984 für die nächsten vier Jahre einen Abschluß gefunden. Die eingehenden Betrachtungen in diesem Band 2, dessen Bildmaterial vom Foto-Studio Martin Joppen, Frankfurt, meisterhaft gestaltet und der vom Hugo Matthaes Verlag, Stuttgart, in grafische und drucktechnische Form gebracht wurde, befassen sich primär mit allen Vorzügen der zur Schau gestellten Exponate und nicht mit dem Geschirr. Dies geschah, wie schon in Band 1, in der Überzeugung, für kommende Ausstellungen brauchbare Anregungen und Praktikables zu vermitteln. Jede Ausstellung gehört mit ihrem Ende der Vergangenheit an, doch weiterleben werden die gegebenen Impulse. Die Impulse der IKA-HOGA '84 wollen wir mit dieser Dokumentation vermitteln. Wir hoffen, daß uns dies gelingt. Andererseits wollen wir auch zukünftigen Ausstellern einen Rückblick auf vergangene gastronomische Ereignisse ermöglichen, denn die IKA-HOGA '84 wurde, wie auch alle ihre Vorgängerinnen, zu einem Markstein in der nunmehr 100jährigen Geschichte des Verbandes der Köche Deutschlands.

Karl Brunnengräber   Karl Heinz Schneider

A Retrospective View of the IKA-HOGA '84

Four years have passed since the IKA-HOGA '80, the International Cookery Show took place in Frankfort. A great deal of water has flowed during this time along the Main River and so the IKA-HOGA '84 did reflect the latest achievements of the cooks in the world.

At first it was not all that simple to glide into the upward trend and to accept the modified practices employed in the art of display, which in the very case of the IKA-HOGA '80 has experienced a definite upswing. At the many, equal-ranking, great shows, of which the International Gourmet Festival in Osaka, Japan, should be mentioned here – it is representative of the others, and it was the last great exhibition before the IKA-HOGA '84 – a world-wide growing interest could be seen in the participation at the IKA-HOGA '84, which is now well rooted in the past.

It met with great success as far as pure specialized knowledge is concerned, and so the IKA already has its permanent place in the circle of specially oriented cooks since its having been founded, and has not only been a German matter – this has to be expressly stressed here – but a temperature gauge for all the great international contests.

Whoever took the time to examine the exhibits most closely could see how the single achievements improved, so that an advancement can be spoken of that as we would like to hope will continue. The standstill that at times did occur in the past has given way to this fortunate advancement, the enlivenment of which all the cooks exhibiting their pieces of work should now consider their extreme task.

For some the exhibition did bring something new, and many young specialists in the field were given the opportunity for the first time to experience a genuine cookery show. For this reason, we welcome the decision made by the management of the association of Cooks in Germany to have a second volume, the IKA-Documentation *of 1984 follow the first, the IKA-Documentation of 1980. The publication that is to follow as a continuation has already passed its test of approval, and volume 2 following its completion will like volume 1 certainly be an additional reservoir of specialized literature and will number as well among one of the valuable building blocks in cookery.*

In volume 2 of this culinary anthology, which like volume 1 is also a combined effort of all the cooks all over the world, who proved their skill at the IKA-HOGA '84, and to whom the editor, the Association of Cooks in Germany, and the specialists, respective to new ideas, want to dedicate it, the attempt is being made to clearly show the various methods in the art of display.

With the pieces of work published here, which were carefully selected by the undersigned, by the way, a task which took up the full two days at the exhibition, we have by no means exhausted the fullness of what had been displayed. We have illuminated to the public only a small portion of the wide-ranging program that had been offered by the participating he and she-cooks, the he and she-confectioners, as well as the pastry-cooks. When examining the show-pieces at the exhibition, it was again from the perspective of diversity, richness in form, and the value of importance of the modern methods of serving that landmarks were made.

The extraordinarily rich supply at the show made it possible to study in detail the theme „Exhibiting Culinary Art", and to take the opportunity to illuminate everything that owing to its peculiarity deserved special interest of the majority. Let's hope that the pieces of work displayed will be a source of new ideas for all the colleagues who have a thirst for knowledge and will also bring forth further new creations.

Every cookery exhibition should not only show the present status of the art of cooking in the world and the present level of knowledge in this field, but above and apart from this, should be stimulus and further enrichment. And in our thinking this can be said of the IKA-HOGA '84, and this, to an uttermost degree.

Thanks to the participation – this cannot be emphasized enough – of restaurants of all classes and sizes at home and abroad, it is possible to give a very exact picture of the display-stand of today. Besides the products of luxury hotel restaurants, also those of normal and modest kitchens were to be seen at the IKA-HOGA '84, a fact that makes such a show extremely valuable, for nowhere else is it as important as at such an exhibition that every visitor finds something to his taste. For in the end such a documentation of an exhibition should reflect what is done in practice, and this, in every case.

The "1984 Olympics of the Cooks in the World" came to an end for another four years. The close examinations made in this second volume, whose photo material was masterfully done by the Foto-Studio Martin Joppen, Frankfort, and which was put into a graphical and printed form at the Hugo Matthaes Verlag in Stuttgart, largely dealt with all the main features of the exhibits displayed at the show and not with the tableware. As in volume 1, this was done with the intent to convey good and practicable ideas for future exhibitions. As soon as it is over, every exhibition belongs to the past, and yet the impulses given will live on. With this documentation we want to convey the impulses of the IKA-HOGA '84. We hope that we have succeeded in doing just that. On the other hand we want to provide future exhibitors, too, with a retrospective view of past gastronomic events, for the IKA-HOGA '84, like all its forerunners, has become a milestone in the 100-year history of the Association of Cooks in Germany.

Karl Brunnengräber   *Karl Heinz Schneider*

Rétrospective d' IKA-HOGA '84

Quatre années ont passé depuis l'exposition d'art culinaire international qui eut lieu à Francfort: l'IKA-HO-GA '80. Pendant ce temps beaucoup d'eau aura coulé sous les ponts du Main et durant ces quatre ans, qui constituent en fait une période courte, les changements furent nombreux dans le domaine de l'art gastronomique. L'IKA-HOGA '84 constitua ainsi le miroir des nouvelles performances des cuisiniers du monde.

Tout d'abord il ne fut pas du tout facile de se glisser dans le mouvement vers l'avant et d'accepter les modifications de la pratique de l'art d'exposition, qui sont justement en nette augmentation depuis l'IKA-HOGA '80. Un intérêt universel croissant pouvait être constaté pour la participation à l'IKA-HOGA '84, qui maintenant appartient déjà au passé, à beaucoup de grandes manifestations dont il faut relever (représentative de toutes les autres et parce qu'elle était la dernière avant l'IKA-HOGA '84) le festival international des gourmets à Osaka, au Japon.

Il lui fut reconnu un succès complet au niveau purement spécialisé et ainsi l'IKA s'est déjà taillé une place confortable parmi les cercles d'experts gastronomiques et (ceci doit expressément être souligné) constitue déjà depuis sa création non seulement une affaire allemande mais aussi une référence pour tous les grands concours internationaux.

Celui qui prenait le temps d'observer pouvait constater comme les performances se sont améliorées, ainsi qu'on puisse parler d'un progrès qui, comme nous aimerions bien le supposer, devrait s'avérer durable. La stagnation intermittente antérieure a cédé devant cette avancée réjouissante et sa stimulation devrait être considérée comme la tâche primordiale de tous les cuisiniers qui exposent.

L'exposition aura apporté du neuf à quelques uns et beaucoup de jeunes spécialistes avaient pour la première fois l'occasion de vivre une véritable présentation d'art gastronomique. C'est pourquoi il faut saluer la décision de la direction de l'association des cuisiniers allemands de faire suivre la documentation de l'IKA '80 par un deuxième tome avec celle de l'IKA '84. L'ouvrage, qui doit paraitre en série, a déjà dans une certaine mesure fait ses preuves et le tome 2 pourra certainement se permettre, après son achèvement, d'appartenir comme le tome 1 à la bibliothèque permanente de la littérature spécialisée et de constituer un élément précieux de l'édifice.

Le tome 2 de cette anthologie culinaire essaie aussi de faire apparaitre les différents visages de l'art d'exposer. Il est, comme le tome 1, un ouvrage commun aux cuisiniers du monde entier qui mirent leurs capacités à l'épreuve pendant l'IKA-HOGA '84 et doit être dédié par l'éditeur, l'association des cuisiniers allemands, aux spécialistes ouverts.

Avec les objets publiés ici, soigneusement sélectionnés par les signataires, une tâche qui, soit dit en passant, les occupa entièrement tous les deux pendant les journées d'exposition, la profusion de ce qui fut exposé n'est en aucune façon tarie. Avec eux c'est seulement une petite partie du programme à facettes multiples, que les participants, cuisiniers et cuisinières, confiseurs et confiseuses ainsi que les pâtissiers avaient proposé, qui se trouve révélée au public. Lors de l'examen des pièces d'exposition présentées, les points de vue variété, richesse des formes et appréciation de la valeur d'un mode de dressage moderne étaient encore déterminants.

L'approvisionnement extraordinairement riche de la présentation permettait d'étudier à fond le thème «art culinaire d'exposition» et à cette occasion d'éclairer tous les aspects qui, par leur singularité, méritaient l'intérêt de la majorité. Puissent les travaux proposés devenir une source d'inspiration pour tous les collègues avides de savoir et les inciter à des créations nouvelles. Toute présentation d'art gastronomique ne doit pas seulement montrer au monde l'état actuel de l'art culinaire et le savoir d'aujourd'hui en ce domaine, mais doit en plus également avoir un effet stimulant et fécond. Et, à notre avis, ce fut tout à fait le cas avec l'IKA-HOGA '84.

Comme on ne peut suffisamment le souligner, il est possible de présenter un miroir très fidèle de l'état actuel des expositions grâce à la participation d'établissements de toute classe et de toute dimension. Ainsi à l'IKA-HO-GA '84 on trouvait auprès des produits des cuisines d'hôtels de luxe ceux de cuisines moyennes et plus modestes, et cette situation rend une telle présentation extrêmement précieuse, car c'est seulement dans une telle manifesta-

tion que chaque visiteur pourra trouver quelque chose à son goût. En définitif les pratiques respectives doivent se refléter dans une telle documentation d'exposition.

L'«olympiade des cuisiniers du monde» a touvé en 1984 sa conclusion pour les quatre années à venir. Les réflexions approfondies de ce tome 2, dont les illustrations sont réalisées avec la plus grande maîtrise par le studio de photos Martin Joppen de Francfort et dont le graphisme et l'impression sont effectués par les éditions Hugo Matthaes de Stuttgart, s'occupent en toute priorité des objets présentés et non pas de la vaiselle. Ceci est fait, comme déjà dans le premier tome, dans la certitude de transmettre aux exposants du futur des propositions utilisables et quelque chose qui soit praticable. Chaque exposition, une fois clôturée, appartient au passé; cependant les impulsions émises lui survivent. Nous voulons transmettre celles de l'IKA-HOGA '84 avec cette documentation. Nous espérons y parvenir. D'autre part nous voulons également donner aux exposants à venir la possibilité d'un regard rétrospectif sur les évènements gastronomiques du passé, car l'IKA-HOGA '84 sera, comme toutes celles qui l'ont précédées, à marquer d'une pierre blanche dans l'histoire maintenant centenaire de l'association des cuisiniers allemands.

Karl Brunnengräber   Karl Heinz Schneider

Vorwort des Präsidenten des Weltbundes der Kochverbände zum Band 1

Die Internationale Kochkunstausstellung oder IKA, welche seit dem Jahre 1895 in der Stadt Frankfurt am Main stattfindet, ist besser als „Olympiade der Köche" in der ganzen Welt bekannt.

Rund 65 000 Besucher aus 36 Ländern nahmen in Frankfurt die Gelegenheit wahr, die Köche der Welt während des Sieben-Tage-Wettbewerbs zu sehen. Dank der ausgezeichneten Zusammenarbeit des Verbandes der Köche Deutschlands mit den Mitgliedsverbänden des Weltbundes der Köche wurde die IKA '80 die größte Kochkunstausstellung der Welt seit dem Jahre 1895.

23 Länder beteiligten sich mit ihren Nationalmannschaften. Sie alle haben dank ihrer Beteiligung bewiesen, daß Sie an der Weiterbildung und der allgemeinen Hebung unseres Berufsstandes interessiert sind. Die Kochkunst stellt uns die große Aufgabe, die Lebensqualität der Welt zu vervollkommnen, und beweist die Kontinuität unseres schönen Berufes.

Ein besonderer Anziehungspunkt war das stets ausverkaufte „Restaurant der Nationen" und die anderen Restaurants der IKA '80.

In der heutigen Welt des internationalen Tourismus ist die Internationale Küche der Welt der große Anziehungspunkt des reisenden Gastes. Deshalb ist die IKA, welche alle vier Jahre in Frankfurt am Main stattfindet, nicht nur wichtig für den Gastgeber, die Bundesrepublik Deutschland, sondern auch für die Länder der Welt, welche ihre Kochbrigaden zur IKA nach Frankfurt am Main senden.

Wir hoffen, daß dieses Buch der IKA '80 den Lesern viel Freude macht und vielleicht Ihnen den Appetit verschafft, so daß Sie einer der Gäste für die IKA 1984 sind. Die Köche der Welt, das kann ich Ihnen versichern, arbeiten schon heute fleißig an der Planung für die „Olympiade der Köche der Welt 1984".

Bon Appétit!

Hans Bueschkens
Präsident des Weltbundes der Kochverbände

Foreword of the President of the International Union of Cooks to Volume 1

The International Culinary Art Exhibition or the IKA, which has taken place in the city of Frankfort on the Main since 1895, is better known all over the world as the "Olympics of the Cooks".

Some 65,000 visitors from 36 countries availed themselves of the opportunity in Frankfort to see the cooks of the world during the seven-day contest. Thanks to the cooperation of the Association of the Cooks in Germany, together with the Member Associations of the International Union of Cooks, the IKA '80 has become the biggest cookery show in the world since the year 1895.

Twenty-three countries with their national teams took part. Owing to their participation, they all have proved that they are interested in the furtherance and the general elevation of our profession. Culinary art sets us the task of perfecting the quality of life in the world, and evidences the continuance of our wonderful profession.

A particular attraction was the continually sold-out "Restaurant of the Nations", and the other restaurants of the IKA '80.

In the times of international tourism, international cookery is the greatest attraction of journeying guests. For this reason, the IKA, which takes place in Frankfort every four years, is not only important for the host country, the Federal Republic of Germany, but also for the countries of the world, who send their cook-brigades to the IKA in Frankfort on the Main.

We hope that this book on the IKA '80 will afford our readers great pleasure, and will perhaps do something to your appetite, so that you will be one of the guests at the IKA 1984. The cooks of the world – I can assure you of this – are already working hard on the planning of the "1984 Olympics of the Cooks in the World".

Bon Appétit!

Hans Bueschkens
President of the International
Union of Cooks

Preface du Président de l'Union mondiale des associations de cuisiniers pour le volume no. 1

L'Exposition Internationale de l'Hôtellerie et de la Restauration (IKA) qui a lieu depuis l'année 1895 à Francfort-sur-le-Main est mieux connue sous le nom d'«Olympiade de cuisiniers», dans le monde entier. Environ 65 000 visiteurs de 36 pays ont saisi l'occasion de voir les cuisiniers du monde entier pendant la semaine du concours. Grâce à la coopération excellente de l'association des cuisiniers allemands avec les membres de l'union mondiale des cuisiniers, l'IKA 80 fut la plus grande exposition d'art culinaire du monde depuis l'année 1895.

23 pays y ont participé avec leurs équipes nationales. Ils ont tous prouvé, avec leur participation, qu'ils sont intéressés à la formation complémentaire et au relèvement général de notre niveau professionnel. L'art culinaire nous met devant la grande tâche de perfectionner la qualité de la vie dans le monde et démontre la continuité de notre beau métier.

Des points d'attraction particuliers furent constitués par le restaurant des nations, affichant toujours complet, et par les autres restaurants de l'IKA 80.

Dans le monde actuel du tourisme international la cuisine internationale du monde est le centre d'intérêt principal de l'hôte qui voyage. C'est pourquoi l'IKA, qui a lieu tous les quatre ans à Francfort-sur-le-Main, n'est pas seulement importante pour le pays d'accueil, la République Fédéral Allemagne, mais aussi pour les pays du monde qui envoient leurs contingents de cuisiniers vers Francfort-sur-le-Main à l'IKA. Nous expérons que ce livre de l'IKA 80, procurera beaucoup de joies aux lecteurs et qu'il les mettra peut-être en appétit, afin qu'ils soient parmi les clients de l'IKA 1984. Je peux vous assurer que les cuisiniers du monde travaillent déjà aujourd'hui activement à la préparation de l'«Olympiade 1984 des Cuisiniers du Monde».

Bon Appétit!

Hans Bueschkens
Président de l'Union mondiale des associations de cuisiniers

Inhaltsübersicht

Table of Contents

Table des matières

IKA 1984 Nationalmannschaften

AUSTRALIEN
Teamchef	Michael Strautmanis
Kapitän	Derrick Casey
	Herbert Klinkhammer
	Tod Dolphin
	Gerard Taye

ČSSR
Teamchef	Konrad Kendîk
Kapitän	Rudolf Pribyl
	Miroslaw Danek
	Lukás Bekěs
	Frantisek Janata

DÄNEMARK
Teamchef	Jann Christensen
Kapitän	Knud Riis Sorensen
	Erik Jensen
	John Andersen
	Jens Becker

BUNDESREPUBLIK DEUTSCHLAND
Teamchef	Fritz Scheich
Kapitän	Gerhard Bauer
	Heiko Hubert
	Norbert Becker
	Dieter Janetzek

FINNLAND
Teamchef	Osmo Norha
Kapitän	Juha Niemiö
	Pekka Palo
	Martti Torkel
	Veijo Lötjönen

FRANKREICH
Teamchef	Guy Legay
Kapitän	Jacky Freon
	Jean Jacques Barbier
	Marcel Derrien
	Roland Durand

GROSSBRITANNIEN
Teamchef	Brian Cotterill
Kapitän	Colin J. Capon
	Geoff Depper
	Ken Fraser
	Brian Taylor

IRLAND
Teamchef	Eugene Mc Govern
Kapitän	Noël Cullen
	John Morrin
	Brendan O'Neill
	Joe Erraught

ISRAEL
Teamchef	Avigdor Brueh
Kapitän	Krisbine Shabtai
	Zeev Kerem
	Yaacov Zilberman
	Avi Hedwatt

ITALIEN
Teamchef	Enzo Dellea
Kapitän	Giovanni Maggi
	Antonio de Rosa
	Domenico Maggi
	Beuno Giacomo

JAPAN
Teamchef	Kyuhei Oguro
Kapitän	Isao Watanabe
	Mikio Hayashi
	Eisuke Sanada
	Hirobumi Mizuma

JUGOSLAWIEN
Teamchef	Janez Lencek
Kapitän	Janez Perdan
	Stanko Ercog
	Pero Graculj
	Hasan Vilic

KANADA
Teamchef	Henri Dane
Kapitän	Hubert Scheck
	Tony Murakami
	Gerhard Pichler
	Bruno Marti

KUBA
Teamchef	Gilberto Smith-Dusquesne
Kapitän	José Santana Guedes
	Ramón Román R. Rosales
	Zoilo Benevides López
	Luis Garcia Amador

LUXEMBURG

Teamchef	Gasty Becker
Kapitän	Gabriel Martineau
	Leo Uicich
	Raymond Müller
	Christoph Bossau

NEUSEELAND

Teamchef	Helmut Reichart
Kapitän	Gordon Thomas Roberts
	Thomas Graham Hawks
	Uwe Robert Engels
	Mark Gregory

NIEDERLANDE

Teamchef	Wynand Vogel
Kapitän	Karl Trompert
	Cees Versteeg
	Leo Ernst
	Henk van Bragt

NORWEGEN

Teamchef	Walter Nichtawitz
Kapitän	Joseph Schreiner
	Siegfried Thallinger
	Emil Kristiansen
	Walter Keil

ÖSTERREICH

Teamchef	Günther Huber
Kapitän	Friedrich Gierlinger
	Kurt Klewein
	Johann Parnreiter
	Rudolf Lauss

POLEN

Teamchef	Mścislaw Engler
Kapitän	Andrzej Bialkowski
	Tadeusz Galdecki
	Jan Piwowarczyk
	Aleksander Sierzynski

RUMÄNIEN

Teamchef	Dumitru Burtea
Kapitän	Gheorghe Vătafu
	Ilie Cotîrlet
	Mitică Cazacu
	Ioan Samoilă

SCHWEDEN

Teamchef	Willy Abler
Kapitän	Göran Jansson
	Jan Ola Wallin
	Klaus Hartmann
	Jonny Johansson

SCHWEIZ

Teamchef	Josef Ammann
Kapitän	Vincent Bossatto
	Fritz Munderich
	Othmar Fürling
	Hans Zäch

SPANIEN

Teamchef	José-Antonio Luengo
Kapitän	Santiago Bartolome Morales
	José Aparicjo Martin
	Julio Ramiro Arribas
	Armando Jimenez Tevedor

SÜDAFRIKA

Teamchef	Billy Gallagher
Kapitän	Heinz Brunner
	Bernd Wartmann
	Kurt Schramm
	James Waters

UNGARN

Teamchef	Miklos Tauzin
Kapitän	Istrán Lukács
	Ferenc Novák
	Sándor Varga
	Dénes Nemeskövi

USA

Teamchef	Ferdinand Metz
Kapitän	Richard Schneider
	Marcus Bosiger
	Dan Hugelier
	Tim Ryan

VEREINIGTE KARIBISCHE INSELN

Teamchef	Franz Viktor Eichenauer
Kapitän	August Schreiner
	Steven Jilleba
	José Chevrotee
	Norbert Bomm

Weltbund der Kochverbände

Der Weltbund der Kochverbände feierte im Jahre 1978 sein Jubiläum des 50jährigen Bestehens. Dank der freundschaftlichen Zusammenarbeit der Köche in aller Welt spielt die internationale Kochkunst in vielen Ländern eine hervorragende Rolle. Deutsche Köche sammelten Erfahrungen im Ausland, ausländische Köche kamen zu uns, um sich fachlich weiterzubilden. Der Gedanke, einen internationalen Verband der Köche zu gründen, lag nahe. Bedeutende Köche mit großen Namen kamen zum ersten Kongreß vom 11. bis 14. Oktober 1928 nach Paris und gründeten den Weltbund. Unter lebhaftem Beifall der Versammlung wurde Auguste Escoffier zum Ehrenpräsidenten ernannt. Mehr als 100 Delegierte aus 17 Nationen, die 66 Verbände mit rund 60 000 Köchen repräsentierten, wählten Herrn Carton zum ersten Präsidenten des Weltbundes.

Den 21. Kongreß mit insgesamt 24 Delegationen veranstaltete der Weltbund der Kochverbände am 7. und 8. Juni 1984 in Disney World, Orlando/Florida/USA. Die nationalen Vereinigungen von Singapur, Hongkong, Portugal, Belgien, Mauritius sowie Saudi-Arabien wurden als Neumitglieder aufgenommen, so daß nunmehr 37 Nationen dem Weltbund der Kochverbände angeschlossen sind.

Der Verband der Köche Kanadas wurde durch die Delegierten nochmals mit dem Vorsitz des Weltbundes für die kommende Amtsperiode beauftragt. Somit ist Herr Bueschkens alter und neuer Weltbundpräsident, Mr. Henri Dane Vizepräsident und Mr. George Chauveth Generalsekretär des Weltbundes der Kochverbände.

Mr. Norbert Schmiediger aus der Schweiz löste Herrn Albert Bochatay als Schatzmeister ab.

Die Länder Deutschland, Großbritannien, Norwegen und die USA wurden von den Delegierten in den beratenden Ausschuß gewählt.

World Association of Cooks' Societies

In 1978 the World Association of Cooks' Societies celebrated their 50th anniversary. Thanks to the kind cooperation of the cooks all over the world, international culinary art plays an important role in many countries. German cooks collected practical knowledge abroad and foreign cooks came to us to further their knowledge of the art. The idea of establishing an international association of cooks was obvious. Distinguished cooks of great repute went to Paris for the first congress in 1928, which lasted from October 11th to October 14th, and founded the world association. With loud acclaim, Auguste Escoffier was nominated honorary president. More than 100 delegates from 17 nations and 66 societies, represented by 60,000 cooks, elected Mr. Carton the first president of the world association.

On June 7th and 8th, 1984 the International Joint Association of Cooks, including altogether 24 delegations, staged its 21st Congress in Disney World, Orlando, Florida, U.S.A.

The national associations in Singapore, Hong Kong, Portugal, Belgium, Mauritius as well as Saudi Arabia were accepted as new members, so that now 37 nations have been incorporated into the International Joint Association of Cooks.

By vote of the delegates, the Association of Cooks in Canada have once again been given the chairmanship of the International Association for the next period of office. In this way, Mr. Bueschkens is the old and the new president of the International Association, Mr. Henri Dane, Vice-President, and Mr. George Chauveth, Secretary General of the International Joint Association of Cooks. Mr. Norbert Schmiediger from Switzerland replaced Mr. Albert Bochatay as treasurer.

The countries Federal Republic of Germany, Great Britain, Norway and the United States of America were elected by the delegates in the Advisory Council.

Fédération Mondiale des Sociétés de Cuisiniers

La fédération mondiale des sociétés de cuisiniers a fêté son 50ième anniversaire en 1978. Grâce à la collaboration amicale des cuisiniers du monde entier, l'art gastronomique international occupe une place de choix dans beaucoup de pays. Des cuisiniers allemands ont acquis de l'expérience à l'étranger, des cuisiniers étrangers sont venus chez nous pour recevoir une formation professionelle prolongée. L'idée de fonder une fédération internationale des cuisiniers était dans l'ordre des choses. De grands cuisiniers renommés vinrent aux premier congrès qui se déroula du 11 au 14 octobre 1928 à Paris et créèrent la fédération mondiale. Sous les applaudissements vifs de l'assemblée, Auguste Escoffier fut nommé président d'honneur. Plus de 100 délégués de 17 nations, représentant 66 fédérations comptant environ 60 000 cuisiniers, élirent M. Carton premier président de la fédération mondiale.

Le 21ième congrès, avec au total 24 délégations, a organisé le rassemblement mondial des sociétés de cuisiniers les 7 et 8 Juin 1984 à Disney World, Orlando, aux Etats-Unis, en Floride.

Les fédérations nationales de Singapour, de Hongkong, du Portugal, de la Belgique, des îles Maurice ainsi que de l'Arabie Saoudite furent admis comme membres nouveaux et donc désormais 37 nations sont rattachées à la fédération mondiale des sociétés de cuisiniers.

L'association des cuisiniers du Canada fut reconduite dans ses fonctions pour l'administration de la prochaine période. De ce fait Mr. Bueschkens demeure président de la fédération mondiale, M. Henri Dane vice-président et M. Georges Chauveth secrétaire général de la fédération mondiale des sociétés de cuisiniers.

M. Norbert Schmiediger, de la Suisse, remplace M. Albert Bochatay comme trésorier.

L'Allemagne, la Grande Bretagne, la Norvège et les Etats-Unis furent élus au comité consultatif par les délégués.

Mitgliedsverbände

Afrique du Sud/South Africa/Südafrika
South African Chefs' Association
P.O. Box 414
Johannesburg/South Africa

Allemagne/Germany/Deutschland
Verband der Köche Deutschlands
Steinlestraße 32
D-6000 Frankfurt am Main

l'Arabie Saoudite/Saudi Arabia/Saudi-Arabien
Mr. Frédéric Piepenburg
Maître Pâtissier
P.O. Box 40205
Riyadh 11499

Australie/Australia/Australien
The Australian Guild of Professional Cooks Ltd.
A. S. Bailey (Honorary Secretary)
Box 5076 AA–G.P.O.
3001 Melbourne

Catering Institute of Australia Guild of Cooks
P.O. Box A 497
Sydney South B.S.W. 2000

Autriche/Austria/Österreich
Verband der Köche Österreichs
Philippovichgasse 1–3/Stg X1
A-1190 Wien

Belgique/Belgium/Belgien
Vatel Club
37, rue H. Maus – b. 2
B-1000 Bruxelles

Canada/Canada/Kanada
Canadian Federation of chefs de cuisine – Head Office
Hans J. Bueschkens (President)
3465 Rankin Avenue
Windsor/Ontario
Georges A. Chauvet
466 Crestview Road
Ottawa/Ontario K1H 5G9

Corée du Sud/South Corea/Südkorea
Korean Center Cooks' Association
Union Building, 69–75 Kalwol-Dong
Kongsan-Ku, Seoul

Cuba/Cuba/Kuba
Asociación Culinaria de la Republica de Cuba
Obispo No. 302 Esq.
Aguidar, Ciudad

Danemark/Denmark/Dänemark
Kokkencheffernes Forening
Jann Christensen (Sekretar)
Bringehusene 13
DK-2750 Ballerup

Espagne/Spain/Spanien
Asociación des Cocineros y Reposteros
C/Mayor 46–48
Madrid 13

Etats-Unis/U.S.A./Vereinigte Staaten
American Culinary Federation Inc.
P.O. Box 3466
St. Augustine
Florida 32084
3520 N. Rutherford Avenue
600634 Chicago/Illinois
Société culinaire Philanthropique
Fisk Building/Suite 1531–1532
250 West 57th Street, New York 10019
Vatel Club
Fisk Building/Suite 930–931
250 West 57th Street, New York 10107

Finlande/Finland/Finnland
Suomen Keittiömestariydistystem
keskustiitoo r.y.
Uudenmaankatu 34 A 8
00120 Helsinki 12

France/France/Frankreich
Société Mutualiste des cuisiniers de Paris
Rue Saint-Roch 45, F-75005 Paris

Grande-Bretagne/ Great Britain/Großbritannien
Chefs' and Cooks' Circle
13, Underne Avenue
Southgate, N14 7ND

Hollande/Holland/Holland
Nederlandse Club voor Chefkoks
2506 R.N. Scheveningen

Hong Kong/Hong Kong/Hongkong
Rolf Hardmeier
President des Toques Blanches
Executive Chef, Hilton Hong Kong
Queen's Road

Hongrie/Hungary/Ungarn
Magyar Szakacs es Cukrasz Szövetsege
Egon Lontai (President)
VII. Rakoczi ut. 58. III. 309
1074 Budapest

Irlande/Ireland/Irland
Panel of Chefs of Ireland
Liberta Hall
Dublin 1

Israël/Israel/Israel
I.C.C. Cercle de Chefs de Cuisine d'Israël
P.O. Box 3888
Jerusalem 91037

Italie/Italy/Italien
Federazione Italiana Cuochi
Carlo Re
Via Monte di Pieta 1
I-20121 Milano

Japon/Japan/Japan
All Japan Cooks' Association
6-2-16 Roppongi Minato-Ku
Tokyo

Luxembourg/Luxemburg/Luxemburg
Vatel Club A.S.B.L.
47, route de Mondorf
L-5552 Remich

Maurice/Mauritius/Mauritius
Mr. Barry Andrews, President
c/o Saint Geran Sun Hotel
Poste de Flacq

Monaco
Le Grand Cordon d'Or
23, boulevard des Moulins
Monte-Carlo

Norvège/Norway/Norwegen
Norges Kokkemesteres Landsforening
c/o Arvid Skogseth
Handelsstandens Restaurant
7000 Trondheim

Nouvelle-Zélande/ New Zealand/Neuseeland
New Zealand Master Chefs' Association
Colin McCready
P.O. Box 19–656
Christchurch 1

Roumanie/Romania/Rumänien
The Romanian Association of Cooks
and Confectioners
Mr. D. Burtea, President
21 Blanarn Street, sect. 4
Bucarest

Portugal/Portugal/Portugal
Associaçao Dos Cozinheiros
E Pasteleiros de Portugal
Rua Conde Redondon, 53, 4 Esq.
1100 Lisboa

Singapoure/Singapore/Singapur
Mr. Fritz Wuethrich
Executive Chef
Hilton Singapore, Orchard Road
Republic of Singapore

Suède/Sweden/Schweden
Sveriges Kokschefers Forening
P.O. Box 6412
S-11382 Stockholm

Suisse/Switzerland/Schweiz
Société Suisse des Cuisiniers
Adligenswiler Straße
Postfach 1115
CH-6002 Luzern

Yougoslavie/Yugoslavia/Jugoslawien
Société des Cuisiniers de Yougoslavie
Mr. Ivan Avzner, Secrétaire général
General Association of Tourism
Industry of Yougoslavia
Terarise 23 – 11000 Beograd

Site of the 1986 WACS World Congress
Mr. Janez Lencek
Executive Chef
Grand Hotel Toplice
Bled

Das Amt des Jurors

Nach jeder Kochkunstausstellung – dies gilt auch für die letzte Frankfurter Veranstaltung – sind weniger erfolgreiche Aussteller geneigt, ihrem Unmut über die Beurteilung durch die, wie sie meinen, nicht korrekt amtierenden Bewertungskommissionen freien Lauf zu lassen. Es ist zwar ihr gutes Recht, unzufrieden zu sein, doch sollten sie die Ursache zunächst einmal in ihren eigenen Fehlern suchen, allerdings verlangt das Amt des Fachjurors Erfahrung, Beobachtungsgabe und Kenntnis der Materie.

Wenn wir uns im Rahmen dieses Buches einmal grundsätzlich mit der Jurorentätigkeit auf Kochkunstausstellungen befassen wollen, sei der Hinweis erlaubt, daß sich zunächst jeder Ausstellungsbereite fragen muß: Was verstehe ich unter Kochkunst? Was lehrt mich das Reglement für den Wettbewerb auf dem Gebiet Kochkunst?

In einem allgemeinen Teil der jeweiligen Ausstellungsbedingungen werden zunächst Zweck und Ziel der Veranstaltung, die Organisation und auch die notwendigen Richtlinien für die Abteilung „Kochkunst" mit meist erfreulicher Klarheit erläutert. Daran reihen sich die Bestimmungen für die einzelnen Gruppen und vorgesehenen Kategorien, wie zum Beispiel Vorspeisen, Schauplatten, Restaurations- und Tellergerichte, Patisserie, gelegentliche Sonderwettbewerbe der Diätetik wie auch der Gemeinschaftsverpflegung oder auch Arbeiten der warmen Küche, an.

Für die Vergabe einer Auszeichnung ist neben der erforderlichen Punktzahl, die die Jury zu vergeben hat, auch die Anzahl der Platten genau vorgeschrieben. Jeder Aussteller muß ein gleiches Minimum von Arbeiten ausstellen. Dies ist aus Gründen der Gerechtigkeit ebenso wichtig wie richtig und erleichtert die Beurteilung. Aber schon hier liegen die ersten Stolpersteine.

Wer mit seiner Arbeit den Erfolg plant, sollte mit seiner Ausstellungsidee von einer Skizze ausgehen und möglichst einmal mit einem billigen Material die Grundkonzeption seines Entwurfes festhalten. Wenn alles gut durchdacht ist und die gestellte Aufgabe auch manuell beherrscht wird, kann bei einem endgültigen Ausstellungsstück nichts mißlingen. Man sollte aber keine Zeit mit müßiger Spielerei verlieren und vor allem nicht versuchen, ein „Expressionist der Kochkunst" zu werden.

Selbstverständlich werden die ausgestellten Objekte durch eine ebenso strenge und gerechte wie auch fachlich sichere Jury kritisch beurteilt. Dabei ist es einzig und allein Aufgabe dieses Gremiums, jeweils die richtige Wertung zu finden. Für jede Beurteilung braucht man natürlich eine Begründung, und für eine gerechte Bewertung von Ausstellungsstücken gilt die gleichmäßig fundierte Anwendung der bestehenden Prinzipien.

Der Juror muß sich daher bewußt sein, daß jede Arbeit mit der nötigen Strenge und dem gleichbleibenden Maßstab betrachtet werden muß, denn oft ist es nicht ausgeschlossen, daß es um Bruchteile von Punkten gehen kann. Nachträgliche Korrekturen sind ein schlechter Stil. Natürlich kann der Juror, der Erfahrung und Kenntnis der Materie besitzt, in Grenzbereichen Zehntelpunkte hinzugeben oder wegnehmen, und es muß ihm überlassen bleiben, wie er sich entscheidet, doch muß er seine Entscheidung begründen können und darf nicht im „blauen Dunst" schweben.

Bei der unbegrenzten Vielfältigkeit in den einzelnen Kategorien findet ein gut beobachtender Preisrichter in den Arbeiten einen Überblick über Kunstauffassung, Stil und Technik einzelner im Ausstellungswesen führender Teilnehmer und neben traditionellen auch zeitgerechte kulinarische, ja sogar progressive Anrichteweisen, die die Anschauung und das Prinzip der einzelnen Aussteller wiedergeben. So gibt es kein Patentrezept, hier vertritt jeder seine Auffassung. Die heutige Ausstellungspraxis stellt dem Juror wesentlich andere Aufgaben, als dies noch vor einigen Jahren der Fall war, und wer als Preisrichter berufen ist, sollte, bevor er sein abschließendes Urteil fällt, immer wieder Vergleiche zwischen den Arbeiten ziehen, um unvoreingenommen zu erkennen, welche Arbeit als vorbildlich, gut, befriedigend oder als gedankenarm zu bezeichnen ist.

Präsentation ebenfalls ausschlaggebend

Die Gegenwart – und mit Sicherheit auch die Zukunft – wird jedes gewissenhaft urteilende Preisrichtergremium überzeugen, daß nicht eine überschäumende Phantasie die Erfolgsgrundlage einer Ausstellungsarbeit ist, sondern daß Zusammenstellung und Anrichteweise die absolute Beurteilungsgrundlage sein muß und es nicht angeht, die Augen dort zuzudrücken, wo etwas fehl am Platze ist.

Somit sind die Ansprüche der Jury, die diese an ein Ausstellungsobjekt stellt, schon weitgehend klar umrissen. Selbstverständlich müssen alle Anforderungen erfüllt sein, die unter den anfangs erwähnten „Ausstellungsbedingungen" skizziert sind. Großes Augenmerk muß auch auf die geschmackvolle und erlesene Seite gelegt werden, denn die Präsentation der Arbeit ist bei der Bewertung mit ausschlaggebend. Dies bedingt, daß sich der Aussteller im voraus völlig klar sein muß über das, was er ausstellt. Kunst und Plattheiten liegen oft nicht weit auseinander, und es ist manchmal gar nicht so leicht, sie voneinander zu trennen.

Um lebendig zu wirken, bedarf jedes Ausstellungsstück der Farbe, doch auch dabei sollte man ein vertretbares und bescheidenes Maß ansteuern. Bei der Ausnutzung der zur Verfügung stehenden Plattenflächen und der Belegung der Platten- und Tellerränder unterlaufen die gröbsten Fehler. Jede Plattenform benötigt eine andere Anrichteweise. Jedem Aussteller sind die Maße seiner Platte bekannt. Bereits in der zu Anfang angeführten Skizze und Anrichteprobe ist darauf zu achten, daß eine Platte bzw. ein Teller nicht überladen wirkt, ist das dann doch der Fall, kann es beim Ausstellungsobjekt keine Entschuldigung geben.

Oft erhebt sich die Frage, ob Transportschäden zugunsten des Ausstellers berücksichtigt werden sollten und ob der mögliche Sonderpunktzuschlag andere darstellerische Mängel aufheben kann. Hier ist grundsätzlich festzuhalten, daß für unerwünschte Vorkommnisse beim Transport der Ausstellungsgüter der Aussteller die Konsequenzen zu tragen hat, denn der Juror hat nur das zu beurteilen, was vor ihm auf dem Ausstellungstisch steht.

Wenn ein Ausstellungsstück Mängel aufweist, so sind wir der Ansicht, daß diese nicht aufgewertet werden können, auch nicht, wenn die mögliche Neuheit mit Sonderpunkten belegt werden kann. Die Bewertung „Neuheit" für ein Ausstellungsobjekt, das ohnehin zu den Seltenheiten gehört, darf im Endeffekt nicht dazu führen, daß kulinarische oder darstellerische Mißstände ausgeglichen werden. Die einer Arbeit anhaftenden Mängel können nicht durch Zusatzpunkte zum Verschwinden gebracht werden.

Bei den durch den Verband der Köche Deutschlands wiederholt abgehaltenen Jurorenseminaren bekommen die Teilnehmer ein Gefühl für die „ausstellerische Kochkunst". Für die Regeln des Weltbundes der Kochverbände und das Verhältnis einer amtierenden Jury gelten nachstehende Grundsätze:

– Die Qualität einer Fachjury hat nichts damit zu tun, ob sie regional oder international tätig ist.

– Eine Jury und die amtierenden Juroren sind ein Auswahlgremium, von dem Kochkunst und ausstellerische Darstellungen bewertet werden.

– Der Juror soll nicht in dem Sinne Richter sein, daß der Verfertiger der Arbeit als Angeklagter gilt.

– Der Juror muß sich bei der Beurteilung des Objekts in die Vorstellungen des Verfertigers hineindenken können.

– Die Arbeit muß vom Juror bewußt zur Kenntnis genommen werden.

– Die Arbeit muß in Gestaltung, Zusammensetzung, Schwierigkeitsgrad wie auch Anrichteweise unterteilt werden. Das gehört zur Analyse der Beurteilung, wobei die Gesamtheit ausschlaggebend ist.

– Auf die Echtheit der Arbeit muß unbedingt Wert gelegt werden, denn es geht nicht an, mit unerlaubten oder unreellen Mitteln zu arbeiten. Das trifft besonders dort zu, wo zum Beispiel Pasteten, Terrinen oder Galantinen nicht im Anschnitt gezeigt werden.

– Aus all diesen Meinungen heraus muß sich der Juror seine Wertung bilden, eine Meinung, die er auch dem Aussteller gegenüber vertreten kann.

– Jedes Jurymitglied sollte sich an dem zeitgemäßen Trend orientieren, das heißt, sich von dem Reiz und der Richtigkeit der Zusammenstellung, der Auswahl und der Proportionen sowie von dem kulinarischen Empfinden leiten lassen, denn nur so wird es durch sein systematisches Vorgehen zu einem möglichst gerechten Urteil kommen.

– Die Tätigkeit des Jurors ist sicher keine leichte Aufgabe, und der Juror ist des öfteren Angriffen von Ausstellern ausgesetzt, denen die Urteilsfähigkeit über richtig oder falsch fehlt. Wer aber von den Juroren selbst an Wettbewerben teilgenommen und sich einer Jury gestellt hat, wird differenzierter urteilen, zumal Richtlinien für internationale Beurteilungen zugrunde gelegt sind.

The function of a Juror

Following every cookery show – this also applies to the last exhibition in Frankfort – less successful exhibitors tend to give free vent to their displeasure at the judgements passed by whom they believe to be the wrong people on the board of examiners. It is true that it is their right to be dissatisfied, but they should first seek the cause in their own mistakes; of course, the office of a competent juror requires experience, the power of observation, and knowledge of the material.

Should we want to concern ourselves within the scope of this book with the function of a juror at cookery shows, and this, in detail, then we permit ourselves to point out that every willing exhibitor should ask himself: What do I understand by culinary art? What do the regulations tell me about competing in the field of cooking?

In the general rules given at one point in the corresponding conditions of participation, first of all, it is most usually, the purpose and goal of the exhibition, its organization, and also the necessary guidelines in the area "Culinary Art", that are explained with absolute clarity. In addition, there are the regulations for the single groups and categories planned, like, for example, display-platters, gastronomic and plate dishes, pastries, and occasional special contests in bland-diet dishes as well as cafeteria foods or dishes served warm.

In awarding a prize not only the necessary number of points, which can be given by a jury, but also the number of plates has to be defined exactly. Every exhibitor has to display the same minimum number of show-pieces. This is not only a matter of fairness, but also one of importance and correctness, and simplifies the task of rating. But it is already here that we come across our first stumbling blocks.

Whoever has the intention of achieving success with his piece of work, should start out with a rough sketch of the display-piece in mind, and, if possible, by beginning with inexpensive materials that capture the basic conception of his plan. If everything is well thought out, and the task set can be carried out with a skilled and practised hand, nothing can go wrong in the final preparation of the display-piece. But no time should be lost with pointless fancies, and above all, no attempt should be made at trying to become an "Expressionist in Culinary Art".

It goes without saying that the pieces of work displayed are critically judged by both a strict and fair jury, which is certainly competent as well. In doing so, the one and only task of this committee is to find in each case the correct rating. Needless to say, every judgement passed requires arguments that support it, and in a fair evaluation of display pieces, the existing principles are to be applied, that are equally founded.

Therefore, the juror must be conscious of the fact that every piece of work has to be viewed with the necessary rigidness and the very same yardstick in every case, for it can often happen that a fraction of a point can make all the difference. Subsequent corrections are not a good style. Of course, a juror, who possesses the experience and knowledge of the material, can add or take off one-tenth of a point, and it has to be left to his discretion as to what decision he makes, but he must be able to give arguments in support of his decision, and should not envelop himself in a "cloud of smoke".

With the unlimited number of dishes in each category a very observant juror will gain an overall impression from the single pieces of work, and this, in connection with the conception of art, style, and the techniques employed by the single participants leading in the field of displaying show-pieces, and besides the conventional methods, there are also the modern-day culinary, why even progressive methods of serving, which reflect the attitudes and principles of the individual exhibitors. No single formula exists; everyone has to give arguments for his standpoint. With the present practice of exhibiting display-pieces, the juror faces quite different tasks than was the case several years ago, and whoever is called to be a juror, should again and again compare the one piece of work with the other before passing a final judgement, and this, so as to recognize objectively which piece of work can be said to be exemplary, which is good, satisfactory or lacking in ideas.

Presentation is also decisive

The present – and certainly the future as well – will convince every conscientious committee of jurors of the fact that it is not exuberance in imagination that is the basis of success in a piece of work displayed, but rather it is its composition and method of serving that have to be the absolute basis of making an objective rating, and it will not do to shut one's eyes to something that is a wrong choice.

Thus, it can be said that the demands made by the jury on a single display-piece have largely been outlined. It goes without saying that all the prerequisites have to be fulfilled, which are mapped out in the "Conditions of Participation", already referred to in the beginning. Great attention also has to be directed to the aspects of taste and choice, for the presentation of a piece of work is a decisive factor in its rating. This is dependent on the fact that the exhibitor has an absolutely clear conception of what he wants to display. Art and shallowness often do not lie far apart and sometimes it is not very simple to draw a dividing line between the two.

To give life to a piece of work, every show-piece has to have color, but here, too, an answerable and modest measure of standard should be striven for. When making use of the platter area available and when filling the platters and plate edges, it is usually here that the gravest mistakes are made. Every platter shape requires a different serving arrangement. And every exhibitor knows the measurements of his platter. Already then when making the first outline and when trying out the serving arrangement wanted, special care should be taken that a platter and/or plate does not appear overladen; if this is the case, then no excuse for the show-piece can be made.

The question often arises whether a damage during transport should be taken into account, and this, in favor of the exhibitor and whether the possible, special extra-rating can offset the other flaws in presentation. On principle, it is to be said here that the exhibitor has to carry the responsibility for any unfortunate mishaps during transport of the display-pieces, for the juror only has to pass judgement on that what is in front of him on the display-table.

If a display has flaws, then we are of the opinion that this cannot be given a favorable rating, even then, when the possible novelty can be given special points. The rating "novelty" for a display-piece, which would in any case fall into the category of a rarity, may not in the end lead to the circumstance that an unhappy state of affairs, and this, with respect to culinary art and presentation, can be made good. The flaws found on a piece of work cannot be made to disappear by giving in additional plus-points.

Through the jurors' seminars continually held and sponsored by the Association of Cooks in Germany, participants get the feeling for "exhibiting culinary art". The following principles apply for the rulings of the International Joint Association of Cooks and the single weights carried by the jurors in office:
– The juror should not be a judge in the sense that the exhibitor feels his piece of work is a case having been "put on trial".
– The juror has to be able to place himself in the position of the exhibitor and assess the value of the piece of work from the perspective of the exhibitor.
– The piece of work has to be viewed by the juror with due deliberance.
– The piece of work has to be classed in the different categories of presentation, composition, degree of complexity, as well as from the standpoint of serving techniques.
All this is part of the rating analysis, in which case judgement of the whole is decisive.
– Importance definitely has to be attached to the genuineness of the piece of work, for it will not do to operate with illicit and underhand methods. This particularly applies in those cases where it concerns, for example, pâtés, tureens or galantines, that have not been shown in a cut state.
– From all these points of view, the juror has to make his rating, an assessment that he can explain to the exhibitor.
– Every member of jury should acquaint himself with the latest trends, that is, allow himself to be guided by the appeal and the correctness of the composition, its choice and proportions, as well as by the exhibitor's feeling for culinary art, for only through methodical procedures is it possible to pass judgement with optimum fairness.

– Acting as a juror is certainly not an easy task, and the juror is often exposed to attacks of exhibitors, who lack the ability to discriminate between that which is right and that which is wrong. But those jurors, who themselves have participated in contests and who have had their exhibits rated, will pass a differentiated judgement, especially since guidelines for assessments made on an international plain have been taken as a basis.

La fonction de juré

Après chaque exposition d'art culinaire (ceci est également valable pour la dernière manifestation à Francfort) les exposants moins couronnés de succès ont tendance à laisser libre cours à leur mauvaise humeur envers le jugement en incriminant le fonctionnement défectueux des commissions d'appréciation. C'est, il est vrai, leur bon droit d'être insatisfait; cependant ils devraient rechercher tout d'abord la cause dans leurs propres erreurs. Assurément la fonction de juré spécialisé demande de l'expérience, le don d'observation et la connaissance de la matière.

Si nous voulons, dans le cadre de ce livre, nous occuper délibérément de l'activité du jury pendant les expositions d'art gastronomique, alors qu'il nous soit permis d'indiquer tout d'abord que chaque candidat devrait se demander: Qu'est-ce-que j'entends par l'appellation art culinaire? Que m'apprend le règlement pour les concours de ce domaine?

Dans la rubrique générale des modalités se rapportant aux expositions, sont énoncés le dessein et l'objectif de la manifestation, l'organisation ainsi que les lignes directrices indispensables au chapitre «art gastronomique», dans la plupart des cas avec une clarté réjouissante. Il s'y ajoute les dispositions pour les groupes et catégories prévus comme par exemple les plateaux présentés, les plats de restaurants et les mets sur assiettes, les entrées, la pâtisserie, les concours particuliers occasionnels de la diététique ainsi que les plats de collectivités ou encore les réalisations de plats cuisinés chauds.

Auprès du nombre de points nécessaires que le jury doit accorder pour la remise d'une distinction, le nombre de plateaux est également exactement prescrit. Chaque exposant doit présenter un minimum identique de travaux. Pour des raisons d'équité ceci est aussi important que justifié et cela facilite l'appréciation. Mais déjà là se présentent les premières pierres d'achoppement.

Celui qui envisage la réussite de son travail devrait, avec sa conception d'exposition, partir d'une ébauche et, si possible avec des ingrédients bon marché, dégager l'idée fondamentale de son projet. Lorsque tout aura été mûrement réfléchi et quand la tâche proposée sera également manuellement maîtrisée, la pièce finale d'exposition ne pourra être manquée. Mais on ne devrait pas perdre de temps avec des bagatelles superflues et avant tout ne pas chercher à devenir un «expressioniste de l'art culinaire».

Il va de soi que les objets exposés sont estimés et critiqués par un jury aussi strict et juste qu'expert en la matière. La seule et unique tâche de cette assemblée est de trouver la juste évaluation qui leur est due. Il faut bien sûr une raison pour toute appréciation et l'emploi des principes en vigueur, reposant sur les mêmes fondements, est valable pour une juste estimation des pièces d'exposition.

C'est pourquoi le juré doit être conscient que chaque réalisation doit être considérée avec la rigueur nécessaire et une échelle de grandeur constante, car il arrive souvent que tout se décide sur des fractions de points. Des corrections postérieures sont malvenues. Il va de soi que le juré, qui possède l'expérience et la connaissance des ingrédients, peut, dans les cas limites, ajouter ou retirer des dixièmes de points et il doit être laissé libre de sa décision; cependant il doit pouvoir fonder celle-ci et ne peut pas se permettre de naviguer dans l'arbitraire.

Etant donné la diversité infinie de chacune des catégories, un juge vraiment perspicace trouvera dans les réalisations un aperçu des conceptions artistiques, du style et de la technique de quelques participants renommés dans le domaine exposition et aussi bien des modes de dressage traditionnels que modernes, voire même d'avant-garde qui reflètent les conceptions et les principes de chacun des exposants. Il n'existe pas de recette miraculeuse; chacun défend ici ses conceptions. La pratique d'exposition contemporaine propose bien d'autres tâches au juré qu'il y a encore quelques années et celui qui est appelé à juger devrait, avant de prononcer la décision finale, établir des comparaisons répétées entre les travaux pour reconnaître impartialement quelle réalisation est à qualifier d'exemplaire, de bonne, de satisfaisante ou de pauvre.

Le rôle également déterminant de la présentation

Le présent (et certainement aussi le futur) convaincront toute assemblée de juges appréciant en son âme et conscience qu'une imagination débordante ne constitue pas le fondement du succès pour un travail d'exposition, mais que la composition et le mode de dressage doivent être la seule et unique base de jugement et qu'il ne s'agit point de fermer les yeux là où quelque chose n'est pas de mise.

Ainsi les exigences que le jury impose à un objet d'exposition sont déjà, pour la plus large part, clairement cernées. Il va de soi que toutes les conditions qui sont énoncées dans les «modalités d'exposition» mentionnées au début doivent être remplies. Une grande attention doit aussi être accordée au caractère savoureux et exquis, la présentation du travail jouant un rôle décisif lors de l'appréciation. Ceci implique que l'exposant ait des idées tout à fait claires sur ce qu'il va présenter. L'art et la platitude sont souvent proches et ce n'est quelquefois pas si facile d'établir une frontière.

Chaque pièce d'exposition a besoin de couleur pour exercer une vive attraction mais on devrait ici également mettre l'accent sur une mesure raisonnable et modérée. Les fautes les plus grossières sont observées lors de l'utilisation des surfaces de plateau disponibles et de la garniture de sa bordure et des celle des assiettes. Chaque forme de plateau nécessite un mode de dressage différent. Chaque exposant connaît les dimensions de son plateau. Dans les ébauches et les essais de dressage déjà mentionnés, il faut veiller à ce qu'un plateau, ou alors une assiette, ne produisent pas une impression de surcharge; s'il arrive cependant qu'il en soit ainsi, il ne peut y avoir d'excuse pour l'objet exposé.

Souvent se pose la question de savoir si les dommages causés par le transport devraient être pris en compte au bénéfice de l'exposant et si d'éventuels points spéciaux supplémentaires pourraient effacer d'autre manques de la présentation. Ici il faut s'en tenir au fait que les conséquences d'incidents préjudiciables survenus pendant le transport des objets d'exposition sont à supporter par l'exposant car le juré doit seulement évaluer ce qui se trouve devant lui sur la table d'exposition.

Lorsqu'une pièce d'exposition affiche des manques, nous pensons qu'elle ne peut être revalorisée même s'il peut être attribué des points spéciaux à son éventuelle originalité. Pour un objet d'exposition, de toute façon rare, l'appréciation «originalité» ne peut en définitif amener à compenser les défauts culinaires ou de présentation. Les manques étiquetés à un travail ne peuvent se dissiper avec l'apport de points spéciaux.

Lors des séminaires de jurés organisés à intervalles renouvelés par l'association des cuisiniers allemands, les participants acquièrent un sens pour l'art culinaire d'exposition. Conformément aux règles de la fédération mondiale des sociétés de cuisiniers et au comportement d'un jury en exercice, les principes suivants ont cours:

— La qualité d'un jury d'experts est indépendante de son champ d'action, qu'il soit régional ou international.
— Un jury et les jurés qui siègent constituent une assemblée élue qui doit évaluer l'art culinaire et la présentation en exposition,
— Le juré ne doit pas juger dans le sens où le confectionneur du travail se retrouve dans une position d'accusé.
— Le juré doit être en mesure d'appréhender l'imagination du confectionneur lors de l'appréciation de l'objet.
— Le travail doit être consciemment pris en considération par le juré.
— Le travail doit être subdivisé en façonnage, composition, degré de difficulté ainsi que mode de dressage. Ceci fait partie de l'analyse de l'évaluation, l'ensemble y étant déterminant.
— Il faut en tout cas attacher une grande valeur à l'authenticité de la réalisation car il n'est pas question de travailler avec des moyens non autorisés ou factices. Ceci s'applique par exemple spécialement aux pâtés, terrines et galantines, lorsqu'ils ne sont pas présentés en coupe.
— Le juré doit établir son appréciation à partir de toutes ces considérations et doit également être en mesure de défendre son opinion devant l'exposant.
— Chaque membre du jury devrait s'orienter selon les tendances actuelles, ce qui signifie se laisser guider par l'attrait et le bien-fondé de la composition, le choix et les proportions ainsi que par la sensibilité culinaire, car c'est seulement ainsi, avec une démarche systématique, qu'il pourra parvenir à l'évaluation la plus juste.
— La fonction de juré n'est certes pas une tâche facile et celui-ci est exposé à des attaques fréquentes d'exposants, incapables de distinguer le bien de l'erroné. Mais un juré qui a lui-même participé à des concours et qui s'est trouvé placé devant un jury pourra apprécier de manière plus différenciée, surtout si des lignes directrices sont établies pour des jugements internationaux.

Bilanz des Erfolges

Mit rund 70 000 Besuchern und 28 an dem Wettbewerb teilnehmenden Nationalequipen war die IKA-HOGA '84 die bestbesuchte Schau aller Zeiten. Nicht nur die Aussteller waren mit ihrer Beteiligung an dieser Internationalen Kochkunstausstellung zufrieden, auch die Qualität der Ausstellungsstücke bestätigte wie schon in den Vorjahren erneut das kontinuierlich ansteigende hohe Niveau der „Olympiade der Köche".

Nach der Auswertung aller Einzelergebnisse kristallisierte sich der erstmals in der Geschichte der IKA zu kürende „Weltmeister der Nationen" heraus. **Das amtierende „Weltmeister-Team" bis 1988 ist die Nationalmannschaft Kanada mit:
Henri Dane, Teamchef,
Hubert Scheck, Kapitän,
Tony Murakami,
Gerhard Pichler und
Bruno Marti.**

Hier die weiteren Plazierungen der teilnehmenden Nationalmannschaften **in der warmen Küche des Internationalen Restaurants:**
1. Vereinigte Staaten von Nordamerika
2. Australien und Norwegen
3. Irland

in der Abteilung Schauplatten A 1:
1. Vereinigte Staaten von Nordamerika
2. Bundesrepublik Deutschland
3. Japan

in der Abteilung Restaurationsplatten und Tellergerichte A 2:
1. Japan
2. Schweiz
3. Bundesrepublik Deutschland

im Wettbewerb Internationales Jugendrestaurant:
Goldmedaille: Australien, Dänemark
Silbermedaille: Bundesrepublik Deutschland (Zweigverein Bad Wörishofen)
Bronzemedaille: Bundesrepublik Deutschland (Kochclub Augusta, Augsburg; Verein Berliner Köche; Verein der Köche Hochschwarzwald; Arbeitsgemeinschaft Nordrhein-Westfalen; Verein Nürnberger Köche; Verein der Köche Wiesbadens), Canada, Großbritannien, Luxemburg, Schweiz, USA.

Internationale Bewertungskommission

Vorsitzender Helmut Roock, Hamburg

Internationale Preisrichter
Vorsitzende
Gruppe A 1 Schauplatten: Walter Schätzle, Berlin
Vorstandsmitglied VDK
Gruppe A 2 Restaurationsplatten und Tellergerichte:
Jürgen Goedicke, Berlin, Vizepräsident VDK
Gruppe B Kochkunstschau der warmen Küche:
Fritz Scheich, Bübingen, Vorstandsmitglied VDK

Die Mitglieder der Internationalen Bewertungskommission werden einen Tag vor Ausstellungsbeginn von den Delegationsleitern (Teamchefs) der internationalen Mannschaft gewählt. Jedes Land entsendet einen Vertreter.
Vorsitzender der nationalen Bewertungskommission:
Günther Chevalier, Clausthal-Zellerfeld

A 1   *Schauplatten:*
       Günter Scherrer, Düsseldorf
       Heinrich Koch, Schwäbisch Hall
       Peter Seidenfaden, Flörsheim
       Adolf Burgthaler, Pfaffenhofen
       Josef Schmitt, Bad Kissingen
       Jochen Gehler, Ortenberg

A 2   *Restaurationsplatten und Tellergerichte:*
       Hans Henning Prosi, Wiesbaden
       Wolfgang Walter, Stuttgart
       Werner Neubauer, Kiel
       Reinwalt Renz, Stuttgart
       Rudolf Decker, Neu-Isenburg
       Rudolf Lehmann, Garmisch-Partenkirchen

A 3   *Restaurationsplatten und Tellergerichte
       der Großverpflegung:*
       Hubert Decker, Köln
       Hans-Joachim Bernert, Hamburg
       Kurt Waldhecker, Haningen

C 1/C 2 *Patisserie:*
       Walter Sauerbrei, Frankfurt/Main

D   *Dekorationsstücke:*
       Kurt Matheis, Berchtesgaden
       Hans-Jürgen Schulte, Düsseldorf

Der Verband der Köche Deutschlands e. V.

Der Verband wurde 1948 als Nachfolge-Organisation des Internationalen Verbandes der Köche gegründet. Der Geschäftssitz ist in Frankfurt am Main. Rund 14 000 Köche, Küchenmeister und Auszubildende haben sich bis heute dem Berufsverband angeschlossen. Sie werden in über 110 Zweigvereinen und acht Arbeitsgemeinschaften betreut.

Aufgaben

Der Verband vertritt die Interessen der Köche in kultureller und ideeller Hinsicht. Er kann, will und darf sie nach seiner Satzung in arbeitsrechtlichen Fragen nicht vertreten und ist auch kein Tarifpartner. Seine Stellung zwischen dem Deutschen Hotel- und Gaststättenverband und der Gewerkschaft Nahrung–Genuß–Gaststätten ist zwangsläufig neutral. Das schließt jedoch nicht aus, daß der Verband durch sein hohes Ansehen und seine natürliche fachliche Kompetenz ein besonderes Mitspracherecht in allen Fragen des Berufes, insbesondere bei der Neufassung der Berufsausbildungsverordnung bei den entsprechenden gesetzgebenden Institutionen, hat.

Detaillierte Problemlösungen zu berufsbezogenen Fragen werden von den Beiräten des Verbandes erarbeitet, dazu gehören Jugendfragen, Berufsausbildung und Schulung, Gastronomie, Großverpflegung, Kochkunst-Ausstellungen, Krankenhäuser und Anstalten, Sozialwesen.

In jedem der Beiräte ist ein Mitglied des Verbandsvorstandes als Ressortchef vertreten, um so eine enge Zusammenarbeit zwischen Beiräten und Verbandsleitung zu gewährleisten.

Weiterbildung

In dem verbandseigenen Schulungszentrum in Schmitten im Taunus veranstaltet der Verband der Köche Deutschlands Fortbildungslehrgänge und Seminare, beispielsweise zur Vorbereitung auf die Küchenmeisterprüfung, oder Diät-Lehrgänge, bei denen mit bestandener Abschlußprüfung das staatlich anerkannte Diplom „Diätetisch geschulter Koch DGE" (DGE = Deutsche Gesellschaft für Ernährung) erworben wird. Über 90 dieser Lehrgänge wurden bisher durchgeführt, mehr als 2100 Diplome wurden vergeben.

Für die praktische Arbeit steht den Schulungsteilnehmern eine vorbildlich ausgerüstete Lehrküche zur Verfügung, namhafte Fachleute aller Gebiete, leitende Ärzte, Psychologen, Ernährungsberater, Küchenmeister und Betriebswirte sind die Dozenten.

Der Berufsstand des Kochs trägt somit einen entscheidenden Teil zur gesunden, ernährungsphysiologisch richtigen Verpflegung der Bevölkerung bei.

Förderung des Berufsstandes

Unter dem Aspekt der Förderung des Berufsstandes und seines Ansehens in der Öffentlichkeit veranstaltet der Verband der Köche Wettbewerbe, wie etwa den Bundesjugendwettbewerb oder den Wettbewerb um die „Goldene Kochmütze", der in drei Gruppen, nämlich „Hotel und Restaurant", „Kliniken und Sanatorien" und „Kantinen und Casino", ausgetragen wird.

Auch die Verbandszeitschrift „Küche" dient mit ihrer fachlich fundierten Redaktionsarbeit der permanenten Schulung und Weiterbildung des Kochs, der hier mancherlei Anregungen für seine tägliche Arbeit erhält. Die „Küche" wird allmonatlich in 18 000 Exemplaren gedruckt und an die Mitglieder kostenlos verschickt.

Organisation

Präsident des Verbandes der Köche ist z. Z. Heinz H. Veith; als Vizepräsidenten fungieren Siegfried Schaber, München, Helmut Uhl, Frankfurt, und Jürgen Goedicke, Berlin. Die Geschäftsführung liegt bei Helmut Häusner.

Internationale Kochkunst-Ausstellung 1984

Ein Höhepunkt der Verbandsarbeit ist die traditionelle Internationale Kochkunst-Ausstellung (IKA), die, seit 1895 vom Verband der Köche Deutschlands organisiert, alle vier Jahre in Frankfurt am Main stattfindet und als „Olympiade der Köche" weltweit Bedeutung hat. Im Jahre 1976 haben 20 Nationen an dieser bedeutenden Veranstaltung teilgenommen, 1980 waren es 23 Nationen und 1984 insgesamt 28 Nationen.

Bedauerlich ist, daß wiederum die UdSSR und die DDR an diesem friedlichen Wettstreit der Köche nicht teilgenommen haben.

Für die Veranstaltung 1984 hatte der Verband der Köche Deutschlands gemeinsam mit den Hotel- und Gaststättenverbänden Hessen, Rheinland-Pfalz und Saarland sowie mit der Firma Heckmann Ausstellungen GmbH, Wiesbaden, die größten und modernsten Messehallen Europas auf dem Frankfurter Messegelände angemietet.

Gleichzeitig mit der IKA fand die Hotel- und Gaststättenausstellung, HOGA, statt.

Auch bei dieser Messe waren branchenfremde Aussteller nicht zugelassen, so daß Fachbesucher ein kompaktes, branchenspezifisches Angebot vorfanden und in Ruhe disponieren konnten.

1984 wurde der Titel „Weltmeister der Kochverbände" erstmals an das kanadische Team vergeben.

Nachstehend nennen wir die Punktzahl der vier besten Mannschaften:

| 1. Kanada | 634,93 Punkte | 3. Bundesrepublik Deutschland | 584,05 Punkte |
| 2. Vereinigte Staaten von Amerika | 613,08 Punkte | 4. Japan | 583,41 Punkte |

In der Nationenwertung konnten sich in den drei Ausstellungskategorien folgende Länder plazieren:

Nationenwertung IKA 1984

Weltmeister der Nationen 1984: Kanada

mit der jeweils höchsten Punktzahl in den Bereichen

KATEGORIE B Küche im internationalen Restaurant	KATEGORIE A1 Schauplatten	KATEGORIE A2 Restaurationsplatten und Tellergerichte
Danach konnten sich plazieren:		
1. USA	1. USA	1. Japan
2. Australien / Norwegen	2. BRD	2. Schweiz
3. Irland	3. Japan	3. BRD

Insgesamt wurden auf der IKA 1984 8145 Ausstellungsobjekte präsentiert.
An Regionalmannschaften und Einzelaussteller wurden folgende Medaillen und Urkunden vergeben:

13 Stück Gold mit Auszeichnung
286 Stück Gold
306 Stück Silber
261 Stück Bronze
188 Stück Beteiligungsurkunden

Die Veranstaltung 1984 diente, ebenso wie alle Ausstellungen vorher, der Förderung der Kochkunst, dem Hotel- und Gaststättengewerbe und damit auch dem internationalen Fremdenverkehr.

Es wurde neuzeitliche Kochkunst in zweckmäßiger Anrichteweise gezeigt, die Speisen wurden schonend vor- und zubereitet und waren als vollwertige, gesunde Ernährung im Sinne der Ernährungslehre anzusehen. Daneben wurden auch Gerichte der klassischen Kochkunst und ihre Anrichteweise demonstriert.

Aussteller, deren Arbeiten in diesem Buch veröffentlicht sind

Mit dieser Namensnennung geht ein wohlverdienter Dank an alle Mitglieder der National- und Regionalequipen, an alle Mitglieder der Verbände, Arbeitsgemeinschaften, Cercles, Amicals wie auch an die zahlreichen Einzelaussteller, die mit ihren Arbeiten in den verschiedensten Ausstellungskategorien ihr Bestes leisteten und so zur bildlichen Ausstattung dieser Dokumentation beitrugen.

Nationalmannschaft Australien
South Australia Guild of Cooks

Nationalmannschaft Großbritannien
Chefs and Cooks Cercle

Nationalmannschaft Irland
Panel Chefs of Ireland

Nationalmannschaft Österreich
Verband der Köche Österreich

Nationalmannschaft Südafrika

Nationalmannschaft Schweiz
Schweizerischer Kochverband

Nationalmannschaft USA
American Culinary Federation

Nationalmannschaft Japan

Regionalmannschaften, Cercles, Amicals und
Arbeitsgemeinschaften
Australian Guild of Professionals Cook Team Victoria
Manfred Henning
René Willem

Team Alberta/Kanada
Ernst Dorfler, Hans Wanner, Reggi Sim,
Elmar Prambs, Jan Neilson

Team Manitoba/Kanada
Teamchef Joshi
Franz Höfler

Equipe de Quebec
Pierre Pedeches, Marcel Kretz, Juerg Johner

Pierre Radisson Kollegiat Winnipeg/Manitoba/Kanada
Hans Jürgen Schweizer

Mindwest Chefs Society L. S. Minor
Clarke Bernier, Milos Cihelka

Cooks' Circle London
P. Davenport

Südafrika Regional Team Johannesburg
Peter Kingham

American Culinary Federation, National Restaurant
Helmut Loibl

New York Culinary Team
René J. Wentworth

Singapore City Team
Felix Huwyler, Peter A. Knipp, Yap Kow Wah

Arbeitsgemeinschaft Bayern
Konrad Bösl, Helmut Rascher

Arbeitsgemeinschaft Berlin
Hilmar Gathof, Manfred Podlesny

Verein der Köche Chiemgau
Karl Heinz Baier

Verein der Köche Hannover
Robert Schmitz

Linzer Regionalmannschaft (Landeskrankenhaus Steyr)
Werner Rosenbauch

Cercle Chefs de Cuisine, Davos/Schweiz
J. M. Ehrat/Restaurant Alte Post Klosters

Equipe Gallus, St. Gallen/Schweiz
Adolf Lüthi, Robert Mutzler

Schweizer Gilde etablierter Köche
Remo Cichero, Werner Wangler

Société Mutualiste des Cuisiniers de Paris
Gabriel Phillsson, François Legres

Lufthansa Servicegesellschaft mbH, Frankfurt
Josef Hottenträger, Wolfgang Meyer, Hermann Kraus,
Peter Gorges, Günther Wett, Johann Peter Ingersen,
Johann Mauder

Pasteten Manufaktur Rudolf Achenbach,
Sulzbach im Taunus
Bernd Moos-Achenbach, Erwin Fohmann, Adam Vol-
kert, Erwin Dannenberg, Reinhard Müller, Detlef Wo-
jak, Alfred Jäckel, Wolf Rüdiger Winrich, Hans August
Pohl

Einzelaussteller aus Hotels, Restaurants, Schulen
und Kasinos

Century Placa Hotel Los Angeles
Executive Chef

Hotelfachschule Hannover
Helmuth Dampfelmeier, Anette Thiele

Hotelfachschule Brixen
Helmuth Bachmann, Martin Lercher

Congreß Centrum Hannover
Harro Sauer, Hartmut Trippler, Josef Mairhofer, Hans
Hertel

Hotel Bern/Schweiz
Rudi Amrein

Hotel Bellevue Palace, Bern
Karl Nobis, Peter Adam

Hotel Schweizerhof, Bern
Hans Warge, Robert Schmalz

Hilton Hotel, Basel
Marcel Roth

Bethesda Spital, Basel
Anton Wandeler

Posthotel Lamm, Kastelruth/Südtirol
Karl Pasquazzo

Hotel Weißes Rössl, Kitzbühel
Kochteam Tirol

Hotel Obsteig, Tirol
Hans-Jörg Schumacher

Hotel Duna Inter-Continental, Budapest
Dénes Nemeskövi

The Prince Hotel, Toronto/Kanada
Hans Ulrich Herwig

Sheraton Hotels London, Heliopolis/Kairo und München
Hans Schweizer, Max Zander, Rainer Schmödler und
Helmuth Baumer

Löwa Westbury Hotel, Toronto/Kanada
Günther Gugelmeier

The Dorchester Hotel, London
Anton Mosimann, Reinhold Johann, Anthony
Osborn, Lyn Hall

Savoy Hotel, London
Anton Edelmann, Anthony Marschall, Barry Colenso,
John Colemann

Commonwealths Holiday Inns of Canada
Charles Parker

Hotel Maison Blanche, Leukerbad/Wallis
Daniel Bumann

Grand Hotel Kronenhof, Pontresina
Rudolf Reichert

Hotel Römerhof, Dorfgastein
Hans Peter Berli

Porsche Hof, Zell am See
Wilfried Sock

Origlio Country-Club
Stefan Unger

Bahnhofs-Restaurant Steffisburg/Schweiz
Hans Peter Zurflüh

Gasthof Neubad, Binningen
Victor Marx

Restaurant Hirsch, Bad Birkenbach
August Kottmann

Inigo Jones Restaurant, London
Paul Gayler, Colin Thomas

Hotel Tannenhof, Steinbach
Rudi Kuperion

Seefelder Stuben, Tirol
Helmut Blaha

Restaurant Schloß Binningen/Schweiz
Christian Amat

Gasthof Krone, Bätterkinden/Schweiz

Kurgarten-Café, Bad Kissingen
Rüdiger Schindler

Konditorei Mogler, Frankfurt
Karl Mogler

Konditorei Dutschler, Rüschlikon/Schweiz
Regina Wanzenried

Richtlinien für internationale Kochkunst-Ausstellungen

für die Anfertigung und Bewertung von kulinarischen Ausstellungsarbeiten (aufgestellt vom Verband der Köche Deutschlands e. V., Frankfurt/Main)

Allgemeines

Kochkunst-Ausstellungen sind das Schaufenster des Berufsstandes und sollen der täglichen Praxis dienen, dem Köchenachwuchs Anregungen vermitteln und eine breite Öffentlichkeit mit dem Fortschritt der Kochkunst bekannt machen. Aus wirtschaftlichen und personellen Gründen sollen die Ausstellungsarbeiten mit einfachen Mitteln zur größten Wirksamkeit gebracht werden. Die Preisrichter werden den Gewohn- und Gepflogenheiten der beteiligten Länder Rechnung tragen und die persönliche Geschicklichkeit und Leistung der Hersteller anerkennen. Für Hersteller und Preisrichter gelten folgende Richtlinien.

A 1 Schauplatten

Die Ausstellungsobjekte müssen richtig benannt werden.

Um in die Bewertung zu kommen, muß der Aussteller die Bedingungen der Kategorie am gleichen Tag erfüllen! Nur so ist die tägliche Preisverteilung durchführbar.

1. Zusammenstellung

Beilagen und Zutaten müssen mit dem Hauptstück in Menge, Geschmack und Farbe harmonieren.

Für klassische Gerichte ist das Originalrezept maßgebend. (Im Zweifelsfall gilt Escoffier.)

Schauplatten sollen den Erkenntnissen der Ernährungslehre und den Erfordernissen der gegenwärtigen Kochkunst entsprechen.

2. Fachgerechte Zubereitung

Zweckmäßige, kulinarisch einwandfreie und bekömmliche Zubereitung, frei von unnötigem Beiwerk und Zutaten.

Der Aussteller garantiert, daß die ausgestellten Arbeiten nicht von einem Dritten, sondern in allen Teilen von ihm selbst angefertigt und berarbeitet wurden. Andernfalls wird die Jury keine Wertung vornehmen. Sauberer, richtiger Schnitt des Fleisches, Fleisch auf englische Art ist à point zu braten, d. h. rosa, damit beim Überglänzen mit Gelee (Aspik) kein Blut austreten kann. Austretende Fleisch- und Gemüsesäfte dürfen die Platten nicht unansehnlich machen. Gemüse müssen exakt geschnitten oder tourniert sein. Der besseren

Haltbarkeit wegen sollen die Beilagen nicht ganz weich gekocht werden. Bei Verwendung von Schlagsahne, Eischnee, Crèmes usw. ist künstliche Bindung gestattet. Gerichte – warm gedacht, kalt ausgestellt – dürfen (zwecks Frischhaltung) mit Gelee (Aspik) überglänzt werden.

3. Schwierigkeit und Arbeitsaufwand

Hier wird in erster Linie unter der Beachtung, daß es sich um Nahrungsmittel handelt, die kunstvolle Arbeit, der Schwierigkeitsgrad und der Arbeitsaufwand bewertet.

4. Präsentation und Gesamteindruck

Die kalten Schau- oder Prunkplatten bilden bei einem kalten Büfett den Mittelpunkt. Oft sind es Präsentationen von ganzen Stücken, wie Roastbeef, Rücken von Schlachttieren oder Wild, ganze Fische oder Geflügel.

Diese Platten werden nach fachlichen Grundregeln und der Optik auf Silberplatten oder Spiegeln angerichtet. Wird Holz verwendet oder werden andere Anrichtemöglichkeiten eingesetzt, so müssen sie Bezug zum Hauptstück haben und für das Anrichten von Lebensmitteln präpariert sein.

Sofern eine Personenzahl angegeben wurde, ist in jedem Fall die Mindestanzahl der Beilagen für die angegebenen Personen strikt einzuhalten.

Falls keine genaue Personenzahl vorgeschrieben wurde, müssen die Garnituren und Beilagen in der Anzahl nicht unbedingt dem Hauptstück entsprechen.

Beim kalten Büfett muß erkennbar sein: „Vom Büfett auf den Teller." Das Portionsgewicht soll den normalen Durchschnittswerten und anerkannten Regeln entsprechen. Geleetränen sind sorgfältig zu entfernen.

5. Neuartigkeit

Für neuartige Zusammenstellungen, Zubereitungs- und Anrichteweisen werden je nach Bedeutung und Umfang Zusatzpunkte vergeben.

Im Maximum kann der Aussteller von Schauplatten 44 Punkte erreichen, wobei folgende Einzelwertungen maßgebend sind:

Zusammenstellung	0 – 10 Punkte
Fachgerechte Zubereitung	0 – 10 Punkte
Schwierigkeit und Arbeitsaufwand	0 – 10 Punkte
Präsentation und Gesamteindruck	0 – 10 Punkte
Zusatzpunkte für Neuartigkeit	0 – 4 Punkte

A 2 Restaurationsplatten – Tellergerichte

Die Ausstellungsobjekte müssen richtig benannt werden.

Um in die Bewertung zu kommen, muß der Aussteller die Bedingungen der Kategorie am gleichen Tag erfüllen! Nur so ist die tägliche Preisverteilung durchführbar.

1. Zusammenstellung

Beilagen und Zutaten müssen mit dem Hauptstück in Menge, Farbe und Geschmack übereinstimmen. Für klassische Gerichte ist das Originalrezept maßgebend. Im Zweifelsfall gilt Escoffier. Restaurationsplatten dürfen nicht prunkhaft aufgetürmte Klassik verkörpern, sondern sollen den Erkenntnissen der Ernährungslehre und den Erfordernissen der gegenwärtigen Kochkunst entsprechen.

2. Fachgerechte Zubereitung

Zweckmäßige, kulinarisch einwandfreie, bekömmliche Zubereitung, frei von unnötigem Beiwerk und Zutaten. Der Aussteller garantiert, daß die ausgestellten Arbeiten nicht von einem Dritten, sondern in allen Teilen von ihm selbst angefertigt und bearbeitet wurden. Andernfalls wird die Jury keine Wertung vornehmen. Sauberer, richtiger Schnitt des Fleisches, Fleisch auf englische Art ist à point zu braten, d. h. rosa, damit beim Überglänzen mit Gelee (Aspik) kein Blut austreten kann. Austretende Fleisch- und Gemüsesäfte dürfen die Platten nicht unansehnlich machen. Gemüse müssen exakt geschnitten oder tourniert sein. Der besseren Haltbarkeit wegen sollen die Beilagen nicht ganz weich gekocht werden. Bei Verwendung von Schlagsahne, Eischnee, Crèmes usw. ist künstliche Bindung gestattet. Gerichte – warm gedacht, kalt ausgestellt – dürfen (zwecks Frischhaltung) mit Gelee (Aspik) überglänzt werden.

3. Praxisgerechte, zeitgemäße Anrichteweise

Wirtschaftlichkeit und Zeitaufwand müssen beachtet werden. Tellergerichte sollen dem tatsächlichen Service entsprechen, Faustregel: ½ des À-la-carte-Gerichtes. Keine Prunk-, Büfettplatten oder Spiegel verwenden. Platten- und Tellerböden nicht mit einem Spiegel ausgießen. Fleischtranchen (Fleischscheiben) sind nicht, wie sie beim Schnitt fallen, sondern mit der Schnittseite zum Beschauer vor dem Restfleischstück zu ordnen, um ein schnelles und für den Gast einfaches

Bedienen zu ermöglichen. Gekünstelte Anrichtearten, Salatblätter, Petersiliensträuße, Tomatenviertel, Radieschen, ganze Trüffel und ähnliches gehören nicht auf eine warme Restaurationsplatte. Eierspeisen sind nur auf Glas oder Porzellan anzurichten. Sofern Eier auf Silberplatten angerichtet werden, dürfen sie mit der Platte nicht in Berührung kommen. Papierunterlagen nur für die in der Fritüre gebackenen Speisen – sonst keine Papiermanschetten – verwenden. Bei der Verwendung von Stoffservietten muß immer mit Plattenpapier unterlegt werden. Fleisch, Fisch, Gemüse und Süßspeisen dürfen nicht mit Stoff in Berührung kommen. Sockel und alles Nichteßbare sind zu vermeiden. Kleine Croutons gelten nicht als Sockel. Die Plattenränder sind nicht zu belegen. Stanniol, Wachs, Holz und ähnliche Dinge lassen sich nicht mit gegarten Gerichten vereinen und sind wegzulassen. Wird auf Holz angerichtet, muß es entsprechend präpariert sein. Zu Fisch ist wasserklares Fischgelee, zu Geflügel Geflügelgelee und zu Fleisch und Wild Fleischgelee zu verwenden. Färben von Gelee, besonders in krassen und für die Verarbeitung von Nahrungsmitteln unwirklichen Farben, ist unhygienisch und nicht erwünscht. Fleisch, falls Früchte verwendet werden, nur mit kleinen Früchten, dünnen Fruchtscheiben usw. garnieren.

4. Präsentation und Gesamteindruck

Die Größe der Platte muß dem Gericht und der Personenzahl angemessen sein. Hauptstück und Beilagen sollen, in gefälliger Form angerichtet, eine harmonische Einheit bilden. Hauptgericht und Dekor müssen in Größe und Farben im richtigen Verhältnis stehen. Das Portionsgewicht soll der normalen, eßbaren Größe und den anerkannten Regeln entsprechen. In jedem Fall ist die Anzahl der Beilagen für die angegebenen Personen strikt einzuhalten. Die Platten dürfen nicht überladen wirken. Eventuell müssen die Beilagen gesondert angerichtet werden. Saucieren sind nur zu ²/₃ zu füllen.

5. Neuartigkeit

Für neuartige Zubereitungs- und Anrichteweisen, die in der Restaurationspraxis anwendbar sein müssen, werden je nach Bedeutung und Umfang Zusatzpunkte vergeben. Die Jury bewertet nach folgenden Kriterien, wobei maximal 44 Punkte erreichbar sind:

Zusammenstellung	0 – 10 Punkte
Fachgerechte Zubereitung	0 – 10 Punkte
Praxisgerechte und zeitgemäße Anrichteweise	0 – 10 Punkte
Präsentation und Gesamteindruck	0 – 10 Punkte
Zusatzpunkte für Neuartigkeit	0 – 4 Punkte

A 3 Restaurationsplatten und Tellergerichte in der Gemeinschaftsverpflegung

Die Ausstellungsobjekte müssen richtig benannt werden.

Um in die Bewertung zu kommen, muß der Aussteller die Bedingungen der Kategorie am gleichen Tag erfüllen! Nur so ist die tägliche Preisverteilung durchführbar.

Bei Beachtung der Wirtschaftlichkeit sollen die Ausstellungsobjekte der Praxis entsprechen, jedoch ausstellungsgerecht angerichtet werden.

Die Verwendung von Aspik ist erlaubt. Ausgefallene und nicht in der Großverpflegung üblicherweise zu verwendende Lebensmittel sind bei Tellergerichten zu vermeiden.

Zeitaufwendige Herstellungspraktiken sind ausnahmsweise erlaubt.

1. Zusammenstellung

Beilagen und Zutaten müssen mit dem Hauptstück in Menge, Farbe und Geschmack übereinstimmen. Für klassische Gerichte ist das Originalrezept maßgebend.

Restaurationsplatten dürfen nicht prunkhaft aufgetürmte Klassik verkörpern, sondern sollen den Erkenntnissen der Ernährungslehre und den Erfordernissen der gegenwärtigen Kochkunst entsprechen.

2. Fachgerechte Zubereitung

Zweckmäßige, kulinarisch einwandfreie, bekömmliche Zubereitung, frei von unnötigem Beiwerk und überflüssigen Zutaten. Der Aussteller garantiert, daß die ausgestellten Arbeiten nicht von einem Dritten, sondern in allen Teilen von ihm selbst angefertigt und bearbeitet wurden. Andernfalls wird die Jury keine Wertung vornehmen. Sauberer, richtiger Schnitt des Fleisches. Fleisch auf englische Art ist à point zu braten, d. h. rosa, damit beim Überglänzen mit Gelee (Aspik) kein Blut austreten kann. Austretende Fleisch- und Gemüsesäfte dürfen die Platten nicht unansehnlich machen. Gemüse müssen exakt geschnitten oder tourniert sein. Der besseren Haltbarkeit wegen sollen die Beilagen nicht ganz weich gekocht werden. Bei Verwendung von Schlagsahne, Eischnee, Crèmes usw. ist künstliche Bindung gestattet. Gerichte – warm gedacht, kalt ausgestellt – dürfen (zwecks Frischhaltung) mit Gelee (Aspik) überglänzt werden.

3. Praxisgerechte, zeitgemäße Anrichteweise

Keine Prunk-, Büfettplatten oder Spiegel verwenden. Platten und Tellerböden nicht mit einem Spiegel ausgießen. Fleischtranchen (Fleischscheiben) sind nicht, wie sie beim Schnitt fallen, sondern mit der Schnittseite zum Beschauer vor dem Restfleischstück zu ordnen, um ein schnelles und für den Gast einfaches Bedienen zu ermöglichen. Gekünstelte Anrichtearten, Salatblätter, Petersiliensträuße, Tomatenviertel, Radieschen, ganze Trüffel und ähnliches gehören nicht auf eine warme Restaurationsplatte. Eierspeisen sind nur auf Glas oder Porzellan anzurichten. Sofern Eier auf Silberplatten angerichtet werden, dürfen sie mit der Platte nicht in Berührung kommen. Papierunterlagen nur für die in der Fritüre gebackenen Speisen – sonst keine Papiermanschetten – verwenden. Bei Verwendung von Stoffservietten muß immer mit Plattenpapier unterlegt werden. Fleisch, Fisch, Gemüse und Süßspeisen dürfen nicht mit Stoff in Berührung kommen. Sockel und alles Nichteßbare sind zu vermeiden. Kleine Croutons gelten nicht als Sockel.

Die Plattenränder sind nicht zu belegen. Stanniol, Wachs, Holz und ähnliche Dinge lassen sich nicht mit gegarten Gerichten vereinen und sind wegzulassen. Wird auf Holz angerichtet, muß es entsprechend präpariert sein. Zu Fisch ist wasserklares Fischgelee, zu Geflügel Geflügelgelee und zu Fleisch und Wild Fleischgelee zu verwenden. Färben von Gelee, besonders in krassen und für die Verarbeitung von Nahrungsmitteln unwirklichen Farben, ist unhygienisch und nicht erwünscht. Fleisch, falls Früchte verwendet werden, nur mit kleinen Früchten, dünnen Fruchtscheiben usw. garnieren.

4. Präsentation und Gesamteindruck

Die Größe der Platte muß dem Gericht und der Personenzahl angemessen sein. Hauptstück und Beilagen sollen, in gefälliger Form angerichtet, eine harmonische Einheit bilden. Hauptgericht und Dekor müssen in Größe und Farben im richtigen Verhältnis stehen. Das Portionsgewicht soll der normalen, eßbaren Größe und den anerkannten Regeln entsprechen. In jedem Fall sind die Beilagen für die angegebenen Personen strikt einzuhalten. Die Platten und Teller dürfen nicht überladen werden. Saucieren sind nur zu 2/3 zu füllen.

5. Neuartigkeit

Für neuartige Zubereitungs- und Anrichteweisen, die in der Großverpflegung anwendbar sein müssen, werden je nach Bedeutung und Umfang Zusatzpunkte vergeben. Die Jury bewertet nach folgenden Kriterien, wobei maximal 44 Punkte erreichbar sind:

Zusammenstellung	0 – 10 Punkte
Fachgerechte Zubereitung	0 – 10 Punkte
Praxisgerechte und zeitgemäße Anrichteweise	0 – 10 Punkte
Präsentation und Gesamteindruck	0 – 10 Punkte
Zusatzpunkte für Neuartigkeit	0 – 4 Punkte

B Warme Küche
im internationalen Restaurant

Diese Bewertungskriterien gelten nur für die Nationalmannschaften. Die Gerichte müssen richtig benannt werden.

1. Mise en place

Übersichtliche Bereitstellung der Materialien. Saubere Arbeitsplätze, saubere Arbeitshaltung, saubere Arbeitskleidung und saubere Arbeitstechnik. Zeitgerechte Arbeitseinteilung und pünktliche Fertigstellung.

2. Fachgerechte Zubereitung

Zweckmäßige, kulinarisch einwandfreie und bekömmliche Zubereitung, frei von unnötigem Beiwerk und unnötigen Zutaten. Beilagen und Zutaten müssen mit dem Hauptstück in Menge, Geschmack und Farbe harmonieren und sollen den Erkenntnissen der modernen Ernährungslehre entsprechen. Die Mindestanzahl der Beilagen ist für die angegebenen Personen strikt einzuhalten. Für klassische Gerichte ist das Originalrezept maßgebend. (Im Zweifelsfall gilt Escoffier.) Saubererer, richtiger Schnitt des Fleisches. Fleisch auf englische Art ist à point zu braten, d. h. rosa. Nicht exakt geschnittenes oder nicht exakt tourniertes Gemüse zieht Fehlpunkte nach sich. Das Portionsgewicht soll der normalen, eßbaren Größe und den anerkannten Regeln entsprechen.

3. Praxisgerechte Anrichteweise und Präsentation

Hauptteil und Beilagen müssen im richtigen Verhältnis zueinander stehen. Die Gerichte sollen in der Zusammenstellung der Materialien und der Farben harmonieren. Die Tellergerichte sollen zweckmäßig, sauber, gefällig, dem täglichen Service förderlich und nicht überladen angerichtet werden. Sockel und alles Nichteßbare sind zu vermeiden.

4. Geschmack

Das Gericht soll den typischen Geschmack bei ausreichender Würzung aufweisen.

5. Neuartigkeit

Für neuartige Zubereitungs- und Anrichteweisen, die in der Restaurationspraxis anwendbar sein müssen, werden je nach Bedeutung und Umfang Zusatzpunkte vergeben. Das internationale Preisgericht vergibt bei der warmen Küche maximal 85 Punkte je Gericht.

	Punkte	Multiplikator	insges.
1. Mise en place und Ordnung am Arbeitsplatz	0–10	1	10
2. Fachgerechte Zubereitung	0–10	3	30
3. Praxisgerechte Anrichteweise und Präsentation	0–10	2	20
4. Geschmack	0–10	2	20
5. Zusatzpunkte für Neuartigkeit	0– 5	1	5
max. Punktzahl			85

Für die angegebene Personenzahl ist nach den Richtlinien zu kochen. Bei geringerer Menge erfolgt Punktabzug.

C Patisserie

Die Ausstellungsobjekte in den Gruppen C 1 und C 2 müssen richtig benannt werden.

Um in die Bewertung zu kommen, muß der Aussteller die Bedingungen der Kategorie am gleichen Tag erfüllen! Nur so ist die tägliche Preisverteilung durchführbar.

1. Zusammenstellung und Gesamteindruck

Die zu verwendenden Materialien müssen in der Menge dem Objekt entsprechen, der Personenzahl angemessen sein und eine harmonische kulinarische Einheit bilden. Das Ausstellungsgeschirr muß in der richtigen Relation zum Exponat stehen.

2. Fachgerechte Ausführung

Zweckmäßige, kulinarisch einwandfreie und appetitliche Zubereitung. Der Aussteller garantiert, daß die ausgestellten Arbeiten nicht von einem Dritten, sondern in allen Teilen von ihm selbst angefertigt und bearbeitet wurden. Im anderen Fall wird das Preisgericht keine Bewertung vornehmen. Bei Verwendung von Schlagsahne, Eischnee, Crèmes usw. ist eine künstliche Bindung gestattet. Gerichte – warm gedacht und kalt ausgestellt – dürfen überglänzt werden.

3. Schwierigkeitsgrad und Arbeitsaufwand

Hier wird in erster Linie unter der Beachtung, daß es sich um Lebensmittel handelt, die handwerkliche Verarbeitung des Materials in Verbindung mit der Kunstfertigkeit, dem Schwierigkeitsgrad der Herstellung und der Arbeitsaufwand bewertet.

4. Praxisgerechte und zeitgemäße Anrichteweise

Eine Anrichteweise, die ohne großen Aufwand bei der täglichen Arbeit anwendbar ist und dem derzeit gültigen Stil der Kochkunst entspricht. Das Exponat sollte klar und sauber arrangiert sein, optimal zur Wirkung kommen und servietechnisch keine Schwierigkeiten bereiten.

5. Neuartigkeit

Für neuartige Zubereitungsarten und Anrichteweisen, die in der Praxis anwendbar sein müssen, werden je nach Bedeutung und Umfang Zusatzpunkte vergeben.

6. Bewertungskriterien und wichtiger Hinweis

Das Preisgericht bewertet nach folgenden Kriterien, wobei maximal 44 Punkte erreichbar sind:

Zusammenstellung und Gesamteindruck	0–10 Punkte
Fachgerechte Ausführung	0–10 Punkte
Schwierigkeit und Arbeitsaufwand	0–10 Punkte
Praxisgerechte und zeitgemäße Anrichteweise	0–10 Punkte
Zusatzpunkte für Neuartigkeit	0– 4 Punkte

Für Aussteller, die in Gruppe C (Patisserie) ausstellen, wird darauf hingewiesen, daß die in geschlossenen Vitrinen ausgestellten Objekte für das Preisgericht zugänglich sein müssen, da sonst keine Bewertung erfolgt.

D Dekorationsstücke

Zulassungsvoraussetzung ist die Beteiligung des Ausstellers in der Gruppe A, B oder C.

Unter diese Disziplin fallen folgende Arbeiten:
Eismeißeleien, Butter-, Fettskulpturen, Teig-, Würfelzucker-, Tragantarbeiten usw.

Diese Arbeiten werden nur bewertet, sofern sie überwiegend aus fachbezogenen Materialien bestehen.

Das Preisgericht bewertet nach folgenden Kriterien, wobei max. 44 Punkte erreichbar sind:

Bewertungskriterien:

1. Schwierigkeit	0–10 Punkte
2. Arbeitsaufwand	0–10 Punkte
3. Gesamteindruck	0–20 Punkte
4. Sonderpunkte für Neuartigkeit, Materialechtheit und Originalität	0– 4 Punkte

Für Aussteller, die in Gruppe D ausstellen, wird darauf hingewiesen, daß die in geschlossenen Vitrinen ausgestellten Objekte für das Preisgericht zugänglich sein müssen, da sonst keine Bewertung erfolgt.

1. Schwierigkeit

Die Schwierigkeit der Herstellung eines Dekorationsstückes wird gemessen an der persönlichen Kunstfertigkeit und der handwerklichen Verteilung des fachgerechten Materials.

2. Arbeitsaufwand

Unter Berücksichtigung des bei Dekorationsstücken zu erzielenden Werbeeffektes wird neben dem Zeitaufwand auch der ideelle Einsatz bewertet.

3. Gesamteindruck

Je nach Verwendung des fachgerechten Materials sollte der Gesamteindruck des Dekorationsstückes nach den Grundsätzen der Ethik und Ästhetik Begeisterung hervorrufen.

4. Sonderpunkte für Neuartigkeit und Originalität

Hier kommt es darauf an, mit kulinarischem Material eigene Ideen in origineller Weise zu entwickeln und zu verwirklichen. Die Neuartigkeit sollte spontan zu erkennen sein.

Auszeichnungen

Ausstellende Nationen können jeweils in den Gruppen

A 1 Schauplatten,
A 2 Restaurationsplatten und Tellergerichte sowie
B   Warme Küche

Bronze-, Silber- und Goldmedaillen erhalten. Wie 1980 werden ausstellende Nationen auch 1984 die Möglichkeit haben, in den genannten Bereichen jeweils den ersten, den zweiten oder den dritten Rang belegen zu können.

1. Medaillen und Diplome

Jeder Hersteller kann nur eine Auszeichnung für die vorgeschriebene Plattenzahl erhalten. Von den Platten werden nur die besten berücksichtigt, wenn über das Soll hinaus Ausstellungsmaterial angeliefert wird. Wer also mehr ausstellt als vorgeschrieben, kann eventuell eine bessere Bewertung erhalten.

Für den Rang der Arbeiten ist folgende Tabelle maßgebend:

Beteiligungsurkunde	
unter	65 % der erreichbaren Punkte
Bronze ab	65 % der erreichbaren Punkte
Silber ab	80 % der erreichbaren Punkte
Gold ab	95 % der erreichbaren Punkte
Gold mit Auszeichnung für	100 % der erreichbaren Punkte

2. Diplome

Aussteller erhalten auf den Betrieb lautende, Hersteller auf den Namen des Verfertigers ausgestellte Diplome.

3. Großer Preis

Aussteller der Gruppen A 1–3, C 1–2, die fünf (5) und mehr Medaillen erringen konnten, erhalten den Großen Preis der IKA.

a) in Gold bei Zuteilung von mindestens 5 Goldmedaillen

b) in Silber bei Zuteilung von mindestens 5 Silbermedaillen.

Vorspeisen
Gourmandises
Mundbissen

Kalte und warme Vorspeisen, Gourmandisen und Mundbissen in der Ausstellungspflicht

Im Verlauf der unterschiedlichen Kochkunstwettbewerbe der vergangenen Jahre konnte man eine auffallende Interpretation innerhalb dieser Ausstellungskategorie feststellen. Diese Tatsache ist, wie wir meinen, durchaus nicht so überraschend, denn die heute gültige Kochkunst setzt ein wesentlich anderes Angebot voraus, als dies noch vor Jahren der Fall war.

Während die Vorspeisenzusammenstellungen, die einfallsreiche Aussteller aus aller Welt in Frankfurt zeigten, zum größten Teil noch mit den Lehren der Vergangenheit und den Erkenntnissen der Gegenwart übereinstimmten, wagten doch schon manche Verfertiger einen Schritt in die Zukunft. Und wenn man im allgemeinen unter der Bezeichnung Vorspeisen alle appetitanregenden Speisen und Delikatessen wie auch einzelne feine Gerichte, die den Zweck einer Vorspeise erfüllen, versteht, so hat doch ein gar nicht so kleiner Teil von Ausstellungsteilnehmern, dank der Vielseitigkeit der Gaben, die uns teilweise auch die Natur im Wechsel der Jahreszeiten zur Befriedigung der kulinarischen Gelüste beschert, gerade in dieser Ausstellungsform viele Möglichkeiten entwickelt.

Für Vorspeisen, Gourmandisen und Mundbissen – wie auch immer man sie bezeichnen mag und gleichgültig, ob sie in kalter oder warmer Ausführung zum Gast gelangen – gilt immer das Grundprinzip, daß sie leicht, klein und bekömmlich sein müssen, denn der gesamte Vorspeisenkomplex hat infolge des zu erwartenden weiteren Menüablaufs das Übermaß der verabreichten Größe zum Feind. Zu dieser Feststellung stellen die in diesem Werk veröffentlichten Bilder den besten Anschauungsunterricht dar, und man erkennt, wie vielseitig und wirtschaftlich eine Vorspeise angerichtet werden kann, wenn mit Erfahrung und Sorgfalt vorgegangen wird.

Daß die größere Zahl der Aussteller die Gesetzmäßigkeit in Betracht zog und auch durch die schon seit Jahren verlangte Abstinenz auf alles, was zur Tradition gehörte – gemeint sind alte Zöpfe –, konsequent verzichtete, ist an dieser Stelle mit Nachdruck und lobend zu bemerken.

Wie bei der Musik die Tonfolge, so sind auch die im Buch zeichenhaft gegebenen Anweisungen nur als Noten zu verstehen. Die Interpretation erfolgt beim Vortrag, wobei man die Melodie, je nach Temperament, bekanntlich ausdruckslos oder bestechend spielen kann. Einem geübten Aussteller wird durch seine Erfahrung eine kulinarisch begeisternde Interpretation gelingen, und er wird sich damit einen kreativen Freiraum für jeglichen Wettbewerb schaffen.

Wie unter solchen Gesichtspunkten immer wieder Neues zusammengestellt werden kann, soll dieses Buch mit seinem Bildmaterial aufzeigen.

Cold and Warm Entreés, Gourmandises and Titbits in Compulsory Displays

In the course of the various cookery contests that have taken place in the past few years, a definite layout could be seen in the category of displays. The way we see it, this circumstance is not as surprising as it may be seen, for present-day cooking requires a considerably different offer than was the case years ago.

While the entrée compositions shown by the inventive exhibitors from all over the world corresponded for the most part to the rulings of the past and the findings of the present, yet one or other exhibitor took a bold step into the future. And if in general we do understand by the designation entrées, all the appetizing foods and delicacies as well as the exquisite dishes, which fulfil the purpose of an entrée, then it was not such a small group of participants in the contest, that developed many possibilities in this very form of displaying exhibits, and this, thanks to their diversified gifts, which nature as well has partially given us through the change of seasons to satisfy our culinary delights.

For Entrées Gourmandises and Titbits – however one may call them and regardless whether they are presented to a guest in a cold or warm form – the basic principle applies that they have to be light, small and easily digestible, for in consequence of the further courses to be expected in the menu, the entire complex of entrées has to stand against the abundance of the quantity served. The best illustrated demonstration of this assertion can be seen from the pictures published in this volume, and it is also recognizable how well an entrée can be served from the aspects of manifoldness and economics, and this, if one proceeds with care and the required experience.

That the majority of the exhibitors took the legitimacy of it all into account and consistently did without all that had been tradition for so many years, a call for abstinence – what is meant are the old hats – is to be specially noted here with praise.

Like the sequence of notes in music, also the directives given in this book are only to be understood as notes. Interpretation comes with presentation, in which case the melody, depending upon temperament, can be played, as is known, with or without expression. A well versed exhibitor will succeed in bringing about a culinary delight through his experience and manner of interpretation, and in doing so, will create a free arena for any sort of contest.

This book with its photo material is supposed to show how from these points of view novelties can continually be composed.

Hors-d'œuvres froids et chauds, gourmandises et bouchées dans les figures imposées d'expositions

A l'intérieur de cette catégorie d'exposition, on pouvait constater une interprétation frappante, au fil des concours culinaires variés des années passées. En définitif nous pensons que ce fait n'est pas si surprenant, car l'art gastronomique qui a cours actuellement suppose une offre essentiellement différente de ce qu'elle était, il y a quelques années encore.

Alors que les compositions de hors-d'œuvres proposées à Francfort par les exposants les plus imaginatifs du monde entier étaient, pour la plus grande part, toujours en accord avec les leçons du passé et les constatations du présent, quelques confectionneurs risquaient pourtant déjà un pas dans l'avenir. Et lorsqu'en général on comprend sous l'appellation hors-d'œuvre tous les mets et comestibles de choix appétissants ainsi que ça et là des plats fins employés comme entrées, il faut dire qu'une fraction considérable des participants, grâce à la diversité des dons que nous offre en partie aussi la nature au rythme des saisons pour la satisfaction des appétits culinaires, développa beaucoup de possibilités, justement sous cette forme d'exposition.

En raison de la continuation du menu, l'ensemble du complexe hors-d'œuvres ne pouvant être trop copieusement fourni, le principe de base est toujours valable pour les entrées, les gourmandises et les bouchées, quelles que soient leurs appellations et qu'elles parviennent au client sous une forme froide ou chaude. Les illustrations publiées dans cet ouvrage sont la meilleure des leçons de choses pour cette constatation et on discerne avec quelle diversité et économie une entrée peut être dressée, lorsqu'il est procédé avec expérience et soin.

Il faut noter maintenant avec insistance et des louanges que la plupart des exposants a pris la norme en considération et a également renoncé avec conséquence à tout ce qui accompagnait la tradition (est visé tout ce qui est suranné), grâce à l'abstinence exigée déjà depuis des années.

Les indications esquissées dans le livre constituent seulement des notes, de même que la suite des sons en musique. L'interprétation suit: selon le tempérament, comme chacun sait, la mélodie peut être jouée sans expression ou avec entrain. Avec son expérience, un exposant exercé réussira une interprétation culinairement passionnante et il se procurera ainsi un espace libre créatif pour tout concours.

Avec ses illustrations, ce livre doit indiquer comment il est possible de composer constamment dans une telle perspective.

Vorspeisenversion „Gift of Bass-Strait"

Die Vorspeisenversion ist in ihrem Arrangement recht reizvoll und wird durch den als Mittelstück plazierten Salatkelch zu einer wirkungsvollen Platte.

In den abwechselnd angeordneten Raviers werden angeboten gefüllte Calamarestuben mit Krebsschwänzen, Tintenfisch mit Lachsfarce und Meeresalgen, ferner marinierter Salat von Tintenfisch und Pfefferschoten, Seeteufelmus mit Riesengarnelen und Kaviar, Muschelschaumbrot mit glasierten Miesmuscheln sowie Garfisch mit einer Kräuterfüllung.

Entrée-Version "Gift of Bass-Strait"

In its arrangement the entrée-version was quite enticing and through the salad cup placed in the middle as center-piece was elevated to an effective platter.

The differently grouped sections include: filled calamary tubes with crayfish tails, cuttlefish with salmon forcemeat and sea-algae, marinated cuttlefish salad and pepper pods, angler-fish pulp with giant shrimps and caviar, mussel mousse with glazed sea-mussel and garfish with a herb filling.

Version de hors-d'œuvres «Gift of Bass-Strait»

Cette version de hors-d'œuvres était arrangée de manière vraiment attrayante et s'est hissée au rang des plateaux réussis avec sa coupe de salade placée au centre.

Les raviers disposés en alternance contiennent: des tentacules de calmars fourrés avec des queues d'écrevisses, de la seiche avec une farce de saumon et des algues marines, une salade marinée de seiche et de piments, une crème de lotte avec des bouquets et du caviar, une mousse de coquillage avec des moules glacées et de l'aiguille de mer fourrée aux fines herbes.

Erlesene Vorspeisen

Das Repertoire an kalten Vorspeisen ist bekanntlich nicht gerade klein, und aus diesem Grunde ist immer wieder bester Anschauungsunterricht gegeben und zeigt sich, wie vielfältig und variabel ein guter Aussteller arbeiten kann, wenn Ideenreichtum und Sorgfalt bei der Sache sind.

Von dem nebenstehenden Angebot wollen wir das folgende offerieren: Störmedaillons auf Salat von Zucchini-, Morchel- und Navelsalat, Langustenmedaillons mit Melone; Terrine von Lachs und Seezunge auf Tomatenconcassé; Entenstopfleber auf Sellerieboden mit Baumnüssen und Holunder; Hummer- und Lachsfarce in Noriblättern mit Karotten und roten Frühjahrszwiebeln und eine Kalbsbriesterrine auf Zuckerschoten, Rettich und Bohnen.

Exquisite Entrées

As is well known the repertory of cold entrées is not what you would call small and for this reason time and again excellent instructive material is displayed as to how a good exhibitor can work, employing manifold and variable methods, and this, if imagination and care is used.

From the adjacent show-piece let us offer the following: sturgeon medaillons on salad of zucchini, morel and navel salad, rock-lobster medaillons with melon, tureen of salmon and fillet of sole on tomato concassé, duck stuff-liver on celery root-bases with tree-nuts and elder-berry, lobster and salmon forcemeat in Nori leaves with carrots and red spring-onions, and a veal sweatbread on sugar-peas, radish and beans.

Entrées exquises

Il est notoire que le répertoire de hors-d'œuvres froids est plutôt abondant et pour cette raison se répète constamment la meilleure des leçons de choses, à savoir avec quelle diversité et quelle flexibilité un bon exposant peut travailler lorsque la richesse d'idées et le soin sont présents.

De l'offre ci-contre nous voulons retenir les choses suivantes:

Des médaillons d'esturgeon sur une salade de courgettes, de morilles et de navels, des médaillons de langouste avec du melon, une terrine de saumon et de sole sur concassé de tomates, du foie gras de canard sur cœurs de céleri avec des noix et du sureau, une farce de homard et de saumon dans des feuilles de Nori avec des carottes et des oignons rouges nouveaux, une terrine de ris de veau sur des petits pois, du radis blanc et des haricots.

Vorspeisen „Trianon"

(eine Zusammenstellung aus Luft, Erde und Meer)

Der Verfertiger dieser Vorspeisen, die eine gekonnte Verquickung der drei Elemente darstellen, hat die Aufgabe, der er sich stellte, vorzüglich gelöst. Die Arbeit, die den Vorzug hat, auf das rein Geschmackliche ausgerichtet zu sein, ist sorgfältig durchdacht und legt Zeugnis ab von einem zeitgemäßen kulinarischen Verständnis.

Die links stehende Vorspeise von Wachteln mit ihrer dezenten Garnitur verkörpert die Luft. Die in der Mitte plazierten Seezungenfilets in ihrer Verarbeitung mit Jakobsmuscheln und Crabmeat sind dem Meer zuzuordnen, und die mit Kalbsbries versehene Gänseleberterrine wie auch die dazugehörige Pilztimbale symbolisieren die Erde. Insgesamt eine gute Idee.

Entrée Trianon

(A composition of air, earth and sea)

The exhibitor of this entrée, which presented the adept combining of three elements, had excellently solved the task he set himself. This piece of work, which had the advantage of being designed to achieve pure taste, was carefully thought out and evidenced modern-day culinary understanding.

The quail entrée with its unobtrusive grouping, and which is standing at the left, symbolizes the air, the filet of sole placed in the middle, prepared with scallopshells and crabmeat falls under the element of the sea, and the goose-liver tureen provided with veal-sweatbread as well as the mushroom timbale belonging to it symbolize the earth. Altogether a good idea.

Entrées Trianon

(Une composition d'air, de terre et de mer)

Le confectionneur de cette entrée, qui présente un amalgame maîtrisé des trois éléments, avait excellemment accompli la tâche qu'il s'était assigné. Le travail, qui avait l'avantage d'être dirigé vers la pure recherche gustative, était soigneusement étudié et témoignait d'une compréhension culinaire contemporain.

Placé à gauche, le hors-d'œuvre de cailles avec leur garniture délicate incarne l'élément air; les filets de sole placés au centre, traités avec des coquilles Saint-Jacques et du crabe Chatka, se rapportent à la mer et la terrine de foie d'oie nantie de ris de veau ainsi que la timbale de champignons qui l'accompagne symbolisent la terre. Au total, une bonne idée.

Pasteten-, Galantinen- und Terrinenauswahl

Diese Auswahl von Krustpasteten, Galantinen und Terrinen zeugt von einem ausstellungsmäßigen Verständnis, großem Fleiß und einer ausgesprochenen Liebe zur Sache.

Auch wenn hier die passenden Beigaben, die den Vorspeisencharakter komplettieren und unterstreichen sollen, fehlen, so gehört die gezeigte Fertigungstechnik doch zu einer brauchbaren Aufmachung, die sicher zum Erfolg beiträgt.

Bei der Aufzählung der einzelnen Sujets beginnen wir oben links. Es sind Rotzungenterrine, Kalbfleischgalantine, Kaninchenleberpastete, Lachsforellenpastete, gesulztes Schweinefilet, Hasenrückenfilet in der Teigkruste, Kaninchenrückenterrine und Kalbshirn in Gemüseaspik.

Pâté, Galantine and Tureen Choices

This choice of galantines, tureens and crust pâté evidenced an understanding for the methods of display, great effort and a definite love of the task.

Even if the right additions are missing, which should complete and accentuate the character of the entrées, then at least the preparatory methods shown do fall under a practicability of presentation, which certainly made this selection a success here.

In listing the single show-pieces, like: red-tongue tureen, veal galantine, rabbit-liver pâté, sea-trout pâté, jellied filet of pork, filet of saddle-rabbit in dough crust, saddle of rabbit tureen as well as the veal brains in vegetable aspic, we began at the top left in the sequence of order.

Choix de pâtés, de galantines et de terrines

Ce choix de galantines, de terrines et de pâtés en croûte témoignait de la compréhension demandée par les expositions, d'une grande application et d'une affection marquée pour le métier.

Même s'il manque dans ce cas les apports complémentaires qui doivent souligner et compléter le caractère d'une entrée, la technique de confection démontrée constitue cependant une présentation utulisable qui contribua certainement au résultat.

Nous débutons en haut à gauche l'énumération continue de chacun des sujets: la terrine de limande, la galantine de veau, le pâté de foie de lapin, le pâté de truite saumonnée, le filet de porc en aspic, le filet de râble de lièvre en croûte, la terrine de râble de lapin ainsi que la cervelle de veau dans un aspic aux légumes.

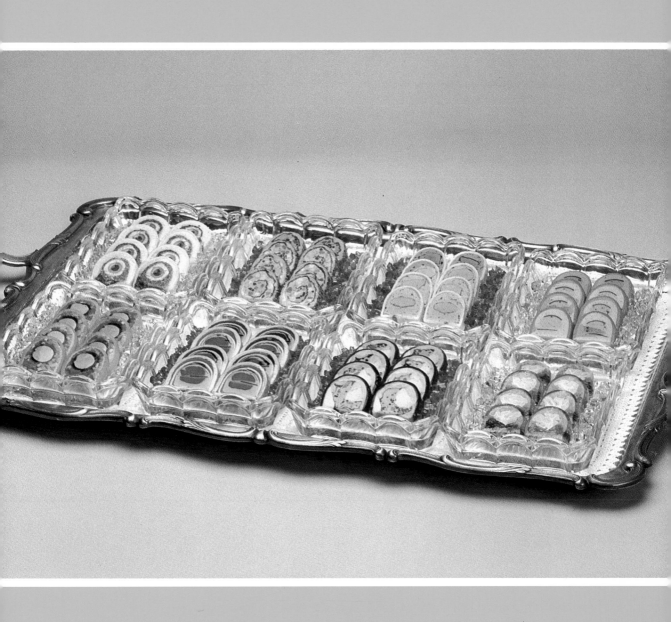

Horsd'œuvre von Fischen und Meeresfrüchten

Auch mit diesem zusammengehörenden Vorspeisen-angebot, das in der Hauptsache aus Riesengarnelen, Lachsröllchen, Crabmeatbissen, Aal- und Jakobsmu-schelterrine besteht, ist ein Beispiel gegeben, daß auf große und teure Zutaten verzichtet werden kann, wenn ein Verfertiger Formen und Farben ästhetisch aufein-ander abstimmen kann.

Man kann sagen, daß die nebenstehende Arbeit ein schönes Bild bietet, wert, hier festgehalten zu werden.

Hors-d'œuvre of Fish and Fruits of the Sea

Even with this entrée display, which belongs to-gether, and which mainly consists of giant shrimp, lit-tle salmon rolls, crabmeat titbits, and an eel and scallop-shell tureen, gives an exemple of how large and expen-sive ingredients can be done without, if the exhibitor knows how to combine beauty of form, sense of color and aesthetics.

You can say that the adjacent piece of work offered a beautiful picture, worthy enough of being documented here.

Hors-d'œuvre de poissons et de fruits de mer

Cette offre de hors-d'œuvre homogène donne aussi l'exemple qu'il est possible de renoncer à des ingré-dients exclusifs et chers lorsqu'un confectionneur sait concilier la beauté des formes, le sens des couleurs et l'esthétique. Elle se compose principalement de bou-quets, de petits rouleaux de saumon, de bouchées de crabe Chatka et d'une terrine d'anguille et de coquille Saint-Jacques.

On peut dire que le travail ci-contre propose une jo-lie illustration, suffisamment valable pour être retenue ici.

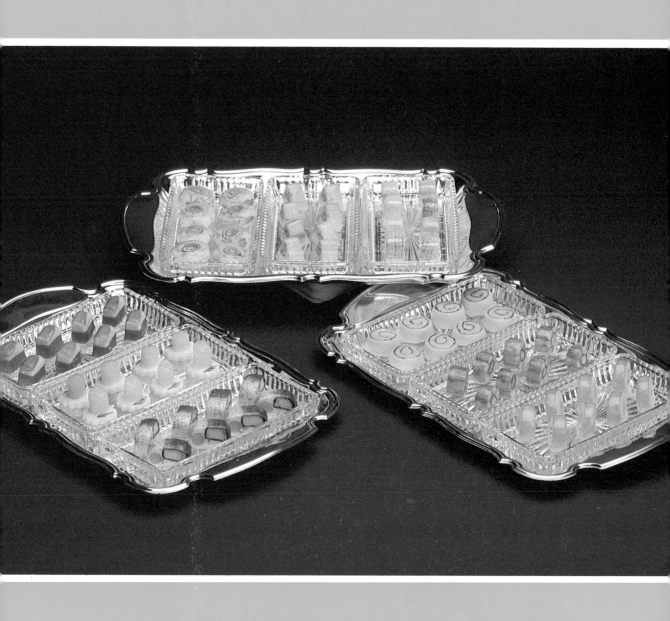

Japanisches Vorspeisenarrangement

Eine interessante Arbeit ist dieses in für uns fremdländischer Art zusammengestellte Vorspeisenangebot, über das uns unsere nebenstehende Illustration eine genaue Aufklärung gibt.

Das Mittelstück, ein ausgehöhlter Zierkürbis, dessen Bukett mit aus Rettich geschnittenen Chrysanthemen vollendet ist, ist mit einer Umlage von Porzellanraviers komplettiert, deren Inhalte sich aus Leckerbissen von Fisch, Ei, Krustentieren, Tofu wie auch kleinsten, pikant marinierten Gemüsen zusammensetzen. Für den landesüblichen Verzehr ist die Auswahl in stäbchengerechter Größe gefertigt.

Das Ganze vermittelt dem Betrachter zwar nur einen ungefähren Überblick über die unerschöpflichen Möglichkeiten, die sich auf diesem Gebiet ausführen lassen, doch auch diese nur kleine Auswahl ist reizvoll und höchst ansprechend dargeboten.

Japanese Entrée Arrangement

An interesting piece of work was this entrée arrangement, which in our thinking has an exotic flair. Our next picture provides an exact view.

The center-piece, a decorative squash, which was carved out, its bouquet having been completed with crysanthemums, cut out of radishes, is enhanced with a grouping of porcelain sections, their contents consisting of titbits of meat, egg, crustaceans, Tofu as well as the smallest vegetables, marinated with a piquant sauce. The chopstick-size food-selection corresponds to the eating habits of the country.

The whole composition does convey to the viewer only an approximate picture in relation to the infinite possibilities that exist in this field, and yet this small selection is presented in such a charming and highly enticing manner.

Arrangement d'entrées japonaises

Ce travail était intéressant dans sa combinaison, pour nous exotique, d'arrangements de hors-d'œuvres. L'illustration ci-contre nous en fournit une explication précise.

Une courge d'ornement évidée dont le bouquet était achevé par un chrysanthème ciselé dans du radis blanc constitue la pièce centrale. Elle est complétée par la répartition de raviers en porcelaine contenant des friandises de poisson, d'œuf, de crustacés, de tofou ainsi que de plus petits légumes dans une marinade relevée. Le choix est apprêté dans des dimensions à la mesure des baguettes utilisées pour les repas habituels du pays.

Il est vrai que l'ensemble transmet à l'observateur seulement un aperçu approximatif des possibilités inépuisables réalisables en ce domaine. Cependant même ce seul petit choix est attrayant et se présente de manière tout à fait plaisante.

Vorspeisenauswahl „Südatlantik"

Nebenstehende Vorspeisenauswahl ist in ihrer Reichhaltigkeit, handwerklichen Erfahrung wie auch in ihrer exakten Ausführung ein immer wieder anschauungswürdiges Objekt.

Die Leckerbissen setzen sich nicht nur zusammen aus Salat von Jakobsmuscheln, Gänseleberparfait mit Feigen, Riesengarnelen mit Melone, Wachtelscheiben, Crabmeat, Kalbsroulade mit Lachsmus, sondern auch aus Wachteleiern, argentinischer Rinderroulade, Pfahlmuscheln und Hechtklößchen, ferner aus Palmenherzen mit Parmaschinken, Störmedaillons auf Kaviarsauce, Entenbrust, gefüllten Zucchini sowie Calamares und Eiertomaten mit Avocadoschaum. Daraus läßt sich das notwendige Wissen um die Zubereitung derartiger, nicht in allen Fällen zur Tagesordnung gehörender kulinarischer Genüsse ablesen.

Entrée Choice "South Atlantic"

Owing to its richness, skill and its exact realization, the adjacent entrée dish is time and again grand to look at.

But in using the delicacies, listed as follows, and consisting of: a salad of scallop-shell, goose-liver parfait with figs, giant shrimp with melon, quail slices, crabmeat, veal roll with salmon pulp, quail eggs, Argentine beaf roll, mussel, pike dumplings, palm hearts with Parma ham, sturgeon medaillons on caviar sauce, duckbreast, filled zucchini, cuttle-fish and egg-tomatoes with avocado mousse, a certain knowledge is required to prepare such culinary treats, which are not in all cases an every day matter.

Entrées choisies «Atlantique Sud»

Le service d'entrées ci-contre constitue un objet d'intérêt permanent par son abondance, sa dextérité ainsi que par son éxécution précise.

Il présente la composition suivante de mets délicats: une salade de coquilles Saint-Jacques, un parfait de foie d'oie avec des figues, des bouquets avec du melon, des tranches de caille, du crabe Chatka, une roulade de veau avec crème de saumon, des œufs de caille, une roulade de bœuf d'Argentine, des tarets, des quenelles de brochet, des cœurs de palmiers avec du jambon de Parme, des médaillons d'esturgeon sur une sauce au caviar, du blanc de canard, des courgettes fourrées, des calmars et des tomates Roma avec mousse d'avocats. S'appuyant sur une telle présentation de mets délicats il en résulte aussi le savoir-faire indispensable à la préparation de tels délices culinaires, pas toujours d'actualité.

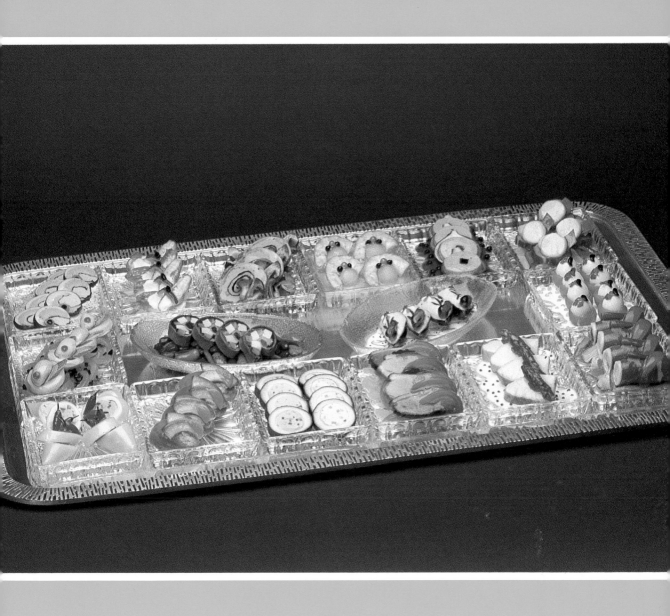

Gourmandise „Ernst August"

Durch das glücklich gewählte Arrangement kommt diese Arbeit zu ausgezeichneter Geltung, und, wie ersichtlich, hat der Verfertiger den Gedanken zugrunde gelegt, alle Teile so zu zeigen, wie sie auch angeboten und serviert werden können.

Das Angebot von unten nach oben umfaßt gefüllte Hasenfiletschnitten, Törtchen von roten Bohnen, Tarteletten mit Spanferkelfilet, im Wirsingblatt zubereitet, getrüffeltes Mus von Wildentenleber, gefüllte Rauchrückenröllchen mit einer Farce von Blattspinat und Lachsröllchen mit Sahnemeerrettich auf Avocadoschaum.

Gourmandise "Ernst August"

Through the well selected arrangement, this piece of work was excellently accentuated and how effectively did the exhibitor demonstrate his idea of showing the things the way they can be displayed and served.

Beginning from bottom to top the display includes: cut-pieces of filled rabbit filet, tarts of red beans, tartlets with porkling filet prepared in a savoy cabbage leaf, truffled pulp of wild-duck liver, filled smoked saddle rolls with a forcemeat of spinach leaf and salmon rolls with creamed horseradish on avocado foam.

Gourmandise «Ernst August»

Ce travail excelle par la mise en valeur heureuse de l'arrangement et, comme cela est visible, l'exposant s'est proposé de montrer les choses comme elles pourront aussi être offertes et servies.

L'offre comprend, de bas en haut: des tranches de filet de lièvre fourrées, des petites tortes aux haricots rouges, des tartelettes avec du filet de cochon de lait préparé dans des feuilles de chou frisé, de la crème truffée de foie de canard sauvage, des petits rouleaux de râble fumé fourrés avec une farce d'épinards et des petits rouleaux de saumon avec du raifort à la crème sur mousse d'avocat.

Calenberger Vorspeisenfrivolitäten

Dieser Verfertiger weiß sehr wohl, was der Gast unter Eßkultur verstanden wissen will.

Seine Vorspeisenfrivolitäten, kleine, weitgehend naturbelassene Mundbissen, die sich aus Winzlingen von mit Fasanenmus gefüllten Äpfeln, einer Hasenroulade mit Stockschwämmchen, einem Wildleberparfait, Artischockenböden mit Maronenmus, gefüllter Wachtelbrust, Wachtelkeulchen und einem Rehparfait im Pistazienmantel zusammensetzen, sind bei einer Kochkunstschau nicht nur für Fachbesucher belehrend, sondern auch eine kulinarische Anregung für das große Publikum.

Der als Mittelstück fungierende gebackene Korb mit Senffrüchten hat mit den Frivolitäten selbst nur wenig zu tun, er dient lediglich als Blickfang für den Betrachter.

Calenberg Entrée Merriments

This exhibitor knew very well what his guest wants to find in culinary culture.

His entrée merriments – consisting of small titbits, extensively left in a natural state, the apples from Winzlingen, filled with pheasant pulp, a rabbit meat-roll with stalk mushrooms, a game-liver parfait, artichoke bases with chestnut pulp, filled quail breast, quail drumsticks and a venison parfait in a pistachio coat, were not only instructive to the expert viewer, but also a culinary idea for the big public.

The baked basket with pickled fruits, used as a center-piece, has little to do with the merriments themselves; it merely serves as an eye-catcher for the viewer.

Entrées frivoles Calenberger

Ce confectionneur savait très bien ce que l'invité veut entendre sous l'appellation culture gastronomique.

Ses entrées frivoles (petites bouchées en général laissées nature) se composaient de petites pommes naines fourrées de crème de faisan, d'une roulade de lièvre avec des pholiotes changeantes, d'un parfait de foie de gibier, de fonds d'artichauts avec crème de marrons, de blanc de caille fourré, de cuisse de caille et d'un parfait de chevreuil enrobé de pistaches. Tout ceci n'était pas seulement instructif pour le visiteur spécialisé mais constituait aussi une incitation culinaire pour le grand public.

La corbeille cuite au four faisant office de pièce centrale avec des fruits à la moutarde n'a en elle-même que peu de rapport avec les frivolités; elle sert seulement d'attrape l'œil pour le spectateur.

Japanische Vorgerichte in der Obentobox

Eine großzügig veranstaltete internationale Kochkunstschau wie die Veranstaltung vom Range der IKA '84 ist die beste Gelegenheit, Studien zu machen, um damit eigenen Zwecken zu dienen.

In dieser Erkenntnis muß auch die nebenstehend vorgestellte Arbeit betrachtet werden, denn dieses hier gezeigte Motiv unterstreicht, daß die japanische Küche großen Wert auf die äußere Erscheinung der Mahlzeit legt, indem sie in kostbaren Schüsseln oder Kästen serviert und ihr dadurch einen gewissen Reiz verleiht.

Der kleinstgehaltene Inhalt der Originalschachtel setzt sich zusammen aus Räucherlachsroulade mit gesäuerter Eigelbfarce, Lachs- und Tintenfisch in Noriblättern, Röllchen von Riesengarnelen, Tranchen von Fischkuchen, Tranchen von getrocknetem Bohnenquark, marinierten Gemüsestengeln, marinierten Radieschenblumen, Lachs mit Spinat, in Rettich gewickelt, wie auch einem Sushi-Reis in Eihülle.

Japanese Entrées in the Obento Box

An international cookery show, organized on the grand scale as that of the IKA 84, is the perfect opportunity to gather information, so as to serve one's own purposes.

Bearing this in mind, the piece of work presented on the opposite page must also be viewed in the same light. For the motif displayed here emphasizes the fact that Japanese cooking attaches great importance on the peripherical appearance of the dish, in that they serve them in precious bowls or boxes, lending it in this way a certain charm.

The original box, the content of which is kept as small as possible, comprises a smoked salmon roll with soured egg-yolk forcemeat, salmon and calamary fish in Nori leaves, small rolls of giant shrimps, slices of fish cake, slices of dried bean curds, marinated vegetable stalks, marinated radish flowers, salmon with spinach wrapped in a radish as well as Sushi rice in an egg-roll.

Entrée japonaise dans l'Obento Box

Une présentation de grand style d'art culinaire international, telle qu'une manifestation du niveau de l'IKA 84, constitue le moment le plus approprié pour rassembler des études et ainsi servir ses propres fins.

Le travail présenté ci-contre doit aussi être considéré sous cet angle. Car le motif proposé ici souligne que la cuisine japonaise accorde une grande importance à ce qui entoure le repas dans la mesure où il est servi dans des plats ou dans des coffrets précieux, ce qui lui procure un charme certain.

Le contenu réduit de la boîte d'origine se compose de roulade de saumon fumé avec une farce au jaune d'œuf vinaigrée, de saumon et de seiche dans des feuilles de Nori, de petits rouleaux de bouquets, de tranches de tourte au poisson, de tranches de tofou de haricots séché, de pointes de légumes marinées, de fleurons de radis marinés, de saumon avec des épinards enveloppés dans du radis blanc ainsi que d'un riz Sushi dans une enveloppe d'œuf.

Variationen von Pasteten, Aspiken und Terrinen

Der Verfertiger hält sich streng an eine moderne Richtung und wählt solche Objekte, wie sie bei internationalen Ausstellungen zum Repertoire gehören.

Wenn wir die Arbeit, bei der wir allerdings die Salat- und Saucenbeigabe vermissen, einer näheren Betrachtung unterziehen, so lautet die Beschreibung von der vorderen Reihe aus gesehen Gemüsepastete, Schinkenterrine mit Mosaik, Wildterrine, Geflügelterrine. In der hinteren Reihe finden sich Mittelmeershrimps in Traminergelee, Morchelterrine, Forellenparfait und eine Fisolen-Pignoli-Pastete.

Pâté, Aspic and Tureen Variations

The exhibitor had strictly kept to a modern line and had chosen such display pieces which fall under the repertory of international exhibitions.

When taking a closer look at this piece of work, in which case, however, we do not see any salad and sauce additions, and this, from the standpoint of selection, then the description, seen from the front row, reads as follows: vegetable pâté, ham tureen with mosaic, game tureen, fowl-tureen. The back row includes: Mediterranean shrimps in Traminer jelly, morel tureen, trout parfait and a Fisolen-Pignoli pâté.

Variations de pâtés, d'aspics et de terrines

Le confectionneur s'est rigoureusement maintenu dans une perspective moderne et a choisi le style d'objet qui appartient au répertoire des expositions internationales.

Si nous soumettons le travail, dans lequel nous regrettons il est vrai l'absence d'un complément de sauce et de salade, à une observation catégorielle rapprochée, la description propose à partir de la première rangée: un pâté de légumes, une terrine de jambon avec mosaïque, une terrine de gibier et une terrine de volaille. La rangée arrière contient: des crevettes grises de la Méditerranée dans une gelée au Traminer, une terrine aux morilles, un parfait de truites et un pâté de haricots Fisole et de pignes.

Delikate Mundbissen für ein Cocktailbüfett

Wie unser Bild zeigt, sind die als Vorgericht gedachten Mundbissen mit Akribie und Sachkenntnis hergestellt.

Mit diesem Arrangement und dem Angebot von Krebsschwänzen, Schweineröllchen mit Backpflaumen, gefüllten Eiern mit Kaviargarnitur, mit Spinatmatte gefülltem Aal, Tomaten mit Schaumbrot sowie mit Pistazienfarce gefüllten Kalbsröllchen wird neben dem Ausstellungseffekt auch ein Beispiel dafür gegeben, mit welcher Sorgfalt und Akkuratesse gerade solche Büffetdelikatessen zur Geltung gebracht werden können.

Delicious Titbits for a Cocktail Buffet

As is shown in our picture, the titbits designed to be entrées, have been made with extreme accuracy and the required knowledge.

Besides the display effect, with the arrangement here, like the grouping of the crayfish tails, the little rolls of pork with baked plums, the filled eggs with a grouping of caviar, the eel filled with spinach curd, the tomatoes with mousse as well as the small rolls of veal filled with pistachio forcemeat, an example was given of how just such buffet delicacies can be shown to advantage, and this, with such care and exactness.

Bouchées délicates pour un buffet cocktail

Comme le montre notre illustration, les bouchées conçues en tant qu'hors-d'œuvres sont confectionnées avec le plus soin par un expert.

Auprès de son effet en exposition, cet arrangement démontre avec quel scrupule et quelle netteté de tels mets raffinés de buffet peuvent justement être mis en valeur, avec ainsi la disposition des queues d'écrevisses, les petits rouleaux de porc avec des pruneaux, les œufs fourrés avec garniture de caviar, l'anguille fourrée d'une bonne couche d'épinards, les tomates avec une mousse ainsi que les petits rouleaux de veau fourrés avec une farce aux pistaches.

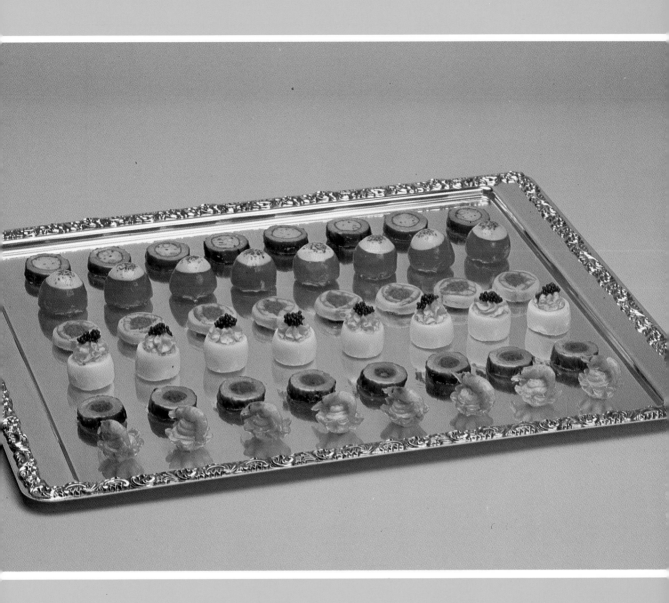

Englisches Horsd'œuvre

Jede Überladung und alles Unpraktische ist bei dieser Vorspeisenplatte vermieden worden. Das Ausstellungsstück mit seinem reichen Angebot an exakt auftranchierten Gourmandisen ist so hergerichtet, wie es der moderne Service erfordert.

Das werden die mehr oder weniger kritischen Fachleute dem Verfertiger gerne bestätigen.

English Hors-d'œuvre

Any cluttering and anything unpractical has been avoided in the case of this entrée platter. This showpiece with its rich display of an accurately segmented gourmandise, was prepared in a manner required of a modern dish.

More or less critical experts will gladly confirm exhibitors of this.

Hors-d'œuvre anglais

Ce plateau d'entrées évite la surcharge et l'incommode. Avec son offre foisonnante de gourmandises coupées avec précision la pièce d'exposition était façonnée comme l'exige un service moderne.

Les spécialistes plus ou moins critiques devraient volontiers l'attester au confectionneur.

Vorspeisenvariationen

Nebenstehende Variationen kalter Vorspeisen sind in ihrer Reichhaltigkeit wie auch exakten Ausführung ein lehrreiches Ausstellungsobjekt.

Um ein derartiges Angebot mit seinen unterschiedlichen Einzelheiten erfolgreich zur Schau stellen zu können, bedarf es einer wohldurchdachten Vorarbeit, denn sie ist die Grundlage des Erfolges.

Die mit Aprikosen gefüllte Gänsebrust und der mit Backpflaumen versehene Rauchrücken, zu denen als Garnitur kleine pochierte Weinäpfel mit Cumberlandsauce und mit Kerbelschaum angeordnete Kirschtomaten kommen, zeugen ebenso von reeller Geschicklichkeit wie auch die Gänseleberkugeln, die abwechselnd in gerösteten und gehackten Pinienkernen, Pistazien und Trüffeln gewälzt sind.

Entrée Variations

In its richness as well as in its exact realization the adjacent dish of cold entrées was an instructive display piece.

To be able to exhibit such a dish with its various details successfully, well thought-out preparatory work is required, for this is the basis of success.

The goose-breast filled with apricots, the smoked saddle provided with baked plums, to which an arrangement of small poached wine-apples with Cumberland sauce and a grouping of cherry-tomatoes with chervil foam was added, evidence as well true skill, including, too, the goose-liver balls, which have been tossed alternately in roasted and hacked pine nuts, pistachios and truffle.

Variations sur les entrées

Le service ci-contre de hors-d'œuvres froids constituait un objet d'exposition instructif par son abondance comme par son exécution précise.

Avec ses diverses particularités, un service de ce type nécessite un travail préliminaire mûrement réfléchi qui constitue la clef du succès.

Le blanc d'oie fourré d'abricots, le râble fumé garni de pruneaux, auxquels s'ajoutent en garniture les petites pommes pochées au vin avec une sauce Cumberland et des tomates de cocktail disposées dans une mousse au cerfeuil, témoignaient tout aussi bien d'un réel savoir-faire que les boules de foie gras roulées alternativement dans des pignons grillés et hachés, des pistaches et des truffes.

Gemischte Vorspeisen „Hofa"

In der Darbietung und Aufmachung dieses Arrangements von Vorspeisen liegt ein Zug vorbildlicher Serviceauffassung, wie sie bei Ausstellungen besonders angebracht ist.

Speziell zu erwähnen sind die folgenden Inhalte der Raviers, wobei wir mit der Aufzählung der oberen Reihe von links beginnen: gesottene Kalbsbriesröschen in Portweingelee, Quarknocken auf Kräutercreme und Hummerscheren, auf Avocados angerichtet.

Der mittlere Teil wird ausgefüllt mit auf Madeiragelee angerichteten, gefüllten Rauchrückenmedaillons und einer Aalgalantine auf Zitronenrahm. Im Vordergrund wiederholt sich das Angebot der oberen Reihe in umgekehrter Reihenfolge.

Mixed Entrées "Hofa"

In the presentation and display of this entrée arrangement an exemplary dish conception was featured, which is particularly practised at shows.

Especially noteworthy are the following contents in the single sections, whereby we begin listing them in the top row: roses of boiled veal-sweatbread in port wine jelly, curd-dumplings on herb cream and lobster claws served on avocados.

The center part is filled out with smoked saddle medaillons, served on Madeira jelly and an eel galantine on lemon cream. The display in the top row is repeated in the foreground in a reversed sequence.

Entrées panachées «Hofa»

La présentation et l'habillement de cet arrangement de hors-d'œuvres dénote un doigté dans la conception du service particulièrement adapté à une exposition.

Il faut spécialement mentionner, en débutant à gauche par l'énumération de la rangée supérieure, les contenus du ravier suivants: rosettes de ris de veau bouilli dans une gelée au Porto, quenelles au fromage blanc sur une crème aux fines herbes et pinces de homard dressées sur des avocats.

La partie centrale est garnie de médaillons de râble fumé, fourrés, servis sur une gelée au Madère et d'une galantine d'anguille sur une crème au citron. Au premier plan se répète l'offre de la rangée supérieure dans l'ordre inverse.

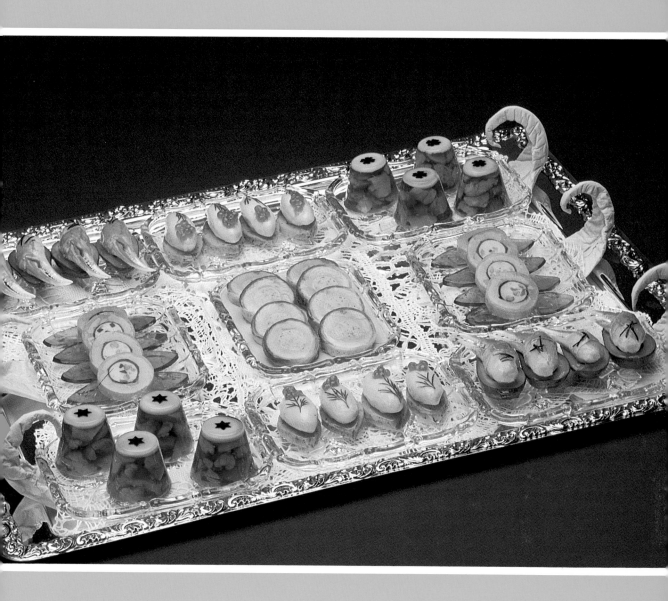

Gemischte Vorspeisenplatte „Lago Maschio"

Mit dieser Arbeit kommt ein Vorspeisenangebot zur
Darstellung, bei dem der Betrachter zwar dankbare Studien machen kann, doch weitgehend die dazu passende,
gesondert angerichtete Salat- oder die begleitende Saucenbeigabe vermissen muß.

Die einzelnen Komponenten, die aus Wildentenga-
lantine, Perlhuhngalantine, gefüllter Gurke mit Gemü-
secreme, Hechtmousselines auf Kresseschaum, Aalgalantine auf Zitronenrahm, einer Terrine von Lachsforelle und einer mit Kirschen versehenen Rehroulade bestehen, haben ihren ausstellerischen Zweck wegen der
genannten Mängel nicht restlos erfüllt, doch erregen sie
die Aufmerksamkeit der Betrachter.

Mixed Entrée Platter "Lago Maschio"

With this piece of work an entrée composition was
presented that truly offered a viewer useful studies, but
which extensively lacked the accompanying salad and
sauce additions, which are appropriately and particularly served here.

The single components comprising wild-duck galantine, guinea hen, filled cucumber with vegetable cream,
pike mousselines on cress mousse, eel galantine on lemon cream, tureen of sea-trout and a roll of venison decorated with cherries, have not totally fulfilled their exhibition purpose through the incompleteness mentioned, and yet have aroused the attention of the viewer.

Plateau d'entrées panachées «Lago Maschio»

Il est vrai que ce travail présente une combinaison de
hors-d'œuvres que l'observateur pouvait étudier avec
profit; pourtant nous regrettons également ici l'absence
de salades appropriées, servies à part, ou de sauce pour
l'accompagnement.

Les composants sont les suivants: une galantine de
canard sauvage, une galantine de pintade, un concombre fourré avec de la crème de légumes, des mousselines
de brochet sur mousse de cresson, une galantine d'anguille sur crème au citron, une terrine de truite saumonnée et une roulade de chevreuil nantie de cerises. A
cause des manques rapportés leur but d'exposition n'est
pas entièrement atteint; cependant ils attirent l'attention du spectateur.

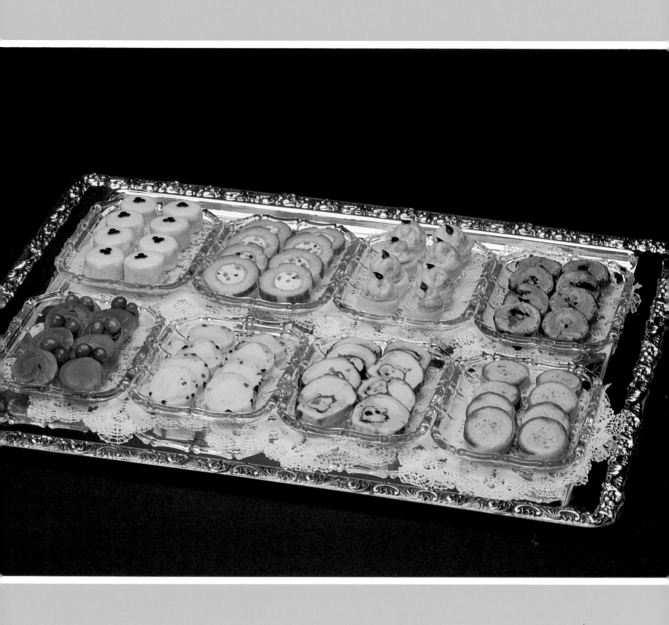

Frivolitäten „Achenbach"

Die Frivolitäten „Achenbach" lenkten durch ihre reichhaltige und gewählte Zusammenstellung unbestritten die Aufmerksamkeit auf sich.

Mit den einzelnen Gourmandisen wie der Lachsroulade, den Wachteleiern in Kirschtomaten, den gefüllten Morcheln auf Butterteigtörtchen, den Poulardenfilettranchen mit ihrer Garnitur von Piri-Piri oder den gefüllten Eierhälften ist das Beispiel gegeben, daß die Fertigungsideen dieser Sujets sicher eine Vielfalt anzubieten haben. Kleine Leckerbissen in solcher Art präsentiert, bergen zwar viel Arbeit in sich, doch verdienen sie eine aus dem Rahmen fallende Beachtung.

Achenbach Merriments

The Achenbach Merriments definitely attract the attention of a viewer, especially owing to their richness and select composition.

With the individual gourmandises like the salmon roll, the quail eggs in cherry tomatoes, the filled morels on crust tartlets, the cuts of chicken filets with their arrangement of Piri-Piri or the filled egg halves, an example is given that the preparation ideas of this piece of work certainly has a large variety to offer. Small delicacies presented in such a way do entail a great deal of work but deserve special attention.

Frivolités «Achenbach»

Les frivolités «Achenbach» attirent sans aucune contestation possible l'intérêt par leur richesse et diversité dans leurs présentations.

Avec les gourmandises suivantes comme la roulade de saumon, les œufs de cailles à la sauce tomate parfumée au kirsch, la morille fourrée posée sur une tartelette en pâte au beurre, la tranche de filet de poularde avec sa décoration de «Piri-Piri» ou la moitié d'œuf fourrée, les exemples des différentes préparations de ces frivolités sont nombreux.

Ces petites friandises présentées de cette façon demandent beaucoup de travail, mais aquèrent ainsi une attention particulière, en sortant de l'ordinaire.

Vorspeisenauswahl

Ebenso gefällig wie die vorstehende Arbeit ist das nebenstehende Vorspeisensortiment, bei dem sich der Verfertiger mit Erfolg bemüht, seiner Arbeit einen besonderen Reiz zu geben.

Sie besteht aus einer geschickten Zusammenstellung und Zubereitung von gefüllten und mit sparsamem Dekor versehenen Leckerbissen, die auf der Grundlage von Fischen, Krustentieren, Geflügel und Wild gefertigt sind.

In der gewählten Form präsentiert, erweckt diese Auswahl die Aufmerksamkeit der Betrachter.

Entrée Selection

The adjacent entrée assortment was just as pleasing as the preceding piece of work, in which case the exhibitor was successful in lending his show-piece a special charm.

It comprised a clever composition and preparation of filled delicacies, provided with an economical decoration, and which was made on the basis of fish, crustaceans, fowl and game.

Presented in the form chosen, this selection aroused the interest of the viewer.

Entrées choisies

L'assortiment d'entrées ci-contre où le confectionneur a su donner un attrait particulier à son travail était aussi plaisant que l'œuvre précédente.

Il se composait d'une combinaison et d'une préparation adroite de friandises fourrées nanties d'un sobre décor, confectionnées à partir de poissons, de crustacés, de volaille et de gibier.

Présenté sous la forme adoptée ce choix éveillait l'attention de l'observateur.

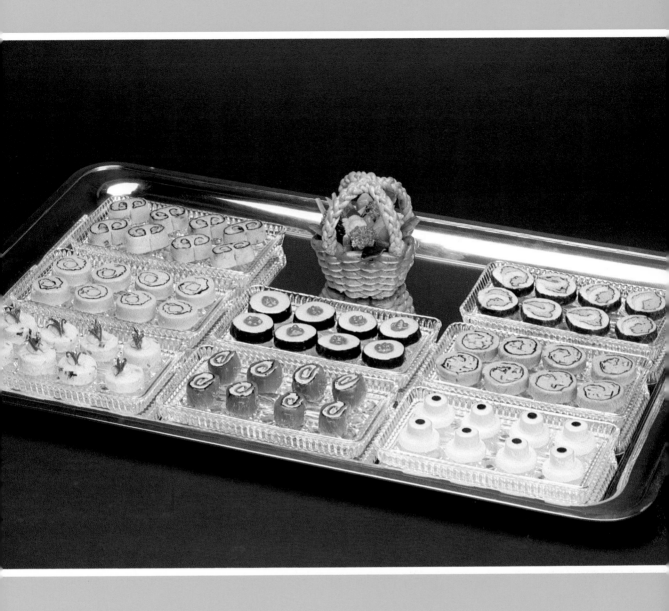

Vorspeisenauswahl von Terrinen

Für diese Auswahl von Terrinen ist das gesamte Sortiment sehr einladend zusammengestellt und von recht einprägsamer Anrichteweise. In dieser Form dargeboten, ist diese Vielfalt den Fachleuten sicher noch in guter Erinnerung.

Trotz der Verschiedenartigkeit in der farblichen Ausgewogenheit haben sich die einzelnen Objektsorten wie Pilz-, Gemüse-, Seezungen- und Schneckenterrinen mit dem in Chablisgelee eingesetzten Krabben- und Crabmeatfleisch doch sinnvoll ergänzt.

Die übrige Garnitur, die das Bild noch belebt, besteht aus Dunstbirnen mit Senffrüchten und aus mit Gemüsegarnitur versehenen Artischockenböden.

Entrée Selection of Tureens

For this selection of tureens, the entire assortment has a very enticing composition and demonstrates a very impressive method of preparation. Offered in this form, such abundancy will certainly long be remembered by experts.

Despite the diverseness in the color scheme, the individual types of show-pieces, such as the mushroom, vegetable, fillet of sole, and the snail tureens, with the shrimp and crabmeat laid in Chablis jelly, have truly been completed with purpose.

The remaining arrangement, which enlivens the picture, too, consists of stewed pears with pickled fruits and artichoke bases, provided with a vegetable outlay.

Entrées choisies de terrines

L'ensemble de l'assortiment de ce choix de terrines est combiné de manière vraiment très alléchante et dressé de façon tout à fait frappante. Présentée sous cette forme cette diversité laisse sans doute aujourd'hui encore un bon souvenir dans la mémoire du spécialiste.

Malgré la disparité dans l'équilibre des couleurs chaque sorte d'objets, tels que les terrines de champignons, de soles, de légumes et d'escargots avec la chair de crevettes et de crabe Chatka sertie dans une gelée au Chablis, se complète cependant judicieusement.

La garniture restante, qui anime encore l'illustration, se compose de poires cuites à l'étouffée avec des fruits marinés aux graines de moutarde et de fonds d'artichauts pourvus d'une garniture de légumes.

Japanische Vorspeise

Auch dieses Ausstellungssujet dürfte in seiner fremd-
ländischen Art auf den Betrachter eine besondere An-
ziehungskraft ausüben.

Die auf einem original-japanischen Korbtablett dargebotenen Bambusschalen haben zum Inhalt gebackene
Süßwassergarnelen, eine japanische Eierspeise, Seezungenfilet in grünem Reis mit Nudelanteil, gebacken, Ka-
rottensterne, marinierte Lattichstengel, gefüllten Weiß-
kohl mit Ingwer und gegrillte Riesengarnelen mit Eifül-
lung.

Hier ist ein Beispiel gegeben, daß Vorgerichte, in dieser Art offeriert, eine ungemein diffizile Arbeit in sich
bergen.

Japanese Entrées

This display piece, too, should especially attract the
viewer with its certainly exotic air.

The bamboo shells presented on an original Japanese
basket tray include: baked sweat-water shrimp, a Japanese egg-dish, filet of sole in green rice, baked partially
with noodles, carrot stars, marinated lettuce stalks, filled white cabbage with ginger and grilled giant shrimp
with egg-filling.

An example is given here of how entrées offered in
this form, entail tremendous tedious work.

Entrée japonaise

Ce sujet d'exposition avec sa manière il est vrai exotique exerce sans doute une attraction particulière sur les
spectateurs.

Présentées sur un plateau-corbeille, les écuelles de
bambou d'origine contenaient des crevettes d'eau dou-
ce rôties, un mets aux œufs japonais, du filet de sole rôti
dans du riz vert avec pâtes, des carottes étoilées, des
cœurs de laitue marinés, du chou blanc fourré avec du
gingembre et des bouquets grillés fourrés à l'œuf.

Nous avons ici l'exemple que des hors-d'œuvres présentés de cette manière recèlent un travail extrêmement
difficile.

Büfett- und
Schauplatten

Schau- und Büfettplatten im Ausstellungswettbewerb

Unsere Zeit verlangt bei der Formgebung und Anordnung von Schau- und Büfettplatten weitaus mehr Überlegung, als es über eine lange Zeit hin der Fall war.

Viele namhafte Aussteller der neueren Zeit haben zeitgemäßeren Ausstellungsarbeiten den Weg in die Moderne gewiesen, und diese Erkenntnis, die zwar Jahre brauchte, um sich durchzusetzen, wurde die Basis einer erstrebenswerten Weiterentwicklung von Vorbildlichem. So haben sich in allen Sparten der Kochkunst mehrere Entwicklungen vollzogen, die je nach Stilrichtung nicht immer befriedigen, andererseits aber auch begeistern können.

Das Ergebnis sind anregende Zusammenstellungen und bestmögliche Abwechslung einer kreativen Kochkunst, die sich vorwiegend bei großen fortschrittlichen Ausstellungen zeigt, und kein aufgeschlossener Fachmann – diese Ansicht vertreten wir mit Nachdruck – wird versäumen, sich das Gesehene in irgendeiner Form nutzbar zu machen.

Die großzügige und universelle Art der Köche wie auch deren Reichtum an Phantasie können in den Ausstellungsstücken vorteilhaft, aber auch gewagt erscheinen. Noch vor Jahren wäre das eine oder andere Ausstellungsstück zum Beispiel in einer weißen Chaud-froid- oder braunen Sulzsauce untergegangen, und der Verfertiger hätte sich um eine farbliche Ausgeglichenheit doch recht mühen müssen.

Dagegen ist die heutige Anrichteweise, deren kulinarische Leistung in einer größeren Natürlichkeit und Einfachheit nicht nur in der Formgebung, sondern auch im Dekorativen liegt, klar und übersichtlich.

Aus diesem Grunde erfordert die Herstellung von repräsentativen Ausstellungsplatten ein hohes Maß an Können und Schönheitssinn, die beide nur durch eine lange Praxis und fachliche Schulung erreicht werden können, denn Ausgangspunkt für die Kategorie Schau- oder Büfettplatten, gleichgültig ob sie aus Fisch, Krustentieren, Schlachtfleisch, Geflügel oder Wild gefertigt sind, sind eine neuartige fachbezogene Technik und vielseitiges berufliches Wissen.

Show and Buffet Platters in an Exhibition Contest

Our times call for considerably more consideration in the styling and arrangement of show and buffet platters than was the case a long time ago.

Many reputed exhibitors of our day have paved the way for the future with their more modern-day show-pieces, and this piece of knowledge, which one did need to have for many years, so as to make one's own way, became the basis of a worth-while furtherance in development of that which is exemplary. In consequence of this, there have been many other advancements in all the categories of culinary art, which depending upon the particular style concerned have not always been satisfying, and yet on the other hand were able to incite enthusiasm.

The outcome is a number of appealing compositions and the best possible change in creative cooking, which is mainly shown at the great progressive exhibitions, and no open-minded specialist in the field – we greatly support this belief – will neglect making use of that seen in one form or another.

The generous and overall manner of cooks and their great imagination can favorably affect their display-pieces, but they can then also appear bold. A few years ago the one or other display piece would have, for example, been lost in a white "chaud-froid" or brown jelly sauce, and the exhibitor would have had difficulty in giving the whole a balance in color.

On the other hand, the method of serving today, the culinary achievement of which not only lies in much greater naturalness and simplicity, and this, in styling and form, but is also seen clearly and demonstratively in the methods of decoration.

For this reason, the making of representative show-platters requires a great degree of know-how and a sense of beauty, both of which can only be achieved through a great deal of practical experience and specialized training, for the starting point for the category of show and buffet platters, regardless whether they are prepared with fish, crustaceans, meats, poultry or game, is the knowledge of special-field techniques, and diversified knowledge of the field in general.

Les plateaux de présentation et de buffet dans le concours culinaire

Notre époque exige beaucoup plus de réflexion pour la mise en forme et l'arrangement de plateaux de présentation et de buffet qu'il n'en fallait auparavant.

Beaucoup d'exposants contemporains renommés ont indiqué la voie du moderne avec des traveaux d'exposition au goût du jour et ce fait qui, il est vrai, a mis des années pour s'imposer est devenu la base d'un développement de l'exemplaire, digne d'être poursuivi. Ainsi dans toutes les branches de l'art culinaire beaucoup d'évolutions se sont accomplies qui, suivant l'orientation du style, peuvent être insatisfaisantes mais qui, d'un autre côté, peuvent également passionner.

Les résultats constituent des compositions stimulantes et la meilleure alternance possible pour un art culinaire créatif qui se découvre de préférence pendant les grandes expositions d'avant garde, et aucun spécialiste ouvert (nous défendons ce point de vue avec insistance) ne pourra manquer d'utiliser ce qu'il aura vu, sous une forme ou sous une autre.

Dans les pièces d'exposition, l'art généreux et universel des cuisiniers ainsi que la richesse de leur imagination peuvent paraître avantageux mais également audacieux.

Il y a quelques années encore, l'une ou l'autre des pièces d'exposition aurait par exemple sombré dans un chaud-froid blanc ou dans une sauce aspic brune, et le confectionneur aurait pourtant du s'efforcer d'obtenir l'harmonie des couleurs.

Par contre, le mode de dressage actuel est clair et net avec ses prestations culinaires qui reposent sur davantage de naturel et de simplicité, non seulement dans le façonage mais aussi dans la décoration.

Pour cette raison, la confection de plateaux d'exposition représentatifs exige un degré élevé de savoir-faire et de sens esthétique qui ne peuvent l'un et l'autre être atteints que par une longue pratique et une formation spécialisée, car les points de départ pour la catégorie des plateaux de présentation et de buffet, qu'ils soient confectionnés de poissons, de crustacés, de viandes de boucherie, de volailles ou de gibiers, sont constitués par une technique culinaire neuve et un savoir professionnel varié.

Frivolitäten von Hummer

Beim Entwurf dieser Arbeit war sich der Verfertiger im klaren, daß die Wirkung eines Exponats von Aufbau und Garnitur unterstrichen wird. Dies ist hier deutlich zu erkennen.

Auch wir sind der Meinung, daß neben der begleitenden Umlage und der im Mittelpunkt angerichteten Hummerterrine sowie den aufgeschnittenen und in ihrer Schale angerichteten Hummerschwänzen sehr wohl auch der ausgebrochene Hummerkörper in Erscheinung treten kann.

Neben der rein optischen Wirkung dokumentiert diese Beigabe, daß keine Konserve zur Verwendung kam.

Lobster Merriments

When designing this piece of work, it was absolutely clear to the exhibitor that its composition and arrangement would emphasize the effect. And he was successful in doing just this.

We are also of the opinion that besides the accompanying outlay and the lobster tureen served in the center, as well as the lobster tails, which have been cut up and laid in the bowl, the lobster bodies, too, that have been broken out, enter the picture.

Independently of the pure optical aspect, this exhibit documents that no preservative was used.

Frivolités de homard

En ébauchant cette réalisation, le confectionneur discernait bien que l'effet d'un objet est souligné par son façonnage et sa garniture. Ceci lui aura réussi.

Nous aussi pensons que la carapace de homard mérite d'être mise en valeur, auprès de la garniture d'accompagnement et de la terrine de homard dressée au centre ainsi que des queues de homards décortiquées dressées dans leur coque.

En dehors de l'impression purement optique, cet accompagnement indique qu'en effet aucune conserve ne fut utilisée.

Gefüllter Nordlandsalm „Fridtjof Nansen"

Der Hauptwert einer kulinarischen Ausstellung liegt ohne Frage in den gegebenen Anregungen, die sich in der Praxis auswirken sollen. Es sollen auf jeder Veranstaltung nicht nur der gegenwärtige Stand der ausstellerischen Kochkunst und nicht nur das gegenwärtige Können gezeigt werden, sondern sie soll auch anregend und befruchtend wirken.

Aus diesem Grunde gehört die nebenstehende Ausstellungsarbeit in ihrer untadeligen Fertigung wie auch mit der vollwertigen Umlage von Krevetten und Medaillons zu den erwähnenswerten Leistungen, die wir in diesem Buch vorzustellen haben.

Filled Northern Salmon "Fridtjof Nansen"

The primary importance of a culinary exhibition lies without question in the impulses given, which should be made felt in practice. Not only the status of the cookery show today, and the required know-how should be demonstrated, but should also nurture and incite new ideas and thoughts.

For this reason, the next display-piece with its perfect method of preparation and its complete outlay of crevettes and medaillons, falls under the noteworthy achievements, presented in our book.

Saumon du Nordland fourré «Fridtjof Nansen»

La valeur essentielle d'une exposition culinaire repose sans conteste dans les stimulations qu'elle émet et qui doivent influencer la pratique. Ce ne sont ni uniquement l'état actuel de l'art gastronomique ni également non plus le savoir-faire contemporains qui doivent être démontrés, mais elle doit aussi avoir un effet suggestif et fructueux.

Pour cette raison, le travail d'exposition ci-contre est à mentionner au nombre des prestations que nous devons mentionner dans ce livre, par sa finition impeccable ainsi que par l'accompagnement précieux de crevettes et de médaillons.

Vorspeise von kaltem Hummer nach Gaspéer Art

Sehr einladend ist diese Vorspeisenpräsentation aus Hummer und aus mit Lachsfarce gefüllten Calamarestuben zusammengestellt. Sie ist mit einer solch einprägsamen Anrichteweise offeriert, daß sie den Fachleuten sicherlich in bester Erinnerung bleiben wird.

Trotz des in größter Einfachheit realisierten Bildes ist die Arbeit in all ihren Teilen ein nachahmenswertes Angebot.

Entrée of Cold Lobster, Gaspé Style

This entrée presentation of lobster and calamary tubes, filled with a salmon forcemeat is a very enticing composition. It is offered in such an imposing manner of serving that it will certainly be remembered well into the future.

Despite the picture produced, and this, with the greatest of simplicity, this piece of work is an offer worthy of being copied in all single parts.

Hors-d'œuvre de homard froid à la mode Gaspé

Cette présentation d'entrées composée de homard et de tentacules de calmars fourrés de farce de saumon est très engageante. Elle est offerte avec un mode de dressage si spectaculaire qu'elle devrait certainement demeurer parmi les meilleurs souvenirs des spécialistes.

Malgré un tableau réalisé en toute simplicité, le travail constitue une offre exemplaire à tous les égards.

Trois delices de poissons

Beim Betrachten der drei Fischterrinen wird das Hauptaugenmerk sicherlich in erster Linie dem wohlgegliederten Aufbau der Arbeit gelten, denn bekanntlich kann sich kein passionierter Ausstellungsbeobachter der ständigen Suche nach brauchbaren Anregungen entziehen.

Obwohl bei allen drei Fertigungsarten eine saubere und exakte Arbeit geleistet wird, fällt die Winzigkeit der in der Mitte der Platte angerichteten Garnitur gegenüber den Terrinen besonders auf.

Trois Delices de Poissons

When viewing the three fish tureens, the main eye-catcher is certainly the good divisional structure of this piece of work. For, as known, no enthusiastic viewer of display-pieces will be able to resist looking for new ideas.

Although in the case of all three fish types, neatness and accuracy were achieved, the minuteness of that served in the middle of the platter, compared with the tureens themselves, drew the viewer's special attention.

Trois délices de poissons

Au cours de l'observation des trois terrines de poissons, la plus grande attention sera tout d'abord portée à la mise en forme, parfaitement élaborée, de la réalisation. Car il est notoire qu'aucun observateur passioné d'expositions ne peut se soustraire à la recherche permanente de solutions utilisables.

Quoique les trois modes de confection constituaient des prestations justes et soignées, la disproportion entre la taille minuscule de la garniture dressée au cœur du plateau et les terrines était particulièrement frappante.

Seeteufelgalantine

Wenn man sich mit dieser Interpretation einer Ausstellungsarbeit eingehend beschäftigt, kommt man unschwer zu der Ansicht, daß die hier offerierte Seeteufelgalantine den guten Leistungen zuzuordnen ist.

Die Platte mit ihrer sachbezogenen Garnitur von Krebsschwänzen, dem in Medaillons geschnittenen Seeteufel mit grünem Spargel und der Karkasse vom Taschenkrebs ist von bestechender Einfachheit.

Sicher hat sie gerade deshalb eine fachliche Anerkennung gefunden.

Angler-Fish Galantine

When closely dealing with the interpretation of a show-piece, it is quite simple to come to the conclusion that the angler-fish galantine offered here, can certainly be put into the category of a fine achievement.

This platter with its properly chosen arrangement of crayfish tails, the angler-fish cut into medaillons with green asparagus and the carcasses of crabs, embodied striking simplicity.

Certainly for this very reason did it find recognition among experts.

Galantine de lotte

Lorsqu'on examine de plus près cette interprétation d'un travail d'exposition on en arrive vite à penser que la galantine de lotte offerte ici est plutôt à compter parmi les bonnes prestations.

Le plateau, avec sa garniture adaptée de queues d'écrevisses, la lotte découpée en médaillons avec des asperges vertes et la carcasse de crabe tourteau, incarne une simplicité séduisante.

C'est sans doute justement pourquoi il a rencontré l'approbation des experts.

Les frivolités de la maison blanche

Bei der Darbietung von Schauplatten begegnet man immer wieder beachtenswerten kulinarischen Kreationen, deren Zubereitung eine genau Kenntnis der Ausstellungstechnik und auch künstlerisches Können verlangen.

Dabei sei besonders auf nebenstehende Arbeit hingewiesen, die zum Beispiel den Charakter eines Büfetts bestimmen kann.

Um einen Ring von Pfifferlingen und Poulardenwürfeln, die in zartem Weingelee eingesetzt sind, gruppiert der Verfertiger Tranchen von Enten- und Hechtparfait wie auch Medaillons von Edelfischen. Er vollendet die Platte mit der Garnitur von ovalen Karotten-scheiben mit einer Auflage von Eisechsteln und Krevetten und in der gleichen Form ausgestochenen Sellerieböden, die mit Avocadospalten und gefüllten Lachsröllchen versehen sind.

Les Frivolités de la Maison Blanche

In the presentation of show-platters you unmistakably time and again encounter noteworthy culinary creations, the preparation of which requires the exact knowledge of display techniques and certainly, too, culinary know-how.

In this connection, the adjacent piece of work has to be particularly pointed out, a creation, which, for example, can determine the character of a buffet.

Around a ring of chanterelle and poularde dice, which have been laid in a dainty wine-jelly, the exhibitor arranged cut-pieces of duck and pike parfait, as well as medaillons of rare fishes. He enhanced the platter with a grouping of oval carrot slices, topping them with egg-pieces cut into six, and shrimps, including cut-out celery bases done in the same manner, which are provided with the smallest, filled salmon rolls.

Les frivolités de la Maison Blanche

Lors de la présentation de plateaux d'exposition on rencontre toujours ce sur quoi on ne peut se méprendre c'est à dire des créations culinaires dignes d'attention dont la préparation exige une connaissance exacte de la technique d'exposition et certainement aussi des facultés artistiques.

Il faut en particulier signaler le travail ci-contre, celui-ci par exemple pouvant être considéré comme caractéristique d'un buffet.

Des tranches de parfait de canard et de brochet ainsi que des médaillons de poissons fins sont regroupés par le confectionneur autour d'un anneau de chanterelles et de dés de poularde sertis dans une gelée délicate au vin. Le plateau est achevé avec la garniture de rondelles de carottes découpées en biais agrémentées d'œuf coupé en six et de crevettes, et de cœurs de céleri ciselés de la même manière nantis de croissants d'avocats et de tout petits rouleaux de saumon fourrés.

Terrine de trois poissons

Es ist nicht zu leugnen, daß auch dieser Arbeit ein Lob zu zollen ist, denn Ausführung und Präsentation des Objekts verraten ein gutes Ausstellungsverständnis.

Die Terrine, eine Kombination von Lachs und Steinbutt, eingebettet in eine Hechtfarce, bietet ein farblich schönes Schnittbild, das die verwendeten Umlagen — kleine Schiffchen und Artischockenböden mit Meeresfrüchten sowie mit Ketakaviarschaum gefüllte Tomaten — noch unterstreichen.

Tureen de trois Poissons

It cannot be denied that this piece of work deserves praise as well. For the arrangement and presentation of this show-piece revealed a good understanding of display techniques.

The tureen, a combination of salmon and turbot, laid in pike forcemeat, offered a cross-section of beautiful colors, which even accentuated the outlay used, such as, the small ships and artichoke bases with fruits of the sea, as well as the tomatoes filled with Keta caviar mousse.

Terrine de trois poissons

Il est indubitable que ce travail doit aussi être applaudi. Car l'exécution et la mise en forme de l'objet pour la représentation révèlent une bonne compréhension des expositions.

La terrine, une combinaison de saumon et de turbot nichée dans une farce de brochet, offrait une image en coupe aux couleurs esthétiques encore soulignée par les composants employés tels que les petites barquettes et les fonds d'artichauts avec fruits de mer ainsi que les tomates fourrées de mousse de caviar Keta.

Pastete von Nordlandsalm

Die hier gezeigte Vorlage einer Krustpastete von Lachs zeichnet nicht nur in ihrer Herstellungsart ein konkretes Bild auf, sondern ist auch treffend in ihrer Anrichteweise.

Die feinzubereitete Farce in ihrer herkömmlichen Herstellung von entgrätetem Steinbutt- und Lachsfleisch birgt ein Mittelstück von Lachs. Sie ist mit einer makellosen Kruste perfekt umhüllt und ebenso perfekt gebacken.

Angerichtet ist die Pastete, wie es das Bild zeigt, mit einer Umlage von gedünsteten, mit feinen Paprikastreifen gefüllten Fenchellöffeln, die mit Langustenschwanzscheiben und Trüffelpunkten vollendet sind.

Pâté of Northern Salmon

The arrangement of crust pâté of salmon, not only presents a concrete picture of the manner in which it was prepared, but is also exact in the method of serving it.

The finely prepared forcemeat, commonly made of boned turbot, conceals a center-piece of salmon. It is perfectly covered with a flawless crust and baked as well to utter perfection.

As the picture shows, it is served with an arrangement of stewed fennel spoons, filled with fine paprika strips, which have been completed with rock-lobster tails and truffle dots.

Pâté de saumon du Nordland

Le modèle présenté ici d'un pâté de saumon en croûte n'esquisse pas seulement une image concrète par sa confection mais il est également un objet pertinent par son mode de dressage.

La farce, finement préparée selon la tradition, constituée de chair de turbot et de saumon sans arêtes recèle un noyau central de saumon. Elle est parfaitement enveloppée par une croûte sans défauts et, de même, parfaitement rôtie.

Comme le montre l'illustration, le pâté est dressé avec une garniture de cuillerées de fenouil cuites à l'étouffée, fourrées de fines bandelettes de poivrons doux, achevées avec des tranches de queue de langouste et des grains de truffe.

Galantinen von Meeresfrüchten

Diese Leistung des Verfertigers nebenstehender Arbeit ist ohne Frage überzeugend. Unverkennbar verkörpert sie einen exquisiten Stil, der sich zum einen speziell in der Anrichteart und zum anderen in der Wahl der Umlagen widerspiegelt. Beide Mittel bringen alles zur besten Wirkung.

Die Galantinen — eine Lachsgalantine mit der Einlage von Hummerschwanz; eine Hechtgalantine mit der Einlage von Lachs und Hummerfarce in einer Seetangrolle; eine getrüffelte Lachsforellengalantine mit Crabmeat — werden durch die Umlage von gebackenen Teigfischen und Eiertomaten ergänzt, die einmal mit Garnelen, grünem Spargel sowie einer Tomatenblüte und dann mit weißen Spargelspitzen vollendet sind.

Galantines of Fruits of the Sea

The exhibitor's achievement with the adjacent piece of work was without a doubt at the top. There is no mistake in asserting that it embodies an exquisite style, which for one thing is reflected especially in the method of serving and for another in the choise of the outlay. Both these components are the very means of obtaining the best effect.

The galantines, singly called a salmon galantine with the filling of lobster tail, a pike galantine with the filling of salmon and lobster forcemeat in a seaweed roll and a truffled sea-trout galantine with crabmeat, have been completed with an outlay of baked dough-fish and egg-tomatoes, which in the first place are topped with shrimps, green asparagus as well as with a tomato blossom and in the second with white asparagus tips.

Galantines de fruits de mer

Cette prestation du créateur du travail ci-contre figure certainement parmi les meilleures. Elle incarne indéniablement un style exquis tout d'abord spécialement dans l'art du dressage et ensuite dans le choix des éléments. Ces deux composants sont les moyens qui portent l'ensemble à la perfection.

Considérées séparément les galantines s'énumèrent ainsi: une galantine de saumon avec garniture de queue de homard, une galantine de brochet avec garniture de saumon et farce de homard dans un rouleau de varech et une garniture de truite saumonnée truffée avec du crabe Chatka. Elles sont complétées par l'arrangement de poissons rôtis en pâte et de tomates Roma et achevées d'une part avec des crevettes, des asperges vertes ainsi qu'avec une fleur de tomate et d'autre part avec des pointes d'asperges blanches.

Zanderterrine mit einer Einlage von Crabmeat

Mit dieser Terrine, die mit einer leichten Krebssulz-sauce überzogen ist, hat der Verfertiger eine einfallsreiche Zubereitung und Darbietung bewiesen.

Die Zanderfarce ist aus zwei Teilen entgrätetem Zander und einem Teil ebensolchem Steinbutt zubereitet und ist mit Mehlpanade, Eiweiß wie auch geschlagener Sahne aufgezogen. Zum Schluß wird sie mit einer reichen Einlage von ausgebrochenem Taschenkrebsfleisch versehen, in die vorbereiteten Formen gefüllt und im Wasserbad pochiert.

Die verwendete Umlage besteht aus einem Tomaten-geleering, der auf einen dünnen Sellerieboden gestürzt und mit Crème fraîche wie auch Kaviar vollendet ist.

Die die Arbeit zierende Schale ist ein ausgehöhlter Squash mit einem Salat von ausgestochenen Gemüsen.

Zander Tureen with an Arrangement of Crabmeat

With this tureen, which is slightly coated with a crayfish jelly sauce, the exhibitor evidenced imaginative preparation and presentation.

The Zander forcemeat has been made out of two parts of boned Zander and one part of turbot, and has been stiffened with flour panada, egg-white as well as with whipped cream. As a final touch it was provided with a rich arrangement of common crabmeat, broken out, filled into the prepared moulds and poached in a water-bath.

The outlay used consists of a tomato jelly ring, which was tipped over onto thin celery bases, and completed with crème fraîche, as well as with caviar.

The bowl that decorates the piece of work is a carved out squash-scallop or Patisson fruit, and contains a salad of cut-out vegetables.

Terrine de sandre avec garniture de crabe Chatka

Le confectionneur a fait preuve d'une richesse d'inspiration dans la préparation et la présentation avec cette terrine, recouverte d'une légère sauce aspic d'écrevisse.

La farce de sandre est préparée avec deux parts de sandre sans arêtes pour une part de turbot sans arêtes et est montée avec une panade de farine, du blanc d'œuf ainsi que de la crème battue. Pour terminer, elle est nantie d'une riche garniture de chair de crabe tourteau décortiquée, versée dans les moules préparés et pochée dans un bain-marie.

La garniture employée se compose d'un anneau de gelée de tomates renversé sur un fond mince de céleri et est achevée avec de la crème fraîche et du caviar.

Un pâtisson (ou squash scallop) évidé constitue la coupe qui agrémente le travail et contient une salade de légumes en pointes.

Fischplatte „Poseidon"

Die aus Terrinen und Lachsmedaillons bestehende
Platte gehört zu einer Reihe von Schulbeispielen rich-
tungweisender Entwicklungen. Sie steht für eine voll-
endete Darbietung kleiner Delikatessen genauso wie
für anspruchsvollere Ausstellungsstücke, und sie be-
zeugt dem Kenner der Materie erneut, daß sich auf diesem Gebiet sehr vieles erreichen läßt.

Um die Hechtterrine, die mit einem Pistazienmantel
gefertigt ist und mit einer Gemüsegarnitur das Hauptstück bildet, sind eine Steinpilzterrine, pochierte Lachsmedaillons mit Krebsschwänzen, gefüllte Zucchini und
gefüllte Tomaten arrangiert.

Fish Platter "Poseidon"

This dish consisting of tureen and salmon medaillons
falls under a number of model examples of definite
trends. This applies to a perfect presentation of small
delicacies as well as to more demanding show-pieces,
and they time and again prove to the expert in the field
that a great deal can be attained in this area.

Around the pike tureen, which has been prepared
with a pistachio coat, and the needed arrangement provided with vegetables that forms the center-piece, there
is also a mushroom tureen, poached salmon medaillons
with crayfish tails, filled zucchinis and filled tomatoes.

Plateau de poisson «Poséidon»

Le service constitué par les terrines et les médaillons
de saumon fait partie d'une série d'exercices d'école qui
indiquent le chemin de l'évolution. De même que pour
des pièces d'exposition plus ambitieuses, il incarne la
présentation parfaite de petits mets délicats et elle
prouve constamment au connaisseur du sujet qu'il est
possible d'atteindre énormement dans ce domaine.

Une terrine de cèpes de Bordeaux, des médaillons de
saumon pochés avec des queues d'écrevisses, des courgettes et des tomates fourrées, sont arrangés autour de
la terrine de brochet qui, préparée enrobée de pistaches
et avec une garniture de légumes placée d'office, forme
la pièce principale.

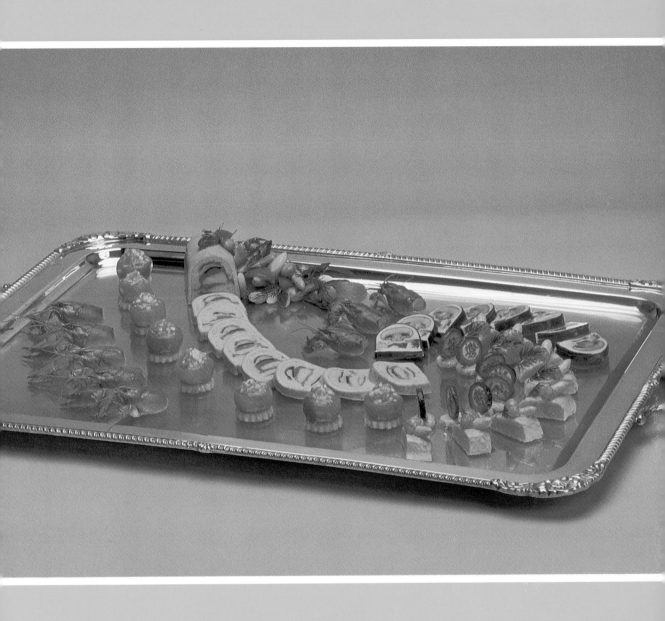

Kanadischer Wildlachs „Prince Rupert"

Für jede Fachschau bringt gerade der Lachs oder Salm eine Reihe von Möglichkeiten des Bearbeitens, und es ist manchmal erstaunlich, wie viele Ideen immer wieder zutage treten.

Der objektive und gleichwohl auch der ausstellungserfahrene Fachmann wird beim Betrachten der nebenstehenden Schöpfung bestätigen, daß gerade beim Lachs als Ausstellungsobjekt unendlich vieles eine bessere Richtung genommen hat. Er wird anerkennen müssen, daß sich Kochkunstschauen, und dies gilt nicht nur für die Fischexponate, nicht rückwärts-, sondern zukunftsweisend vorwärtsbewegen.

Die filierten, gekonnt pochierten und mit Kopf- und Schwanzteil angerichteten Lachstranchen haben ein Dekor von Spargelspitzen und gespaltenen Tomatenekken und sind mit gefüllten halben Eiern passend ergänzt.

Canadian Wild Salmon "Prince Rupert"

It is precisely at specialized shows that salmon and samlet offer a number of possibilities in preparation, and sometimes it is astonishing how many different ideas come to light.

The objective expert, being at the same time experienced in the field of judging exhibits, will have to confirm when viewing the next creation that in the very area of exhibiting salmon, infinitely more has been accomplished in this direction. In doing so, he will have to realize that cookery shows, and this does not only apply to fish exhibits, must not move regressively but rather progressively.

The filetted salmon cut-pieces, which have been expertly poached, and served with the head and tail parts, comprise a decoration of asparagus tips and tomatoes, sliced into corner-pieces, and have been appropriately completed with filled egg-halves.

Saumon du Canada «Prince Rupert»

Dans chaque exposition spécialisée le saumon apporte justement une quantité de possibilités de façonnage et le nombre d'idées qui apparaissent est toujours surprenant.

En examinant la création ci-contre, le spécialiste objectif en même temps qu'expérimenté devra constater qu'une infinité de choses s'est accompli dans une meilleure perspective. Il devra ainsi reconnaître que les présentations d'art culinaire, et ceci ne s'applique pas seulement pour les objets au poisson, ne font pas marche arrière mais vont de l'avant.

Les tranches de saumon, filées, pochées par un connaisseur et dressées avec la tête et la queue affichent un décor de pointes d'asperges et de petits quartiers de tomates fendus et son complétées de manière appropriée avec des moitiés d'œufs fourrés.

Fischplatte Manitoba

Vom ausstellerischen Gesichtspunkt aus betrachtet, wird mit diesem Exponat die Geradlinigkeit der Darbietung weitgehend beachtet. Ein weiterer Vorzug dieser Arbeit ist die treffliche Beachtung einer geschmackvollen und ausgewogenen Harmonie.

Diese Mittel fallen bei einer internationalen Ausstellung im besonderen Maß bei einer versierten Jury ins Gewicht, sie sind daher nicht zu unterschätzen. Die einzelnen Positionen des Objekts sind eine naturbelassene Lachsroulade, gefüllte Artischockenböden mit Gemüsebrunoise und grünen Spargelspitzen, gefüllte Röllchen von Red Snappers, mit Morcheln und tournierten Gemüsen versehene Fenchellöffel wie auch eine auffallend schöne Muschelterrine, die eine Einlage von Crabmeat aufweist.

Manitoba Fish Platter

Seen from the standpoint of an exhibition in presenting this exhibit, a certain line of approach was largely followed. What additionally gives this piece of work particular attention is the excellent balance of harmony and taste.

These aspects carry particular weight at international shows when judgements are passed by a versed jury; therefore, they are not to be underestimated. The single components of this piece of work include a roll of salmon, left in its natural state, filled artichoke bases with vegetable brunoise and green asparagus tips, filled rolls of red snapers, fennel spoons, provided with morels and vegetables, formed into decorative shapes, as well as a strikingly beautiful mussel tureen, which has an addition of crabmeat.

Plateau de poisson Manitoba

Considérée du point de vue exposition, la disposition rectiligne de la présentation est très bien respectée par cet objet. L'attention pertinente accordée à une harmonie pleine de goût et équilibrée avantage encore cette réalisation.

Ces méthodes ne doivent pas être sous estimées lors d'une exposition internationale, car elles comptent tout particulièrement pour un jury spécialisé. On distingue des objets tels qu'une roulade de saumon présentée nature, des fonds d'artichauts fourrés avec brunoise de légumes et pointes vertes d'asperges, des petits rouleaux fourrés de red snapers, des cuillerées de fenouil nanties de morilles et de légumes tournés ainsi qu'une magnifique terrine de coquillages qui affichait une garniture de crabe Chatka.

Rendez-vous de saumon

Das Auffallende, was mit diesem Ausstellungsentwurf aus den Materialien herausgeholt wird, liegt erstens in der Anrichteart und zweitens in deren Auswahl und Zusammenstellung. Dies betrifft das Farbliche ebenso wie die Formgebung.

Hier versteht es der Verfertiger gut, mit dem weiteren Umriß aus Tomaten, die von ihrem Inneren befreit und mit der dazugehörenden Sauce gefüllt sind, den beiden Blätterteigkrustaden mit Gemüsesalat in Verbindung mit einer Lachsterrine und den außen plazierten Lachstranchen seinen Entwurf wirkungsvoll zu gestalten und ein effektvolles Bild zu schaffen.

Rendez-vous de Saumon

Emphasis laid on that, which is most striking in the case of this form of exhibit, is firstly the method of serving, and secondly in choice and composition. This applies not only to the question of color but also to the selection of designing.

The exhibitor not only well understood here how to effectively group the periphery with tomatoes, which have been freed from their center section, and filled with an appropriate sauce, the two puff-pastry croustades with vegetable salad, combined with a salmon tureen and the salmon cut-pieces, placed around it, but also how to create an impressive picture.

Rendez-vous de saumon

C'est tout d'abord le mode de dressage, puis le choix et la composition qui ressortent de ce projet d'exposition. Ceci concerne aussi bien la couleur que le façonnage.

Ici, le confectionneur a non seulement su rassembler une ébauche attrayante mais également créer un tableau remarquable avec le contour suivant de tomates évidées fourrées d'une sauce appropriée, les deux croustades en pâte feuilletée avec une salade de légumes accompagnée d'une terrine de saumon et les tranches de saumon disposées sur le pourtour.

Gaumenfreuden „Hotel Schweizerhof"

Die Anrichteweise der hier veröffentlichten Arbeit
ist weitgehend auf den praktischen Service ausgerichtet.
Da sie einladend und appetitanregend ist, kommt auch
das Auge bei diesem Angebot auf seine Kosten — das
oberste Gebot einer Ausstellung wird damit befolgt.

Um eine mit Meeresfrüchten gefüllte Ananas gruppieren sich als Gaumenfreuden kleine Pastetchen mit
Fischsalat, halbe garnierte Eier wie auch je eine Lachs-
und Räucherlachsroulade.

Flavor Treat "Hotel Schweizerhof"

The method of preparing the piece of work published here is largely adapted to practical serving.
Being both enticing and appetizing, this show-piece is a
treat to the eye, but this is, of course, of uttermost
importance at an exhibition.

As flavor treats, small pâtés with fish salad, garnished
egg-halves, as well as a salmon and smoked salmon roll,
are grouped around a pineapple, filled with fruits of the
sea.

Régal du palais «Hôtel Schweizerhof»

Le mode de dressage du travail publié ici est largement calqué sur un service praticable. L'œil trouve aussi son compte avec cette offre attrayante et appétissante
mais ceci est certes bien le premier commandement de
toute exposition.

Autour d'un ananas fourré de fruits de mer se regroupent de tout petits pâtés avec salade de poisson,
des moitiés d'œufs garnis ainsi qu'une roulade de
saumon et de saumon fumé, qui constituent ce régal du
palais.

Fischpâté „Alaska"

Diese aus Crabmeat und Steinbutt zubereiteten und einladend angerichteten Objekte erregen insofern besondere Aufmerksamkeit, als der Verfertiger, zumindest in der ausstellungstechnischen Richtung, eine eigene Note getroffen hat.

Dem Objekt unsererseits noch eine erklärende Note hinzuzufügen, dürfte sich bei dieser Arbeit erübrigen, sie wird bei eingehender Betrachtung für sich selbst sprechen.

Fish Pâté "Alaska"

The piece of work, enticingly served here, and which has been prepared from crabmeat and turbot, did arouse a certain attention, in that owing to the choice of the display procedure followed, at least a special effect was achieved in this case.

It would seem superfluous to add an explanatory note on our part, seeing that when carefully studying it, it should speak for itself.

Pâté de poisson «Alaska»

Préparés de crabe Chatka et de turbot, ces objets dressés de manière attrayante, éveillaient d'autant plus une attention particulière qu'ils témoignaient d'un cachet original, tout au moins en ce qui concerne la technique d'exposition.

Il serait superflu de notre part d'ajouter une notice explicative à cette réalisation. Elle parlera d'elle-même, après un examen attentif.

Gefüllter Havelhecht mit Lachsgalantine

Die Demonstration der nebenstehenden Fischplatte mit ihren beiden Motiven „Gefüllter Havelhecht" und „Lachsgalantine" ist eine Verdeutlichung von Leistung, bei der eine zeitgemäße und sachbezogene Anschauung das Primäre ist.

Diese Erkenntnis verbindet der Verfertiger zum einen mit dem „Gewußt, wie" der diffizilen Fertigungsart von Fisch und Galantine und zum anderen mit der gewählten Umlage, die aus gefüllten Baumtomaten und einem Zierkürbis besteht, der mit einer üppigen Menge ausgestochener Melonenkugeln versehen ist.

Filled Havel Pike with Salmon Galantine

The demonstration of the adjacent fish platter with both its motifs: "Filled Havel Pike and Salmon Galantine" is an illustration of the achievement that a modern-day and practicable point of view is of primary importance.

Bearing this in mind, the exhibitor for one thing, combined the "know-how" of the various complicated methods of preparation of fish and galantine, and for another, with the outlay chosen, which consisted of filled tree tomatoes and a decorative squash, that was provided with a generous quantity of cut-out melon balls.

Brochet de l'Havel fourré avec galantine de saumon

La démonstration du plat de poisson ci-contre, avec ses deux motifs «Brochet de l'Havel fourré et galantine de saumon», constitue une clarification de prestations qui reposent en premier lieu sur une vision contemporaine et qualifiée.

Ce fait associe d'une part le confectionneur avec la compétence dans le mode difficile de préparation inhérent au poisson et à la galantine et d'autre part avec la garniture choisie constituée de tamarillos et d'une courge d'ornement, nantie d'une quantité exubérante de boules de melon.

Zanderrollen nach Fonyóder Art

Der Gestalter dieser farblich gut ausgewogenen und — sieht man einmal von den nicht korrekt liegenden Tranchen ab — auch exakt angerichteten Arbeit macht deutlich, daß auch mit sparsamen Mitteln eindrucksvolle Ausstellungsstücke geschaffen werden können.

Um ein mit Krebsschwänzen und Oliven garniertes Mittelstück gruppieren sich die mit weißer Sulzsauce nappierten Zanderrollen, die je zur Hälfte aufgeschnitten sind. Der entstandene Zwischenraum wird von Solokrebsen ausgefüllt, denen das Schwanzfleisch ausgelöst ist. Es liegt in exakt geschnittenen Scheibchen der Karkasse auf.

Rolls of Zander Fonyóder Style

The exhibitor of this piece of work, which was well chosen in color, and accurately served, irrespective of the cut-pieces, which were not correctly laid, definitely demonstrates that even with economical means, an impressive show-piece can be created.

Around a center-piece, garnished with crayfish tails and olives, is a grouping of zander rolls, napped with a white jelly sauce, which have each been cut up to the center. The space left inbetween is filled out with hermit-crabs, whose tail meat has been boned and laid on top of the carcasses, the meat-pieces have been finely cut beforehand.

Rouleau de sandre à la mode de Fonyoder

Exception faite des tranches mal disposées, le confectionneur de cette réalisation aux couleurs harmonieuses démontrait qu'il est possible de créer des objets d'exposition remarquables, même avec des moyens limités.

Les rouleaux de sandre, nappés d'une sauce aspic blanche, à demi découpés, se groupent autour de la pièce centrale garnie de queues d'écrevisses et d'olives. L'intervalle obtenu est pourvu d'écrevisses, la chair de leur queue étant décortiquée et disposée dans les petites rondelles, découpées avec précision, de la carapace.

Verschiedene Terrinen von Räucherfisch „Lake Louise"

Diese in ihrer Präsentation ansprechenden wie auch in vollendeter Manier zubereiteten Terrinen erweitern das aus Räucherfischen hergestellte ausstellungsmäßige Angebot und geben Auskunft über die Leistungsfähigkeit des Verfertigers.

Die von Austern, Räucherlachs sowie Stör gefertigten Terrinen mit ihrer Umlage von gefüllten Champignonköpfen unterstreichen, wie dekorativ solche Angebote wirken können. Außerdem, und dies ist aus unserer Abbildung unschwer ersichtlich, gehören alle mit Sorgfalt ausgeführten Zusammenstellungen zu den wichtigen Anschauungsobjekten.

Various Tureens of Smoked Fish "Lake Louise"

This show-piece of tureens, prepared from smoked fish, and which is not only attractive in presentation, but also perfectly made, not forgetting the display element, supplies the viewer with information as to the achievements of the exhibitor.

The tureens, prepared from oysters, smoked salmon as well as with sturgeon, including an outlay of filled mushroom heads, emphasizes how decorative such displays can be. Another aspect — and this can clearly be seen from our picture — is that all of the compositions, carefully made here, fall under the most important show-pieces.

Terrines variées de poisson fumé «Lake Louise»

Par sa présentation séduisante ainsi que par sa préparation achevée et enfin par sa conformité à l'exposition, cette offre de terrines confectionnées de poissons fumés fournit des indications sur la prestation du réalisateur.

Les terrines préparées avec des huîtres, du saumon fumé ainsi que de l'esturgeon, avec leur arrangement de chapeaux de champignons de couche fourrés, soulignent l'effet décoratif de telles créations. De plus, et il est facile de s'en rendre compte sur notre illustration, toutes les compositions, exécutées avec soin, comptent parmi les objets d'exposition importants.

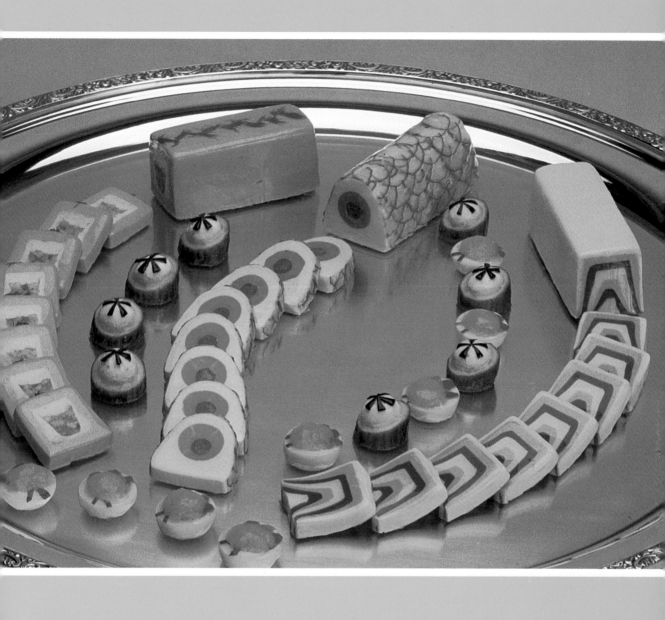

La surprise des carabineros

Diese zeitgemäß angerichtete Krustentierplatte ist absichtlich auf praktischen Service abgestimmt, wobei neben diesem Vorzug und der ausstellungsgerechten und dominierenden Fertigung der Riesengarnelen auch das Auge des Fachmanns auf seine Kosten kommt.

Für die Durchführung der Arbeit sind die vorgegarten, entdarmten Carabineros oder Riesengarnelen in die Form eingesetzt, mit einer Mousselinesfarce und einem Kern von Brokkoli versehen, sorgfältig zugestrichen und auf den Punkt pochiert.

Die im Vordergrund zu einem Stern gelegten Avocadoviertel haben eine Füllung von Meerrettichmus und Miesmuschel, und die von ihrem Inneren befreiten Tomatenviertel sind mit einer marinierten Gurkenkugel vervollständigt.

La Surprise des Carabineros

This crustacean platter, prepared in line with present-day methods, is fundamentally based on a practical mode of serving, in which instance, besides this advantage and the dominating factor of the preparation of the giant shrimps, this having been accomplished in the form usual at shows, there is, too, the aspect that the expert takes delight in what he sees.

To prepare this piece of work, the pre-cooked and emptied Carabineros or giant shrimps have been set into the mould, provided with a Mousseline forcemeat and a center of broccoli, carefully coated over, and poached to the right point.

The avocado quarter-pieces, laid out in a star shape in the foreground, contain a filling of horseradish and mussel, and the tomato quarter-pieces, freed from their center section, have been completed with a marinated cucumber ball.

La surprise des carabineros

Ce plat de crustacés dressé avec modernité doit par nature se conformer à un service commode qui, auprès de cet avantage et de la finition des bouquets, souveraine et convenant à l'esprit d'une exposition, peut contenter l'œil du spécialiste.

Pour l'exécution du travail, les carabineros ébouillantés, vidés, sont disposés dans le moule, pourvus d'une farce mousseline et d'un noyau de broccoli, soigneusement couverts et pochés à point.

Les quartiers d'avocats placés en étoile au premier plan sont fourrés de crème de raifort et de moules et les quartiers de tomates évidés sont complétés avec une boule de concombre marinée.

Fischterrine „Adria" mit Krebsen

Als eine diffizile Arbeit ist auch die nebenstehende aus Lachsfleisch gefertigte Terrine anzusprechen. Jeder Fachmann wird ermessen können, wieviel Mühe und Übung erforderlich sind, ehe dieser Grad des Könnens erreicht wird, der sich in der hier vorgestellten Arbeit äußert.

Die untadelig gefertigte Terrine hat eine Umlage von schräg geschnittenen Lauchtampons, garniert mit Krebsscherenfleisch und einer Trüffelscheibe, sowie von einer Reihe von Bachkrebsen, denen in bemerkenswerter Art der Schwanzpanzer entfernt ist.

Fish Tureen with Crabs "Adria"

The tureen, seen next, prepared with salmon meat, can also be looked upon as a dificult piece of work. Any expert at all will be able to fully appreciate how much work was involved before this degree of practice was attained, which can be seen in the show-piece displayed here.

The perfectly prepared tureen includes an outlay of diagonally cut leek balls, garnished with crab claw meat and a truffle slice as well as with a number of river crabs, whose tail shells have been removed in a remarkable way.

Terrine de poisson avec écrevisses «Adria»

La terrine, confectionnée de chair de saumon, doit également être considérée comme un travail difficile. Tout expert pourra apprécier combien d'efforts sont nécessaires pour atteindre le degré d'entraînement qui se manifeste dans le travail présenté ici.

La terrine, impeccablement apprêtée, affiche un décor de tampons de poireau découpés en biais, garni avec de la chair de pinces d'écrevisses et une rondelle de truffe ainsi qu'une rangée d'écrevisses de ruisseau, dont la queue est décortiquée de manière remarquable.

Lachsforelle „Kioto"

Wie schon an anderer Stelle erwähnt, stellen Fische von schlankem Wuchs, vor allem, wenn man sie in ihrer ganzen Länge präsentiert, eine wertvolle Bereicherung dar.

Die im Bild zu sehende Lachsforelle wird in rohem Zustand sorgfältig ausgelöst, entgrätet und in Filets geschnitten. Diese werden in kurz gehaltenem Fond pochiert.

Zur Fertigstellung werden die Schnitten mit grünen Spargelspitzen garniert und mit klarem Fischgelee nappiert. Wie ersichtlich, bildet bei dieser Präsentation eine reiche Garnitur von unterschiedlicher Beschaffenheit eine passende Beilage.

Sea-Trout "Kyoto"

As already mentioned at a different point, fishes, having a slender growth, represent a valuable enrichment, especially when you offer them in full view.

The sea-trout, to be seen in the picture, was, when in a raw state, carefully cut out, and boned, and then cut into filets, thereafter having been poached in very little gravy.

For completion, the cut-pieces have been garnished with green asparagus tips, and napped with a clear fish jelly. As can be seen, in being presented, a rich arrangement of different compositions form an appropriate outlay.

Truite saumonnée «Kyoto»

Comme il a déjà été mentionné par ailleurs, les poissons de taille fine constituent un rapport précieux, surtout lorsqu'ils sont présentés entiers.

La truite saumonnée proposée sur l'illustration est, crue, soigneusement débarrassée de ses arêtes, découpée en filets pochés dans un fond réduit.

Pour finir, les tranches sont garnies de pointes d'asperges vertes et nappées d'une gelée claire de poisson. Comme cela est visible, une riche garniture de structure variée constitue un accompagnement adapté avec cette présentation.

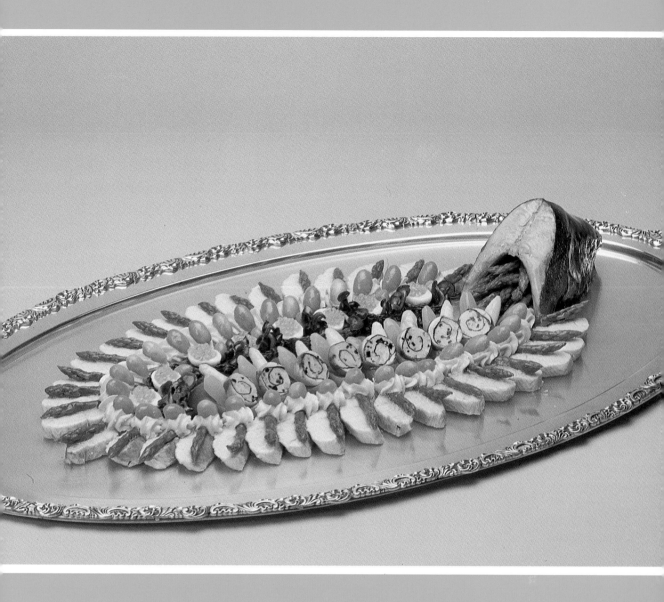

Gefüllter Lachs „Laguna"

Dieses Arrangement ist ein ausgesprochenes Muster
für eine formvollendete Bekundung ausgesuchter Na-
schereien, wobei die die Platte beherrschende Lachsroulade eine richtungweisende Rolle spielt.

Die weitere durchdachte Umlage steht zum Hauptstück in einem gezielten Verhältnis und trägt zum gut-
gegliederten Aufbau der Platte bei.

Filled Salmon "Laguna"

This dish is a definite example of selected titbits of
perfected form and presentation, in which case, the salmon roll that dominates the platter, plays a role, indica-
tive of the future.

The remaining outlay, that was well thought out, is
in purposeful relation to the main piece, and contrib-
utes well to the divisional structure of the platter.

Saumon fourré «Laguna»

Ce service constitue le modèle déclaré de la perfection d'une revue de friandises, la roulade de saumon qui
domine le plateau y jouant un rôle déterminant.

Il existe une proportion recherchée entre la pièce
principale et son décor complémentaire étudié, qui contribue à l'élaboration bien structurée du plateau.

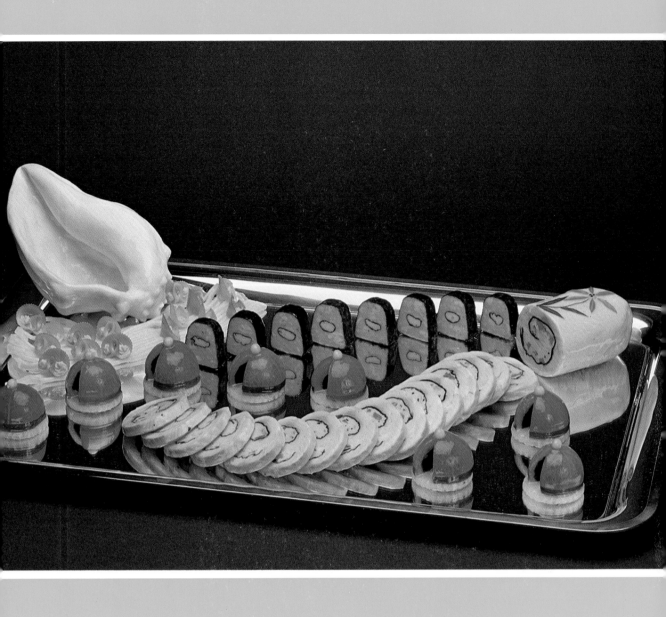

Seeteufelterrine

Unter gleichnamigen Fertigungsobjekten lassen sich Vergleiche anstellen, zum Beispiel, wie sich die Gestalter ihre Aufgabe vorstellen und sie durch die gewählte Zusammenstellung sowie Harmonie der Umlage und schließlich durch die Darbietung zum Erfolg bringen. In der Praxis wird jeweils die Methode der Fertigung und Vorbereitung des Rohmaterials anzuwenden sein, die für die Eigenart jedes Gestalters einer Platte die vorteilhaftere ist.

Für die Interpretation der nebenstehenden Seeteufelterrine mit ihrer Einlage von Taschenkrebsfleisch hat der Verfertiger eine Umlage von Seeteufelmedaillons mit einem Dekor von grünen Spargelspitzen und Krebsschwänzen gewählt.

Wie dekorativ der Taschenkrebskörper, dessen Beinfleisch ja zum Inhalt der Terrine gehört, wirken kann, ist hinreichend bekannt und wird durch die Abbildung bestätigt.

Angler Fish Tureen

Certain comparisons can be made of all the pieces of work, having the same name, like for example, how the exhibitor here envisioned his task of achieving success, and this, through the composition selected, the harmony in arrangement and lastly in presentation.

In practice, those techniques and methods employed in the preparation of raw materials, are to be put to use in each case; and those, too, that come closest to the abilities of the exhibitor. To interpret his angler fish tureen with the addition of common crabmeat, he chose an outlay of angler fish medaillons with a decoration of green asparagus tips and crab tails.

How decorative the body of the common crab can be, whose bone-meat is required for the content of the tureen, is adequately known, and is also clear from the picture.

Terrine de lotte

En considérant tous les objets préparés de même appellation, il est possible de comparer comment, par exemple, le confectionneur envisage sa tâche pour parvenir en fin de compte au succès par le biais de la présentation, à l'aide de la composition choisie et de l'équilibre de l'arrangement.

C'est la méthode de confection et de préparation des ingrédients qui favorise le mieux l'originalité du créateur du plateau qui est à utiliser dans la pratique. Pour l'interprétation de sa terrine de lotte avec sa garniture de chair de crabe tourteau, il avait choisi un arrangement de médaillons de lotte avec un décor de pointes d'asperges vertes et de queues d'écrevisses.

L'effet décoratif de la carapace du crabe tourteau, dont la chair des pinces est incorporée dans la terrine, est suffisamment connu et il est également visible sur l'illustration.

Rendez-vous de poissons „Kronenhof"

Die Wirkung einer methodisch gestalteten Ausstellungsplatte, die wir im Bild verdeutlichen, ist von der Materialzusammenstellung und vom interpretierten Motiv abhängig oder wird dadurch unterstrichen.

Wir sind der Meinung, daß sich der Ausführende dieser Ausstellungsarbeit, die gezielt den Reiz des Aparten trägt, einer formvollendeten Darbietung von Hummertorte, unterschiedlicher Fischterrinen wie auch einer bemessenen Umlage bedient und dadurch das Ganze zur besten Wirkung bringt.

Rendezvous de Poissons "Kronenhof"

The effect of the methodically designed show-platter, which we have illustrated in the picture, is dependent on the composition of material and the motif interpreted or finds emphasis with it.

We are of the opinion that the exhibitor of this display-piece, which aimed at achieving a special fascination, is the perfected form of presenting a lobster cake, various sorts of fish tureens, as well as a well proportioned arrangement, and in realizing just this, having lent to the whole the best possible impression.

Rendez-vous de poissons «Kronenhof»

L'effet, clarifié par l'illustration, d'un plat d'exposition façonné avec méthode dépend de la combinaison des ingrédients et du sujet d'interpretation et il peut s'en trouver renforcé.

Nous pensons que le réalisateur de ce travail d'exposition, qui revendique le charme de l'originalité, s'est offert une présentation, sous une forme parfaite, de tourte de homard, de diverses terrines de poisson ainsi qu'un accompagnement mesuré et est parvenu à un ensemble du meilleur effet.

Terrine von Lachs und Steinbutt im Brokkolimantel

Mit dem nebenstehenden Bild wird auf ein Ausstellungsobjekt hingewiesen, bei dem die angewandte Fertigung und die Umlage einen aparten Geschmack verraten. Diese Feststellung bezieht sich sowohl auf die Materialzusammenstellung wie auch auf das Motiv, das kaum besser als in der dargebotenen Form demonstriert werden kann.

Die für das Mittelstück und die Tranchen der Terrine gewählte Umlage besteht aus mit Meerrettichschaum gefüllten Kirschtomaten, blanchierten Gurkenscheiben mit der Auflage von Eigelbfarce und Kaviar, gefüllten Champignonköpfen und kleinen Sulzen mit Krebsschwänzen in Dill.

Tureen of Salmon and Turbot in Broccoli Coat

With the adjacent picture a show-piece is pointed out, in which case the methods employed in preparation and the outlay suggest an exquisite sense of taste. To the same degree this assertion also refers to the composition of materials and the motiv as well, which can scarcely be demonstrated better than in the form offered here.

The outlay chosen as a center-piece and the cut-pieces of the tureen consist of cherry-tomatoes filled with horseradish mousse, blanched cucumber slices with an arrangement of egg-yolk forcemeat and caviar, filled mushroom heads and small jellies with crayfish tails in dill.

Terrine de saumon et de turbot enrobés de broccoli

L'illustration ci-contre signale un objet d'exposition qui révèle un goût original par la confection employée et la garniture. Cette constatation s'applique aussi bien à la combinaison des ingrédients qu'au motif, ce qui ne pourrait que très difficilement être mieux démontré sous la forme présentée.

La garniture choisie pour la pièce centrale et les tranches de la terrine se compose de tomates cocktail fourrées de mousse de raifort, de rondelles de concombre blanchies auxquelles s'ajoutent une farce au jaune d'œuf et du caviar, de chapeaux de champignons de couche fourrés et de petits aspics avec des queues d'écrevisses à l'aneth.

Kalbssattel, mit Lachsmus gefüllt

Lebendiges Gestalten von Ausstellungsstücken verleitet gelegentlich zu Experimenten, deren Schwierigkeiten nur durch die Beherrschung der Materie ausgeräumt werden können.

Bei diesem Ausstellungsstück ergänzen sich die wohlgeübte Hand des Verfertigers und seine Idee auf das trefflichste. Hier wird der Fachwelt eine Kombination zur Begutachtung angeboten, die sicher nicht als alltäglich zu bezeichnen ist.

Wie auf der Abbildung zu sehen ist, sind die exakt geschnittenen Tranchen des gefüllten Kalbssattels auf der Karkasse angerichtet und mit einer reichen Garnitur von Spitzmorcheln versehen. Für die weitere kontrastreiche Umlage finden ovale Sellerieböden, grüne Kapspargel wie auch Achtel von Tomaten eine passende Verwendung.

Saddle of Veal filled with Salmon Pulp

The bright presentation of show-pieces can at times lead to experiments, whose problems can only be removed if mastery of material is employed.

Now in the case of this display-piece the well skilled hand of the exhibitor achieved perfection with his idea. With this show-piece the professional world is offered a combination for appraisal, which certainly cannot be called an everyday display.

As can be seen from the picture, the finely cut pieces of filled veal saddle are served on carcasses, and provided with a rich arrangement of morels. A further contrast is the outlay of oval celery bases, green Cap asparagus, as well as tomatoes cut into six, all suitably used.

Selle de veau fourrée de crème de saumon

La configuration vivante de pièces d'exposition incite occasionnellement à des expériences dont les difficultés ne peuvent être aplanies que par la maîtrise du matériau.

Ainsi avec cette pièce d'exposition la main parfaitement exercée du confectionneur a parachevé son idée avec la plus grande justesse. Il est soumis ici à l'examen des spécialistes une combinaison qui ne peut certes être qualifiée de quotidienne.

Comme on le voit sur l'illustration, les tranches bien découpées de la selle de veau fourrée sont dressées sur la carcasse et pourvues d'une riche garniture de morilles coniques. Des cœurs de céleri, des asperges vertes du Cap ainsi que des demi-quartiers de tomates sont utilisés de manière appropriée pour l'arrangement restant, riche en contrastes.

Gefülltes Hirschrückenfilet „Brasil"

Eine Schauplatte, deren Anblick immer einen kulinarischen Akkord anklingen läßt, will, wie es die Bezeichnung Schauplatte ausdrückt, in erster Linie der Schaulust dienen und, wie es hier gezeigt wird, als solches Ereignis voll in Erscheinung treten.

Das roh ausgelöste, aufgeschnittene und gleichmäßig ausplattierte Rückenfilet ist mit einer hellfarbigen, schnittfesten Leberfarcefüllung fertiggestellt. Die aufgeschnittenen Tranchen sind, wie es das Bild zeigt, auf der Rückenkarkasse angerichtet. Sie haben ein Mitteldekor von Palmenherzen und Mango-Chutney und als Umlage ein gut abgestimmtes Früchtearrangement.

Filled Fillet of Venison Saddle "Brasil"

A show-platter, the appearance of which always allows for culinary piecework, should — the designation show-platter in itself expresses this — mainly arouse curiosity, and as the example shows, this fully holds true in this case.

The raw fillet of saddle, which was boned, cut-up and evenly pressed out, was completed with a light-colored, firm, liver-forcemeat filling. The cut-up pieces, as the picture shows, are served on saddle carcasses. They were given a center decoration of palm hearts and mango chutney and an outlay of a well-chosen arrangement of fruits.

Filet de râble de cerf fourré «Brésil»

Un plateau d'exposition, dont la vue fait résonner un accord culinaire, cherche en premier lieu, comme l'indique déjà l'appellation «plateau d'exposition», à satisfaire la curiosité et, comme le montre le modèle, à apparaitre pleinement comme tel.

Le filet de râble, détaché cru, découpé et uniformément attendri, est achevé fourré avec une farce au foie de teinte claire et de bonne consistance. Comme l'indique l'illustration, les tranches découpées sont dressées sur la carcasse du râble. Elles ont reçu un décor central de cœurs de palmiers et chutney aux mangues et l'apport d'un arrangement de fruits bien assortis.

Terrine von Hase und Fasan

Um diese Komposition von Hasen- und Fasanenterrine, deren stehengebliebener Block mit einem nur kleinen Dekor versehen ist, gruppieren sich im Halbkreis die exakt geschnittenen Tranchen. Der entstandene Mittelraum ist ausgefüllt mit gebackenen Teigschiffchen, die mit Feigen- und Kiwitranchen fertiggemacht und mit Granatapfelkernen abgerundet sind.

Diese Arbeit zeigt dem Fachmann, daß auch mit einer sparsamen Umlage eine gute Wirkung zu erzielen ist, die in ihrer farblichen Harmonie zur Kochkunst gehören kann.

Tureen of Rabbit and Pheasant

The piece of work mentioned here, a composition of rabbit and pheasant tureen, whose block — very little decorated — has remained standing, encompasses a semicircle of finely cut pieces. The space left in the center was filled out with little baked ships made of dough, which were completed with figs and kiwi pieces and touched with pomegranate seeds.

The show-piece demonstrates to the expert that even with an economical outlay, a good effect can be achieved and in its harmony of color can also be included in the art of cooking.

Terrine de lièvre et de faisan

Les tranches découpées avec exactitude se regroupent autour de la composition de terrine de lièvre et de faisan mentionnée ici, dont le bloc figé était seulement muni d'un petit décor. L'espace central engendré était comblé avec des barquettes de pâte cuites au four, achevées avec des rondelles de figues et de kiwis et fignolées avec des graines de grenade.

Ce travail montre au spécialiste qu'il est possible d'obtenir un bon résultat même avec un décor réduit et que par l'harmonie de ses couleurs il peut aussi appartenir à l'art gastronomique.

Terrinenplatte „Diana"

Zu einer willkommenen Abwechslung in der Zusammenstellung gehört vorbehaltlos das als Vorspeisenplatte deklarierte, aber nach unserer Meinung für ein
Vorgericht zu üppig angerichtete Exponat.

Wie zu ersehen, ist die vorbildlich gearbeitete, mit
einem Gänseleberkern versehene Rehterrine mit brau-
ner Wildsulzsauce chemisiert, zur Hälfte aufgeschnitten und im Halbkreis angerichtet. Die zweite Terrine
ist eine Komposition aus Geflügelfleisch und Pfifferlingen mit einem rosa gebratenen Hasenfilet als Einlage.

Beide Terrinen sind begleitet von mit Cumberland-
mus versehenen Zwetschen und Orangenscheiben, die
mit Selleriesalat, Kiwischeiben und blauen Trauben
aufdressiert sind.

Tureen Platter "Diana"

A welcome change in composition is undeniably the
entrée platter shown here, but which in our opinion is
an exhibit that is too elaborate.

As can be seen, the venison tureen, prepared with an
exemplarily prepared center-piece of goose-liver, and
which has been preserved with a brown game jelly, was
cut up to the middle, and served in a demi-circle around
it. The second tureen is a composition of fowl-meat and
chanterelles with a pink-roasted rabbit filet as addition.

Both tureens are accompanied with plums and
orange slices, provided with Cumberland pulp, and are
dressed up with celery salad, kiwi slices and blue
grapes.

Plateau de terrines «Diana»

Cet objet, présenté comme hors-d'œuvre mais à notre avis trop plantureux pour cette catégorie, apportait
sans réserve un renouvellement agréable dans la composition.

L'illustration montre la terrine de chevreuil, exemplaire par sa réalisation, pourvue d'un noyau de foie
d'oie, chemisée avec une gelée brune de gibier, à demi
découpée et dressée en demi-cercle. La seconde terrine
se compose de chair de volaille et de chanterelles et est
garnie d'un filet de lièvre poêlé.

Les deux terrines sont accompagnées de rondelles de
quetsches et d'oranges nanties de crème au Cumberland, montées avec une salade de céleri, des rondelles de
kiwis et des raisins noirs.

Terrine von Tauben in der Guglhupfform

Für diese im Bild gezeigte, nicht alltägliche Kreation, die sich in ihrer Darbietung trotz einfacher Garnitur doch sehr wirkungsvoll zeigt, werden die Tauben vom Rücken her ausgelöst, enthäutet, mit feiner Farce sowie Gänseleber gefüllt, in die Guglhupfform dressiert und darin gegart.

Der sorgfältig entfettete und zur Glace verkochte Fond, der aus den Karkassen gezogen wird, bildet den Überzug für die ausgekühlte Terrine.

Die nur zur Hälfte aufgeschnittene Terrinenform ist mit den Tranchen umlegt und hat eine Beigabe von gedünsteten Kürbisovalen, die mit einem Dekor von Feigen, Brombeeren und Maraschinokirschen angefertigt sind. Der verwendete ausgehöhlte Zierkürbis dient als Behältnis für die dazugehörige Sauce von Crème fraîche und Mangopüree.

Tureen of Pigeons in a Gugelhupf Mould

For this not all too everyday creation, shown in the picture, which despite its simple arrangement is very effective in appearance, the pigeons have been boned from the back, skinned, filled with a fine forcemeat as well as with goose-liver, dressed in the gugelhupf and cooked in it.

The gravy, from which the fat was carefully taken, and cooked to a meat-jelly, and which was made from the carcasses, forms the coating for the cooled tureen.

The tureen form, only cut up to the center, is arranged with the cut-pieces, and includes an addition of stewed squash oval pieces, which have been prepared with a decoration of figs, blackberries and Maraschino cherries. The carved-out decorative squash used, serves as container for the right sauce of crème fraîche and mango pulp.

Terrine de pigeon dans un moule à Kouglof

Les pigeons, dont on a retiré la chair en commençant par le dos, sont dépiautés, fourrés de farce fine ainsi que de foie d'oie et dressés dans le moule à Kouglof où ils sont cuits à point. Cette création originale, présentée sur l'illustration, s'avère très réussie malgré une garniture des plus simples.

Retiré de la carcasse, le fond soigneusement dégraissé et réduit jusqu'à consistance glacée, constitue la couverture de la terrine refroidie.

La terrine, seulement à moitié découpée, est entourée de tranches et dispose d'une garniture d'oves de potiron cuits à l'étouffée, confectionnée avec un décor de figues, de mûres et de cerises au Marasquin. La courge d'ornement, évidée, employée sert de récipient pour la sauce complémentaire de crème fraîche et de purée de mangues.

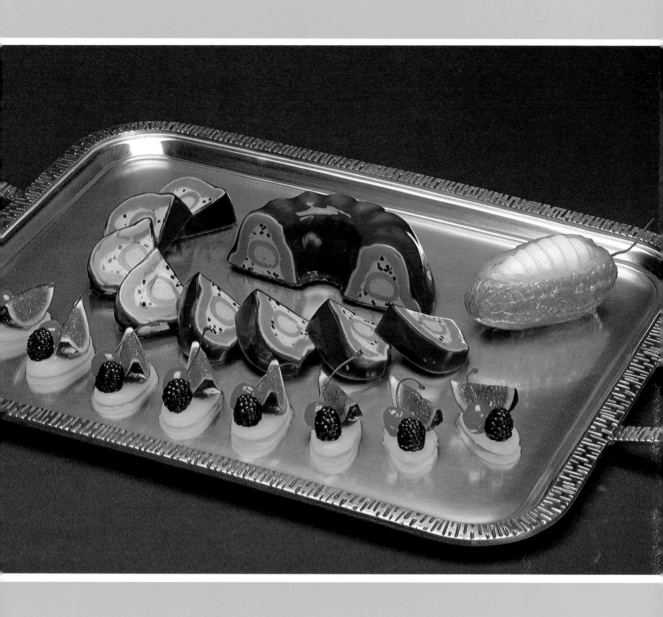

Gefüllter Rehrücken mit Gänseleber

Geht man davon aus, daß eine kulinarische Schau eine konzentrierte Fachdemonstration ist, bei der weitgehende zeitgerechte Anrichtemethoden eine Hauptrolle spielen sollen, so muß man von den Teilnehmern erwarten, daß ihre Arbeit frei ist von dem Ballast der Vergangenheit.

Als ein Schulbeispiel für die Richtigkeit einer solchen Erwartung sei der nebenstehende Rehrücken angeführt. Die ausgelösten Filets haben eine Füllung von getrüffeltem Gänseleberparfait, eine Mittelgarnitur von Melonenwürfeln und marinierten Pfifferlingen wie auch eine Umlage von Melonenovalen, die mit Mangospalten und Kirschen aufgemacht sind.

Filled Saddle of Venison with Goose-Liver

Assuming that a cookery show is a concentrated demonstration of knowledge in the field, at which largely present-day methods of serving should play the uttermost role, then you have to expect of the participants that their work is free of any past encumbrances.

A model example of the correctness of such an expectation is the saddle of venison shown here. The boned fillets, have a filling of truffled goose-liver parfait, and a center arrangement of melon cubes and marinated chanterelles, as well as an outlay of oval-shaped melon pieces, which are dressed with mango slivers and cherries.

Râble de chevreuil fourré avec foie d'oie

S'il est admis qu'une présentation culinaire constitue une démonstration spécialisée concentrée, où des modes de dressage pour la plupart modernes doivent jouer un des rôles principaux, on doit espérer des participants que leurs réalisations soient exemptes du fatras d'hier.

Le râble de chevreuil proposé ici est un exemple type où cette attente s'avère bien fondée. Les filets détachés sont fourrés de parfait de foie d'oie truffé, affichent une garniture centrale de dés de melon et de chanterelles ainsi qu'un arrangement d'oves de melon, parés de croissants de mangues et de cerises.

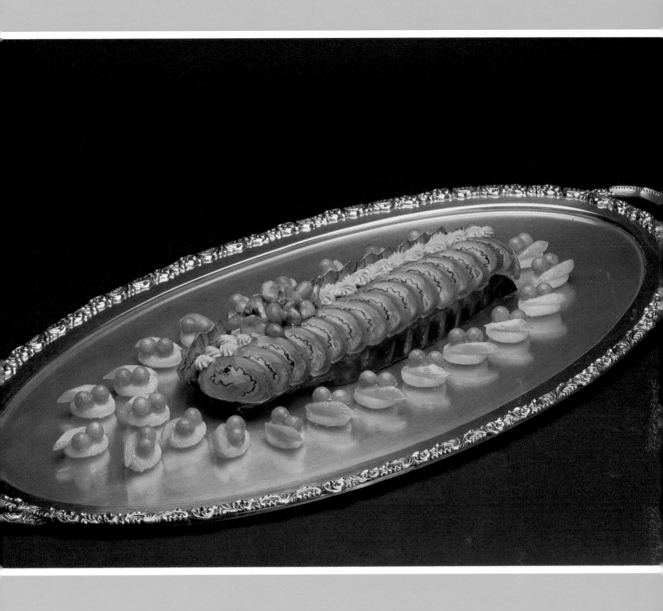

Taubenbrüstchen in der Form

Die Darstellung von „Taubenbrüstchen in der Form", wie die Arbeit vom Verfertiger benannt wird, zeigt eine nicht alltägliche Art der Zubereitung.

In ihrer aus den Taubenkarkassen und Sahne zubereiteten hellbraunen Sulzsauce bietet diese Leistung ein eindrucksvolles Bild.

Die Umlage, die sich aus Zitronenhälften, gefüllt mit Orangenfilets, Brombeeren, Mandeln und Pistazien, zusammensetzt, umrahmt das Ganze wirkungsvoll.

Pigeon-Breast in the Mould

The presentation of "pigeon-breast in the mould", as the exhibitor had called his piece of work, demonstrated a method of preparation, which is not common everyday.

This achievement presented an impressive picture in its light-brown jellied sauce, prepared from pigeon carcasses and with cream.

The outlay arranged in the foreground, which comprised lemon halves, and which were filled with orange fillets, blackberries, almonds and pistachios, gave the entire piece of work an effective frame.

Suprême de pigeon en moule

La présentation du «suprême de pigeon en moule», comme le confectionneur a dénommé son travail, montrait un art de la préparation sortant de l'ordinaire.

Cette prestation constituait un tableau à l'effet remarquable avec sa sauce aspic brun clair préparée à partir des carcasses de pigeons et de crème.

Dressés au premier plan les éléments, composés de moitiés de citrons fourrées de filets d'oranges, de mûres, d'amandes et de pistaches, encadraient l'ensemble de manière réussie.

Delikatessen von Wild

Der Hersteller dieser Arbeit hat es meisterhaft zuwege gebracht, lediglich mit der Art der Darbietung — fein, natürlich und appetitlich — der unterschiedlich zubereiteten Objekte unter Verzicht auf überschwenglichen Dekor alle nur möglichen Effekte herauszuholen.

Darin liegt unbestreitbar die richtige Einstellung zur ausstellerischen Kochkunst, die durch solche Arbeiten lebendiger und attraktiver wird.

Die auf einem Spiegel von Madeiraaspik angerichteten Leckerbissen setzen sich zusammen aus Tranchen von Reh-, Hasen- und Wildrentenrerrinen, die in ihrer Anordnung mit der Fasanen- und Rebhuhngalantine nicht ihre Wirkung verfehlen.

Game Delicacies

The exhibitor of this piece of work masterfully understood how to achieve the most with all the effects he had at hand, and this, by simply preparing the showpieces in different ways, and by doing without extravagant decorations. And yet, in a fine, natural and enticing manner of preparation.

The right attitude as to what cookery at an exhibition should be like can undeniably be seen here, and through such lively and attractive pieces of work.

The titbits served on a mirror of Madeira aspic, comprises cut-pieces of venison, rabbit and wild-duck tureen, which do not lose their effect in the grouping of further pheasant and partridge galantine.

Gibiers de choix

Avec seulement quelques objets préparés de manière diverse le confectionneur de ce travail a magistralement su puiser dans tous les effets dont il disposait en renonçant à un décor redondant mais par contre avec un art de la présentation raffinée, naturelle et appétissante.

C'est là que se trouve indiscutablement la bonne manière d'envisager l'art culinaire d'exposition qui, avec de tels travaux, gagne en animation et en attrait.

Les friandises, servies sur un miroir d'aspic au Madère, se composent de tranches de terrines de chevreuil, de lièvre et de canard sauvage qui ne manquent pas leur effet avec en sus la galantine de faisan et de perdrix.

Galantine de canard „Maysia"

So viele Wege es gibt, die ausstellungsmäßig beschritten werden können, so vielseitig sind auch die Möglichkeiten, eine moderne Anrichteweise zu bieten. Sie ist meist den veränderten Arbeitsverhältnissen angepaßt und schafft durch neue Zusammenstellungen und Synthesen der Rohstoffe das größtmögliche Maß der Darbietung.

Dieser Erkenntnis entspricht sowohl die Entengalantine mit ihren vielleicht etwas zu groß geratenen Tranchen wie auch die farblich gut abgestimmte Umlage.

Wie eine solche Zusammenstellung wirken kann, ist aus der nebenstehenden Abbildung ersichtlich.

Galantine de Canard "Maysia"

There are many paths that can be taken in a cookery show, and in like manner, there are manifold possibilities, too, that have to be recognized in the goal towards achieving modern methods of display.

Through new compositions and the syntheses of raw materials, the greatest possible degree of presentation is realized and enhanced, and this, by usually having modified working methods.

Bearing this in mind, the duck galantine, with its cut-pieces, which may be a little too large, and with the outlay used, the colors having been well-chosen, evidences this.

What an impression such a composition can give, can be seen from the adjacent picture.

Galantine de canard «Maysia»

De même qu'il existe beaucoup de chemins praticables en ce qui concerne les expositions, la pratique d'un mode de dressage actuel révèle aussi de multiples facettes.

Constituée le plus souvent par les nouvelles conditions de travail et complétée par de nouvelles combinaisons et synthèses des ingrédients, elle offre le plus large éventail possible de présentations.

Dans cette perspective se place aussi bien la galatine de canard, avec ses tranches péchant peut-être par leur taille quelque peu excessive, que le décor utilisé, aux couleurs bien assorties.

L'illustration manifeste l'effet que peut produire ce genre de composition.

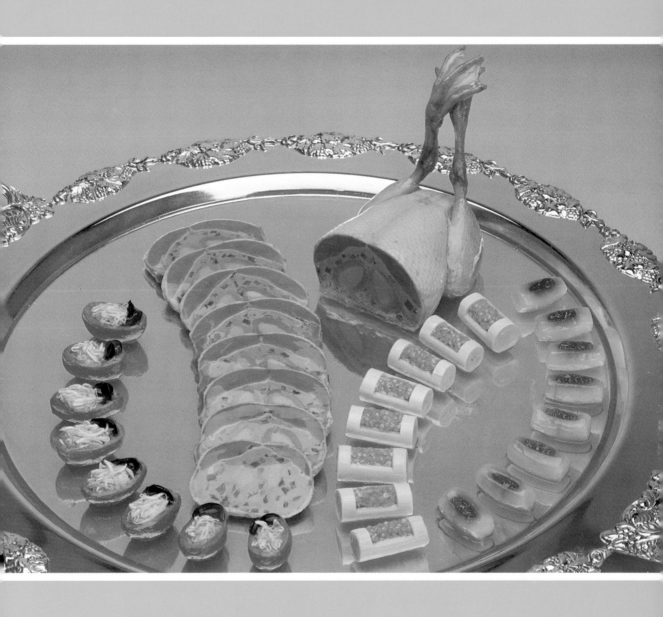

Variation von Haus- und Wildkaninchen

Diese Platte, die mit der Kombination von Haus- und Wildkaninchen eine akkurate Leistung aufweist, gewinnt schon rein äußerlich durch die Anordnung des Mittelstücks wie auch durch die begleitenden Tranchen.

Bei genauem Hinsehen ist es nicht schwer zu erkennen, daß der Gestalter der Arbeit bedacht ist, das zu bieten, was in geschmacklicher Zusammenstellung als machbar zu bezeichnen ist.

Die Platte zeigt ein gutes Sortiment und verzichtet erfreulicherweise auf kompakte Umlagen.

Variation of Domestic and Wild Rabbit

This dish, which evidences a perfect achievement with the combination of domestic and wild rabbit, was alone a success in appearance through the arrangement of the center-piece as well as with the accompanying cut-pieces.

When taking a closer view it is not difficult to recognize that the exhibitor of this piece of work was conscious of the fact that what he offered in a tasteful composition had to be realizable.

The platter combined a good assortment and fortunately excluded any compact displays.

Variation à propos des lapins domestiques et de garenne

Ce service, qui avec sa composition de lapin domestique et de garenne propose une prestation méticuleuse, était déjà gagnant par son seul aspect extérieur avec l'arrangement de la pièce centrale comme aussi avec les tranches d'accompagnement.

A y regarder de plus près il n'est pas difficile de discerner qu'il tenait à cœur au confectionneur de l'œuvre d'offrir ce qui est à qualifier de possible dans la composition gustative.

Le plateau concilie un bon assortiment avec une renonciation réjouissante aux répartitions compactes.

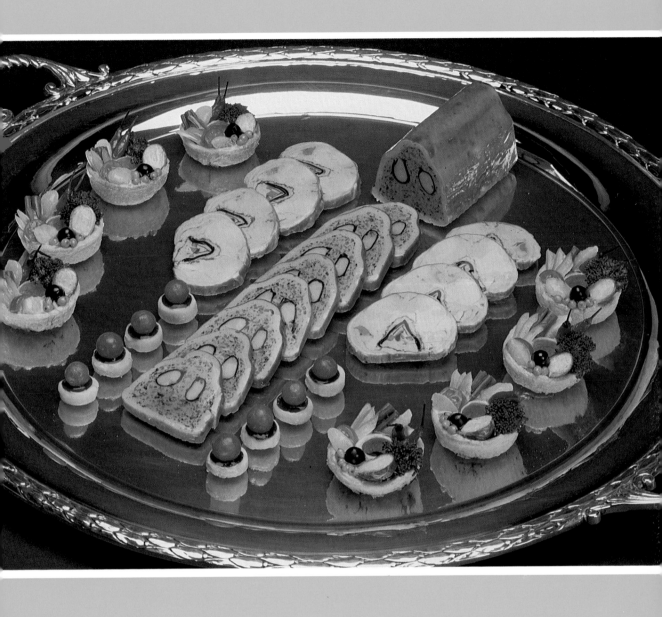

Geflügelgalantine, in Blockform gefertigt

Höchst schlicht, doch wirkungsvoll in der geschmackvollen Anrichteweise spricht die in einer Blockform gefertigte Geflügelgalantine den Betrachter an.

Der Verfertiger suchte bei dieser Arbeit sicher keinen Effekt, und dennoch hat er ihn, besonders in der gewählten Raumaufteilung, mustergültig erreicht.

Der mit Melonenkugeln belegte Block, der ein untadeliges Schnittbild aufweist, ist mit den aufgeschnittenen Tranchen, Geleetimbalen mit Spargelspitzen und einer mit Mangosauce gefüllten Kürbishälfte vollendet.

Fowl Galantine made in a Block form

The fowl galantine made in a block form greatly appealed to the viewer owing to its extremely simple and yet effective method of admirable preparation.

With this piece of work, the exhibitor surely did not seek an effect and nevertheless he managed in doing just that, especially in his selection of proper division, which was done excellently.

The block, arranged with melon balls, and which evidences a perfect cross-section, has been completed with the cut-up segment-pieces, jelly-timbales with asparagus tips and a quash half, filled with mango sauce.

Galantine de volaille apprêtée en lingot

La galantine de volaille confectionnée en lingot plaît au spectateur par un mode de dressage attrayant, entièrement dépourvu d'artifice et pourtant efficace.

Avec ce travail le confectionneur n'a certainement pas recherché l'effet et pourtant celui-ci est magistralement atteint, particulièrement dans la répartition de l'espace.

L'ensemble, garni de boules de melon, qui affiche une image en coupe impeccable est achevé avec les tranches découpées, les timbales en gelée avec des pointes d'asperges et une moitié de potiron rempli de sauce aux mangues.

Gefüllter Kalbsrücken „Oberinntal"

Dieser Verfertiger hat sich genau an die Regel, daß zu volle Platten für den Betrachter verwirrend sein können, gehalten und deshalb seine Arbeit nach diesem Gesichtspunkt angelegt.

Zwar ist sein mit einem Gänseleberkern gefüllter Kalbsrücken eine ausgewogene Leistung, doch, und das wollen wir dem Betrachter nicht verschweigen, hätte die gewählte Umlage etwas phantasiereicher ausfallen können.

Filled Saddle of Veal "Oberinntal"

This exhibitor exactly followed the rule that overly filled platters can be confusing for the viewer and for this obvious reason had arranged his piece of work according to this standpoint.

It is true that his saddle of veal filled with a goose-liver center was a perfect achievement, and yet — we do not want to neglect telling the viewer this — the display chosen could have done with a little more imagination.

Selle de veau fourrée «Oberinntal»

Cet exposant a très bien observé la règle selon laquelle des plats trop fournis peuvent être déconcertants pour le spectateur et il a pour cette raison évidente établi son travail selon ce point de vue.

Sa selle de veau fourrée avec un noyau de foie gras constituait, il est vrai, une prestation équilibrée. Cependant nous ne voudrions pas omettre de faire savoir au spectateur que la répartition choisie aurait toléré un peu plus de fantaisie.

Dialog von Wildgeflügel

Anhand unserer Illustration, die hoffentlich manchen nachrückenden Aussteller zur Nachahmung einer korrekten Tranchierkunst anregen wird, kann gezeigt werden, daß es immer noch Fachleute gibt, die diese Technik pflegen. Jeder sollte sich vor Augen führen, daß ein rationelles Tranchieren nicht nur eine für das Auge feinsinnige Ausstellungsform, sondern außerhalb des Wettbewerbs eine wirtschaftliche Notwendigkeit ist.

Der hier zur Schau gestellte Dialog, zu dem ausschließlich Wildgeflügel — Perlhuhn, Fasan, Wildente, Rebhuhn und Wachtel — in unterschiedlicher Zubereitungsart Verwendung findet, ist in ähnlicher Art schon in Band 1 zu bewundern.

Dialog of Game Fowl

On the basis of our pictures, which we hope will induce future exhibitors to copy a correct method of cutting, it can be demonstrated that there still are sites where this art technique is cultivated. Everyone should bear in mind that rational cutting does not only mean a visual sensitivity for what forms of display can be used at an exhibition, but also for forms that are an economic necessity outside an exhibition.

The dialog presented here, for which exclusively game fowl as well as partridge pheasant, wild duck, guinea cock and quail were used in diversified methods of preparation, was already marveled in Volume 1.

Dialogue de gibier à plumes

A l'appui de notre illustration qui, espérons-le, incitera quelques exposants à copier sur cet art du bon découpage pour l'avenir, il peut être démontré qu'il existe aujourd'hui encore des bastions qui se réfèrent à cette technique. Chacun devrait se rendre compte qu'un art du découpage rationnel ne signifie pas seulement une forme d'exposition agréable à l'œil, mais constitue également une nécessité économique au delà de la compétition.

Le dialogue présenté ici, où fut exclusivement utilisé du gibier à plumes tel que la pintade, le faisan, le canard sauvage, la perdrix et la caille, préparé selon des modes variés, peut déjà sous une forme similaire être admiré dans le premier tome.

Gefüllte Rehkeule „Baronesse"

Es ist nicht zu bestreiten, daß die zur Zeit gültigen Ausstellungsbedingungen vom Teilnehmer der einzelnen Konkurrenz eine praktikablere Formgebung verlangen, als dies jemals zuvor über einen langen Zeitraum der Fall war. Das Ergebnis sind Kreationen, die eine Ausstellung interessant und in irgendeiner Form für den Betrachter auch nutzbar machen.

Zu einer derartigen Gestaltung gehört auch die nebenstehende hohl ausgelöste, mit getrüffeltem Gänseleberparfait versehene und als Ganzes gefertigte Rehkeule. Sie hat eine Beigabe von gemischten, marinierten Waldpilzen und ist ergänzt durch Weinäpfel, die durch eine Kronsbeerenfüllung belebt sind.

Filled Leg of Venison "Baronesse"

It cannot be denied that the display conditions, applicable today, demand a more practicable presentation of form of the participants of exhibitions, which has not been the case for a long time preceding. The results of this are creations, which make an exhibition interesting and which are of benefit to the viewer in one form or another.

What falls under such styling mentioned is also the leg of venison, which has been boned hollow, and completed as a whole with truffled goose-liver parfait. It has an arrangement of mixed, marinated forest mushrooms and has been enhanced with wine-apples, which are enlivened with a cranberry filling.

Cuissot de chevreuil fourré «Baronesse»

Il est incontestable que les conditions d'exposition en vigueur aujourd'hui exigent une mise en forme plus commode qu'auparavant. Il en résulte des créations qui rendent une exposition intéressante ainsi que profitable à l'observateur, sous une forme ou sous une autre.

Le cuissot de chevreuil désossé, pourvu d'un parfait de foie d'oie truffé et présenté entier, fait partie de ces créations. Il affiche une garniture de champignons variés des forêts, marinés et est complété avec des pommes au vin, vivifiées par leur contenu d'airelles.

Frischlingspastete und Medaillons vom Frischlingsrücken

Die Absicht, neuere und nicht alltägliche Geschmacksverbindungen mit modernen und zeitgerechten Anrichtemethoden zu vereinigen, findet immer mehr Anhänger.

Für diese Bestrebungen liefert nebenstehende Vorlage bestes Anschauungsmaterial. Sie zeigt in gewollter Deutlichkeit die Beherrschung eines modernen Anrichtestils, der sich in der klaren Linie und der Umkompliziertheit der Arbeit widerspiegelt.

Pastete und der rosa gebratene Frischlingsrücken, dessen Tranchen mit einem Dekor von glasierten Maronen versehen sind, haben eine weitere Garnitur von Kirschen und in Tokajer gedünsteten Birnen.

Young Wild Boar Pâté and Medaillons of Saddle of Young Wild Boar

The intent of combining the latest and not everyday taste assortments with the modern methods of serving, now generally applied, continually finds more supporters.

The best illustration of this can be seen in the efforts made in the adjacent example. With intended clearness it shows the mastery of modern serving style, which is reflected in the clear line and simplicity of this piece of work.

The pâté and the pink-roasted saddle of young wild boar, whose cut-pieces have been provided with a decoration of glazed chestnuts, include a further arrangement of cherries and pears, stewed in Tokajer.

Pâté de marcassin et médaillons de cimier de marcassin

Le projet de concilier des combinaisons gustatives nouvelles et sortant de l'ordinaire avec des méthodes de dressage modernes, trouve toujours plus d'adeptes.

Le modèle ci-contre illustre au mieux cette aspiration. Il propose avec une limpidité recherchée la maîtrise d'un style de dressage moderne qui se reflète dans des lignes claires et par la simplicité de la réalisation.

Le pâté et le cimier de marcassin poêlé, dont les tranches sont pourvues d'un décor de marrons glacés, ont encore reçu une garniture de cerises et de poires étuvées dans du Tokay.

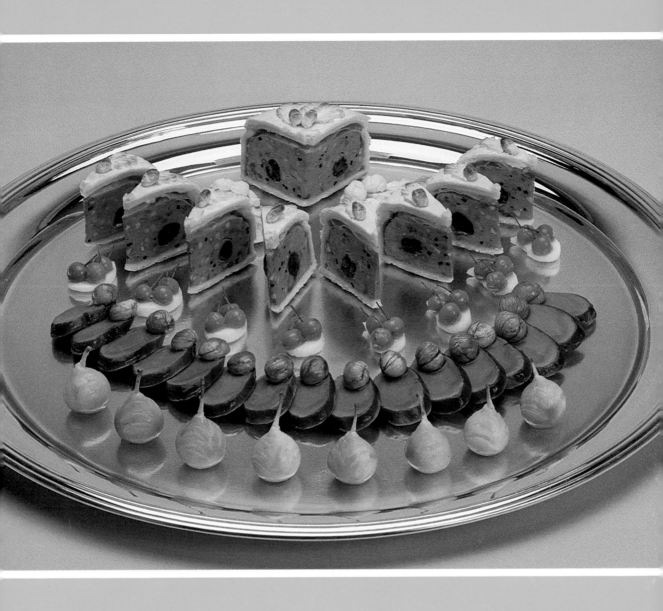

Gefüllte Poulardenkeulen nach Budapester Art

Als Betrachter dieser Arbeit kommt man zu der Überzeugung, daß dieses Ausstellungsangebot durch eine nicht übertriebene Dekoration wie auch die einfache und gediegene Linie harmonisch und einladend wirkt.

Um die im Mittelpunkt der Platte plazierte Gemüsetimbale von grünem und weißem Spargel reihen sich sowohl gefüllte Zucchinihälften wie auch die gefüllten Poulardenkeulen.

Die Poulardenkeulen selbst sind für die Fertigung bis auf den Beinknochen hohl ausgelöst, mit einer bunten Farce versehen, im kräftigen Geflügelfond fertiggemacht und für die Präsentation makellos mit Aspik chemisiert.

Filled Poularde Drumstick Budapest Style

When viewing this piece of work you reach the conviction that this show-piece with it non-exaggerated decoration, as well as with its simple and yet solid line gives a harmonious and enticing effect.

Around the vegetable timbale of green and white asparagus, placed in the center of the platter, there is a row of filled zucchini halves and filled poularde drumsticks as well.

For preparation the poularde drumsticks themselves have been boned hollow done to the leg bone, provided with a bright forcemeat, completed with a heavy fowl gravy, and for presentation have been perfectly preserved with aspic.

Cuisse de poularde fourrée à la mode de Budapest

En observant ce travail on en arrive à constater qu'avec une décoration mesurée ainsi qu'avec des lignes simples mais bien faites cette offre d'exposition produit un effet harmonieux et engageant.

Autour de la timbale de légumes, composée d'asperges vertes et blanches, placée au cœur du plateau, se rangent aussi bien des demi courgettes fourrées que le cuisses de poularde fourrées.

L'os ayant été retiré, les cuisses de poularde sont, pour la confection, nanties d'une farce colorée, achevées dans un fond de volaille bien goûté et chemisées de manière impeccable avec un aspic pour la présentation.

Gepökelte Gänsebrust im Maronenmantel

Alle Fachschauen mit ihren unterschiedlichen Angeboten kommen in der Hauptsache dem ausstellungsbefliessenen Fachmann zugute, dem sich zum Beispiel mit der gepökelten Gänsebrust ein machbares Objekt darbietet.

Die anschauliche Wiedergabe und Anrichteart der ausgelösten und mit einem Kern aus Gänseleber gefüllten Brust, die für den Service mit grobgestoßenen, gerösteten Maronen ummantelt ist, trägt dazu bei, daß diesem Objekt besondere Aufmerksamkeit geschenkt wird.

Die ausgehöhlten, auf den Punkt in Weißwein gedünsteten Calvilleäpfel haben eine Füllung von mit Johannisbeergelee gebundenen Aprikosenwürfeln und sind mit in Rotwein gequollenen Backpflaumen abgedeckt.

Pickled Goose-Breast in Chestnut Coat

All the special shows with their diversified exhibits are mainly of benefit to experts familiar with display methods, revealing in itself a realizable standpoint. This can be seen, for example, in the next presentation of pickled goose-breast.

The artistic interpretation and method of serving the filled breast, with a center of goose-liver, which has a coat of coarsely chopped and roasted chestnuts, necessary for the dish, is another reason why this show-piece should receive special attention.

The carved out Calville apples, stewed to the right point in white wine include a filling of apricot cubes, thickened with red-current jelly and are covered with baked plums soaked in red wine.

Blanc d'oie salé enrobé de marrons

Avec leurs offres diverses toutes les présentations spécialisées profitent principalement à l'expert appliqué en exposition qui s'ouvre par exemple à une perspective praticable avec la présentation ci-contre de blanc d'oie salé.

La reproduction expressive et la méthode de dressage du blanc détaché, fourré d'un noyau de foie d'oie, enrobé pour le service de marrons grillés, pilés gros, concourt à accorder une attention spécifique envers cet objet.

Les pommes Calville évidées, cuites à point à l'étouffée dans du vin blanc sont fourrées de dés d'abricots liés avec une gelée de groseilles et sont recouvertes de pruneaux trempés dans du vin rouge.

Poelierte Poularde „Rivoli"

Auch diese Poularde, mit einem Salat von Äpfeln und Sellerie gefüllt und mit Mangoscheiben wie auch einer Zucchiniblüte wieder zur ursprünglichen Form dressiert, lenkt bei einer Kochkunstschau die Neugier der Fachleute auf sich.

Zur Vollendung der Arbeit sind an der Seite der Poularde zwei Melonenhälften arrangiert, die neben den Brusttranchen der Poularde eine Füllung von Salat „Rivoli", zu dessen Bestandteilen Krebsschwänze und Melonen gehören, haben.

Als weitere gut harmonierende Farbtupfer gelten die mit Melonenkugeln gefüllten Smyrnafeigen.

Blanched Poularde "Rivoli"

The poularde "Rivoli", too, filled with a salad of apples and celery, and dressed to its original shape with mango slices as well as with a zucchini blossom, aroused the curiosity of the experts.

To complete this piece of work, two melon halves have been arranged at the sides of the poularde, which, besides the breast-cuts of poularde, include a filling of salad Rivoli, the ingredients of which also contain crab tails and melons.

The Smyrna figs, filled with melon balls, can also be regarded as a further well-harmonizing touch of color.

Poularde poêlée «Rivoli»

La poularde «Rivoli», fourrée d'une salade de pommes et de céleri et réapprêtée sous sa forme naturelle avec des rondelles de mangues ainsi qu'avec une fleur de courgette, excitait la curiosité des spécialistes.

Pour achever le travail, sont arrangés au bord de la poularde deux moitiés de melon qui, auprès des tranches de blanc de poularde, sont fourrées d'une salade Rivoli contenant entre autres des queues d'écrevisses et du melon.

Les figues de Smyrne fourrées de boules de melon constituent également une touche en couleurs harmonieuse.

Wildplatte „Herbstliches Tirol"

Auch diese Platte ist ein Zeugnis dafür, daß die meisten Verfertiger, die sich mit solchen Objekten beschäftigen, sehr Gutes zu leisten imstande sind.

Für diese Aussage gibt das nebenstehende Bild ein praktisches Beispiel.

Die mit dem zurechtgeschnittenen Fleisch eines Hirschrückens ausgelegte Form ist mit Fasanenfarce und Hirschfilet versehen, pochiert und nach dem Auskühlen mit Wildglace nappiert. Um Mittelstück und aufgeschnittene Tranchen gruppieren sich mit Johannisbeergelee gefüllte und mit gerösteten Pinienkernen garnierte Äpfel wie auch gedünstete und gezierte Kürbisscheiben.

Game Platter "Autumnal Tyrol"

This platter evidenced, too, that most of the exhibitors, who spend their time on such pieces, are quite able to make achievements.

The adjacent picture substantiates this by way of the practical example shown.

The mould, laid out with finely cut-pieces of venison meat, has been provided with pheasant forcemeat and fillet of venison, poached and after cooling dressed with venison meat-jelly. Around the center-piece there are cut-up pieces of apples filled with red current jelly and garnished with roasted pines, as well as stewed and decorated slices of squash.

Plateau de gibier «le Tyrol en automne»

Ce plateau constituait aussi le témoignage que la plupart des confectionneurs qui s'occupent de ce genre d'objets est capable de très bonnes prestations.

L'illustration ci-contre émet l'intuition concrétisée de cette affirmation.

La forme est garnie avec la viande découpée d'un râble de cerf nantie de farce de faisan et du filet de cerf, pochée et nappée après refroidissement avec une gelée de gibier. Des pommes fourrées de gelée de groseilles et garnies de pignes grillées ainsi que des ronds de potiron cuits à l'étuvée et ciselés se rassemblent autour de la pièce centrale et des tranches découpées.

Rinderfilet im Morchelmantel, rosa gebraten

Bei der Auswahl eines Ausstellungsobjekts sollte für jeden Teilnehmer das Prinzip gelten, daß das präsentierte Gericht der kulinarischen Anforderung entspricht und nachvollziehbar ist. Obwohl dabei Grenzen gesetzt sind, können doch Macharten entdeckt werden, die brauchbar sind.

Das perfekt rosa gebratene Mittelstück eines Rinderfilets erhält für die Fertigung einen Mantel aus gedünsteten, grobgehackten Morcheln und wird so für die Platte zum bestimmenden Gegenstand. Die mit einer Gemüsemischung versehenen, gedünsteten Artischokkenböden sind eine nur leidlich passende Garnitur.

Pink-roasted Fillet of Beef in Morel Coat

In the selection of his display-piece every participant should observe the principle that the dish presented also corresponds to culinary demands and can be made realizable.

Although now and then limits are set in this respect, certain methods can be discovered that can be employed.

The perfectly pink-roasted center-piece of fillet of beef was given for completion a coat of stewed, coarsely chopped morels and in doing so became a distinctive feature of the platter. The stewed artichoke bases, provided with an assortment of vegetables, serve only as a reasonably suitable outlay.

Filet de bœuf poêlé, enrobé de morilles

Lors du choix de son objet d'exposition tout participant doit tenir compte du principe suivant: le mets présenté doit correspondre aux exigences culinaires et pouvoir être réexécuté.

Quoiqu'il existe çà et là des limites il est donc possible de découvrir des procédés utilisables.

Le morceau du milieu d'un filet de bœuf poêlé à la perfection a reçu pour la finition un enrobage de morilles hachées gros, cuites à l'étouffée et devient ainsi le motif déterminant du plateau. Les fonds d'artichauts cuits à l'étuvée, pourvus d'un mélange de légumes constituent une garniture seulement convenable.

Getrüffelter Rehrücken, in Teig gebacken

In der nebenstehenden Darbietung erkennt man unschwer das Bestreben des Gestalters dieser Arbeit, sich auf eine praktische Anrichtemöglichkeit einzustellen, ohne jedoch auf eine optische Wirkung, die in diesem Falle im Kolorit der aufgeschnittenen Pastete und der Beilage liegt, zu verzichten.

Als Beilage fungieren halbe Mandarinen, die mit ihren ausgelösten Filets, mit Backpflaumen, Baumnüssen und Granatapfelkernen gefüllt sind.

Damit ist ein fortschrittlicher Ausstellungsgedanke betont wiedergegeben.

Truffled Saddle of Venison in baked Dough

In the adjacent presentation it is quite easy to recognize the exhibitor's goal in this piece of work, and this being, to adapt to a practical possibility of serving, without forgetting, however, the visual aspect; in this case, lying in the coloring of the cut-up pâté and outlay.

For the outlay, tangerine halves were used, which were provided with boned fillets, baked plums, treenuts and pomegranate.

In doing so, a progressive idea of displaying has again been emphasized.

Râble de chevreuil truffé rôti en pâte

Dans la présentation ci-contre on reconnait sans peine le désir du confectionneur de ce travail de se conformer à un dressage possible et pratique sans toutefois devoir renoncer à un effet optique, provoqué dans ce cas par le coloris du pâté découpé.

Les moitiés de mandarines avec leurs filets détachés, les pruneaux, les noix et les graines de grenade constituaient la garniture.

Il est ainsi mis l'accent sur une conception de progrès envers les expositions.

Kalbfleischpastete und Geflügelgalantine

Eine höchst einfache, doch interessante Platte entsteht durch die Kombination von Pastete und Galantine, über deren Anrichtung Bild und nachfolgende Erklärung der Umlage Aufklärung geben.

Sowohl die Pastete wie auch die Galantine sind der Personenzahl entsprechend aufgeschnitten und von einer Salatkomposition begleitet, die aus Gartenfrüchten, Pfefferschoten und Pistazien besteht und ganz leicht geliert ist.

Die weitere Umlage ist aus gedünsteten Gurkentimbalen, die mit würzig abgeschmeckter Crème double gefüllt sind, gestaltet.

Veal Pâté and Fowl Galantine

The combination of pâté and galantine is a very simple and yet interesting platter, the preparation of which our picture and the following description of the outlay gives a clear definition.

The pâté and the galantine as well have been cut up according to the number of persons and are accompanied by a salad composition, which comprises garden fruits, pimentos and pistachios, and which is very slightly jellied.

The rest of the outlay consists of timbales of stewed cucumbers which have been filled twice with a highly flavored cream.

Pâté de veau et galantine de volaille

La combinaison de pâté et de galantine dont le dressage est montré en détail par notre illustration et les explications qui s'y rapportent constitue un plateau des plus simples et cependant intéressant.

Le pâté comme la galantine sont découpés en fonction du nombre de personnes et sont accompagnés d'une salade, composée de fruits du jardin, de piments et de pistaches, très légèrement gelée.

Le reste du décor se compose de timbales de concombres cuits à l'étuvée fourrés de crème double bien épicée.

Gänseleberparfait im Schuppenkleid

Es gibt eine internationale Küchentradition, die sich in ihrer Vielfalt teilweise bewahrt hat. Daß sie nicht völlig in Vergessenheit gerät, dafür sorgen Kochkunstausstellungen mit Arbeiten wie nebenstehendem Gänseleberparfait.

Der mit Hippenschuppen sauber dekorierte und als Mittelstück angerichtete Parfaitblock hat neben den zum Service aufgeschnittenen Tranchen eine weitere Umlage von in Traminer gedünsteten Apfelscheiben, die eine Füllung von ausgestochenen Papayakugeln aufweisen.

Die im Vordergrund plazierte, ausgehöhlte Carellafrucht oder Bittergurke faßt die dazugehörige Cumberlandsauce.

Goose-Liver Parfait dressed with Flakes

There are manifold international cookery traditions, even those that have never changed.

With the goose-liver parfait seen here, the cookery shows ensure that they are not forgotten.

The parfait block served as a center-piece, and, which has been finely decorated with pancake flakes, includes, besides the arrangement of cut-up sections, a further outlay of apple slices, stewed in Traminer wine, which shows a filling of carved-out papaya balls.

The carved-out Carella or bitter cucumber, placed in the foreground, also comprises Cumberland sauce.

Parfait de foie d'oie habillé d'écailles

Il existe une multitude de traditions gastronomiques internationales et même certaines qui ont été bien préservées. Les expositions d'art culinaire veillent à ce qu'elles ne tombent pas dans l'oubli avec par exemple le parfait de foie d'oie ci-contre.

Le bloc de parfait présenté au centre soigneusement décoré avec des écailles en cornet affiche à côté des tranches découpées pour le service une autre garniture de rondelles de pommes cuites à l'étuvée dans du Traminer fourrées de boules extraites de melons Papaye.

Le concombre d'âne, placé au premier plan, contient la sauce Cumberland appropriée.

Kranz von gefüllter Mufflonbrust

Sehr apart wirkt auch der in seiner Aufmachung einfache, aber nicht weniger ansprechende Kranz, der aus der gefüllten Brust eines Wildschafes gefertigt, mit Spinatblättern belegt und mit Kirschtomaten garniert ist.

Mit ihrer sparsamen Dekoration und der der heutigen Zweckmäßigkeit entsprechenden Aufmachung des Kranzes mit seiner Umlage von gefüllten Carellafrüchten präsentiert sich die Arbeit in ihrer Einfachheit doch recht vorteilhaft.

Die Carellafrucht ist eine exotische Bitter- oder Springgurke. Sie ist nur halb so groß wie unsere Salatgurken und hat als äußeres Erkennungszeichen eine tiefgrüne und teilweise mit gelben Flecken versehene geriffelte Schale.

Wreath of filled Mouflon-Breast

The wreath, made with the filled breast of mouflon, provided with spinach leaves and garnished with cherry-tomatoes, gave a very distinctive impression in its simplicity, and yet it was no less enticing.

With its economical decoration — the wreath with its outlay of filled Carella fruits was made in consideration of the expediency of our time — this piece of work did look plain but still very good.

The Carelle fruit mentioned is an exotic bitter or spring cucumber. It is only half the size of our salad cucumber and it can be recognized on the outside by its dark-green grooved skin, which is partially covered with yellow spots.

Couronne de poitrine de mouflon fourrée

La couronne produisait un effet très original par sa présentation simple mais néanmoins plaisante. Elle était confectionnée avec la poitrine fourrée d'un mouton sauvage, recouverte de feuilles d'épinards et garnie de tomates de cocktail.

Avec sa décoration sobre et la présentation conforme aux exigences actuelles la couronne représente un travail simple et pourtant très avantageux ainsi qu'avec son arrangement de concombres d'âne fourrés.

Le concombre d'âne mentionné est un concombre exotique amer. Il est moitié plus petit que nos concombres et a comme signe caractéristique apparent une peau rayée vert-sombre et agrémentée de taches jaunes.

Herbstliche Truthahnplatte

Wenn man dieses Paradestück einer sauberen Arbeit eingehender betrachtet, so kommt man zu der Überzeugung, daß der Verfertiger einen gewissen Schick an den Tag legt.

Das Wohltuende bei diesem Objekt, das als Terrine gefertigt ist, ist die proportionale Gestaltung aller Einzelheiten, denn solange diese nicht stimmt, entsteht kein überzeugendes Bild.

Neben dem mit einem sparsamen Dekor versehenen Mittelstück und den aufgeschnittenen Terrinentranchen besteht die Umlage aus mit Kerbelblättern versehenen Wachteleiern, Kirschen und einer herbstlichen Früchtegarnitur aus Äpfeln, Feigen und Brombeeren.

Autumnlike Turkey Platter

When taking a closer look at this outstanding display of neat work, then you come to the conclusion that the exhibitor demonstrated a very special touch.

The agreeable aspect of this show-piece, which has been prepared as a tureen, is the proportional arrangement of all the details, for as long as this is not the case, you have an untrue picture.

Besides the center-piece, provided with an economical decoration, and the cut-up tureen pieces, the outlay consists of quail eggs provided with chervil leaves and an autumnlike fruit arrangement of apples, figs, blackberries and cherries.

Plateau automnal de dindon

Lorsqu'on regarde bien cette pièce témoin d'un travail soigné on est convaincu avec le brio certain démontré par le confectionneur.

Cet objet, préparé comme terrine, plaît par l'aspect proportionné de chacun des éléments car tant que cet équilibre n'est pas assuré le tableau est factice.

Des œufs de cailles nantis de feuilles de cerfeuil et une garniture automnale de fruits constituée de pommes, de figues, de mûres et de cerises sont arrangés autour de la pièce centrale, pourvue d'un sobre décor et des tranches de terrine découpées.

186

Schwarzwaldrolle von Rehfilet und Wildfarce

Mit dem in diesem Werk veröffentlichten Bildmaterial sind wir in der glücklichen Lage, den wißbegierigen Fachleuten das verständlich zu machen, was sich durch noch so exakte Beschreibungen nicht immer wirksam vermitteln läßt.

Das trifft auch für die hier offerierte Schwarzwaldrolle zu. Sie ist eine gelungene Kreation, zu der ein rosa gebratenes Rehfilet mit einem Mantel verschiedenartiger Wildfarcen umgeben und gefertigt ist.

Die portionsmäßig aufgeschnittenen und neben dem Mittelstück angerichteten Tranchen wie auch die Rolle selbst sind mit einem Mantel aus in Kirschwasser marinierten Kronsbeeren versehen und haben eine Umlage von halben Birnen mit einer Füllung von glasierten Maronen. Im Kranz von Kirschtomaten ist die dazugehörende pikante Cremesauce enthalten.

Black Forest Roll of Venison Fillet and Game Forcemeat

With the photo material published in this volume, we are in the fortunate position to explain something to inquisitive experts that otherwise cannot always be made understandable even in a very exact description.

This also applies to the Black Forest roll offered here. It is a successful creation, which has been prepared with an arrangement of pink-roasted venison fillet with a coat of various sorts of game forcemeat.

The single pieces, cut in portions, and served next to the center-piece, as well as the roll itself, have been provided with a coat of cranberries marinated in cherry wine, and have an outlay of halved pears with a filling of glazed chestnuts. The wreath of cherry-tomatoes includes a suitable piquant cream sauce.

Rouleau Forêt-Noire de filet de chevreuil et de farce de gibier

Avec les illustrations publiées dans cette œuvre nous sommes dans une situation avantageuse pour faire comprendre au spécialiste avide de savoir ce que nous ne pouvons pas toujours expliquer efficacement, même en disposant des descriptions les plus précises.

Ceci s'applique au rouleau Forêt-Noire présenté ici. Il constitue la création réussie d'un filet de chevreuil poêlé, entouré et achevé par un enrobage de farce de gibier variée.

Les tranches coupées en portions et dressées auprès de la pièce centrale ainsi que le rouleau lui-même sont enrobés d'une garniture d'airelles marinées dans du Kirsch et affichent un arrangement de moitiés de poires fourrées de marrons glacés. La couronne de tomates cocktail contient la sauce à la crème relevée qui leur convient.

Schneehuhntorte

Einfach, doch nicht weniger interessant ist die Schneehuhntorte, die die Aufmerksamkeit der Betrachter auf sich lenkt.

Wie auf dem Bild zu ersehen ist, weist die in einer ovalen Form zubereitete Torte neben den eingelegten Brustfilets des Schneehuhns auch einen Brokkolikern auf, der einen gewünschten Farbtupfer darstellt.

Das in seinem Anschnitt gezeigte stehengebliebene Mittelstück und die tortenmäßig aufgeschnittenen Tranchen haben eine begleitende Garnitur einmal von gedünsteten Gurkentimbalen mit einer Füllung von tournierten Gemüsen und dann von ausgehöhlten Tomaten, deren Füllung von gekräuterter Crème double als Sauce gelten soll.

Snow-Grouse Fancy Cake

Simple and yet no less interesting was the snow-grouse fancy cake, which drew the attention of the viewers.

As can be seen from the picture, the cake, prepared in an oval mould, besides showing the salted breast filets of snow grouse, also shows a broccoli center, which lends this piece the touch of color wanted.

The center-piece, remaining standing, after having been sliced, and the cut-up pieces in cake-form include an accompanying arrangement of stewed cucumber timbales with a filling of vegetables, formed into decorative shapes, as well as the carved-out tomatoes, whose filling of herb cream double is supposed to be the sauce.

Tourte de perdrix des neiges

Simple mais néanmoins intéressante, la tourte de perdrix des neiges attirait l'attention du spectateur.

Comme on le voit sur l'illustration, la tourte préparée dans un moule ovale présente, auprès des filets de blanc de perdrix des neiges, un noyau de broccoli qui affiche la touche de couleur souhaitée.

La partie de la pièce centrale présentée en coupe, avec ses tranches découpées comme on le ferait pour une tarte, contient une garniture d'accompagnement de timbales de concombres cuits à l'étouffée, fourrée de légumes tournés ainsi que de tomates évidées fourrées de crème double aux fines herbes qui doit faire office de sauce.

Gefüllte und gerollte Gourmandisen

Ebenso einladend wie schon eine ganze Reihe der vorbesprochenen Vorspeisen präsentiert sich dieses Arrangement von Gourmandisen. Alle feinschmeckerischen Sujets, fein säuberlich geschnitten, sortenmäßig angerichtet und mit einem klaren Gelee überzogen, hinterlassen den besten Eindruck.

Seezungenröllchen mit Lachsfarce auf Tomatenschaum, mit Mohn gefülltes Schweinelendchen auf Karottenmus, Lachsröllchen, mit Pistazien und Hechtfarce gefüllt und auf Kürbismus angerichtet, Rehfilet mit einer Füllung von Pflaumenmus auf Preiselbeerschaum wie auch im Schweinsnetz pochiertes Hirn auf einem Royalsockel sind die Grundlagen für das gewählte Angebot.

Filled and Rolled Gourmandise

The gourmandise dish presented here is just as enticing and beautiful as the entire series of entrées described up until now. All the gourmet pieces of work, which have been neatly cut, served according to kind and coated with a clear jelly, have certainly left the best impression.

The basis for this show-piece is rolls of filet of sole with salmon forcemeat on tomato mousse, pork loins filled with poppy on carrot pulp, small rolls of salmon, filled with pistachios and pike forcemeat, and served on squash pulp on bilberry mousse as well as brains, poached in pork broth on a royal socle.

Gourmandise fourrée et roulée

Ce service de gourmandises est aussi agréablement présenté que toute une série de hors-d'œuvres déjà évoqués. Tous ces sujets pour gourmets, découpés avec un soin minutieux, dressés par catégories et recouverts d'une gelée claire, étaient certainement du meilleur effet.

Des petits rouleaux de sole avec de la farce de saumon sur mousse de tomates, un petit filet de porc fourré d'œillette sur crème de carottes, des petits rouleaux de saumon fourrées avec des pistaches et une farce de brochet dressée sur une crème de potiron, du filet de chevreuil fourré de compote de prunes sur une mousse d'airelles ainsi que de la cervelle pochée dans une crépinette de porc sur un socle royal, constituaient les éléments de l'offre choissie.

Gefüllter Lammsattel „Coolangatta"

Was dem Küchenpraktiker an diesem Exponat in erster Linie auffällt, ist die perfekte Zubereitung. Aber auch die Darbietung ist bemerkenswert übersichtlich. Sicher wird niemand diese Leistung bestreiten wollen.

Hier handelt es sich um einen vom Knochen gelösten Mastlammsattel, der vom übermäßigen Fett befreit, mit Spinatblättern wie auch einer mit Einlage versehenen hellen Lammfarce gefüllt und fertiggestellt ist. Die Umlage besteht aus gefüllten Birnen und jungen, gemischten, marinierten Gartengemüsen, die in kleinste, aus Spaghetti geflochtenen und gebackenen Körbchen dressiert sind.

Filled Saddle of Lamb "Coolangatta"

What the cooking practician mainly noticed about this exhibit shown, was the perfect method of preparation. But the presentation, too, was remarkably easy to survey, and certainly no one will want to contest this piece of achievement.

In this case, it involves a fattened saddle of lamb, which has been boned, and freed of excessive fat, having also been filled and completed with spinach leaves and an addition of light lamb forcemeat. The outlay consists of filled pears and young, mixed and marinated garden vegetables, which are dressed in the smallest baskets, made of baked and braided spaghetti.

Selle d'agneau fourrée «Coolangatta»

Avec cet objet exposé, c'est une préparation parfaite qui apparaît d'abord au practicien de la cuisine. Mais la présentation y est aussi remarquablement limpide et il est certain que personne ne voudra discuter cette prestation.

Il s'agit ici d'une selle d'agneau engraissé, désossée, débarrassée de sa graisse superflue, fourrée et achevée avec des feuilles d'épinards ainsi qu'avec une farce claire d'agneau pourvue d'une garniture. Le décor se compose de poires fourrées et de légumes nouveaux de jardin, mélangés et marinés, dressés dans de toutes petites corbeilles cuites au four, faites de spaghetti tressés.

Filet of Beef „Golden Prairie"

Die heute gepflegte Fertigung von Ausstellungsarbeiten erbringt in den meisten Fällen den Nachweis für eine klare und meist auch wohlverstandene Anrichteweise. Dies bewirkt zusätzlich im Dekorativen und in der Formgebung für den Betrachter eine bessere Übersicht über die kulinarische Leistung des Verfertigers.

Das hier ohne viel figürlichen Dekor offerierte Ochsenfilet ist auf den Punkt gebraten, mit einer Farce, in der rote Pfefferschotenwürfelchen Platz finden, versehen und mit einem Blätterteigmantel umhüllt. Das so vorbereitete Filet ist in der herkömmlichen Art gebak-ken, zur Fertigstellung zum Teil auftranchiert und, wie ersichtlich, mit gefüllten Peperoni wie auch tournierten Karotten umlegt.

Filet of Beef "Golden Prairie"

The finely prepared show-pieces shown today evidence in most cases a clear and usually well-understood method of serving. As a result, this additionally provides the viewer with a more vivid picture in the sense of decorativeness and presentation of form with respect to the culinary achievement of the exhibitor.

The ox filet offered here without many decorative figures has been roasted to the right point, includes a forcemeat, and has inside red pepper pods, and is covered with a puff-pastry coat. The filet, prepared in such a way, was baked in the conventional manner, cut-up partially for completion, and as seen, was arranged with filled peperomina and carrots, formed into decorative shapes.

Filet de bœuf «Golden Prairie»

Les confections de travaux d'exposition en faveur aujourd'hui démontrent dans la plupart des cas un mode de dressage clair et aussi presque toujours bien compris. Ceci procure en outre au spectateur un meilleur aperçu des prestations culinaires du confectionneur dans la décoration ainsi que dans le façonnage.

Le filet de bœuf offert ici sans décor figuratif important est frit à point, pourvu d'une farce contenant entre autre des petits dés de piments rouges et enrobé de pâte feuilletée. Le filet ainsi préparé est rôti suivant l'usage, partiellement découpé en tranches pour la finition et, comme cela est visible, entouré avec des piments fourrés ainsi qu'avec des carottes tournées.

Ziegenkeule nach maurischer Art

Dieses Exponat ist in der Farbgebung eine vielschichtig schöne Arbeit, die vom Entwurf bis zur Fertigstellung vom Einfallsreichtum seines geschulten Verfertigers Zeugnis ablegt.

Die sehr ansprechende Platte enthält eine für die Herstellung hohl ausgelöste Ziegenkeule, die mit einer mit Morcheln versehenen Farce gefüllt und beispielhaft fertiggestellt ist.

Ergänzend dazu profitiert das Objekt von einer farblich gut abgestimmten Gemüsegarnitur, die das Ganze in zwangloser Manier umrahmt.

Leg of Goat "Mauresque Style"

With its color scheme, this exhibit is a piece of work, manifold in beauty, that evidenced from the moment of its creation to its final completion, the ingenuity of its trained exhibitor.

This very enticing platter included a leg of goat, which was boned hollow for preparation, and which was filled with a forcemeat of morels, then having been completed in an exemplary manner.

In addition, this show-piece profited from a vegetable arrangement, well-chosen in color, which, with an ease of manner, gave the entire dish its final touch.

Cuissot de chèvre «à la mode mauresque»

Cet objet constitue par ses couleurs une réalisation dense et jolie, qui témoigne, de la conception jusqu'à la finition, du foisonnement d'idées d'un confectionneur exercé.

Ce plateau très plaisant contient un cuissot de chevreuil évidé pour la confection, fourrée d'une farce sertie de morilles et est achevé magistralement.

L'objet profite d'une garniture de légumes aux couleurs bien assorties qui complète et encadre l'ensemble sans façons.

Spezialitäten aus Wald und Feld

Die nebenstehende, beispielsweise für ein Büfett hergestellte Vorspeisenplatte ist ein Spiegel der Ausstellungskunst. Durch eine gleichzeitige Verarbeitung von Früchten und Fruchtmus, die einer ganzen Reihe von Ausstellern höchst willkommen ist, gehört dieses Exponat zu den Beispielen, die vorzugsweise studiert werden sollten.

Die Spezialitäten aus Wald und Feld setzen sich nicht nur zusammen aus Rehfiletmedaillons auf gedämpfter Apfelscheibe, Wachtelgalantine, gefülltem und gerolltem Hasenrückenfilet auf Pistazienmus und Rebhuhnterrine, sondern auch aus Gamsleberparfait auf Artischockenboden, einem Salat von gemischten Waldpilzen, Brioches, geviertelten Rotweinbirnen mit Preiselbeermus wie auch kleinen, gegarten Sellerieböden, die mit Quarkmus, Aprikosen und einem Früchtekonfit vollendet sind.

Specialties from the Forest and the Field

By way of example, the next entrée platter, prepared for a buffet, gives a true picture of the art of display. By preparing both fruits and fruit pulp, which is greatly welcomed by a large number of exhibitors, this exhibit falls under the examples that should particularly be studied.

The specialties from the forest and the field comprise: venison filet medaillons on stewed apple slices, quail galantine, filled and rolled filet of rabbit saddle on pistachio pulp, partridge tureen, chamois-liver parfait on artichoke bases, a salad of mixed forest mushrooms, brioches, red-wine pears, cut into quarters with bilberry pulp as well as with small, cooked celery bases, which have been completed with curd pulp, apricots and a fruit preserve.

Spécialités des bois et des champs

Le plateau de hors-d'œuvres ci-contre, exécuté par exemple pour un buffet, constitue un miroir de l'art d'exposition. Cet objet fait partie des modèles qui devraient être étudiés en priorité, avec sa préparation simultanée de fruits ou de compote de fruits énormément appréciée par bon nombre d'exposants.

Les spécialités des bois et des champs se composent de médaillons de filet de chevreuil sur des rondelles de pommes cuites à la vapeur, de galantine de caille, de filet de râble de lièvre fourré et roulé sur une crème aux pistaches, d'une terrine de perdrix, d'un parfait de foie de chamois sur fonds d'artichauts, d'une salade de champignons des bois panachés, de brioches, de quartiers de poires au vin rouge sur le la compote d'airelles, ainsi que de petits cœurs de céleri cuits à point, achevés avec une mousse au fromage blanc, des abricots et un fruit confit.

Entenkomposition „Senator"

Diese Arbeit interessiert insbesondere durch die saubere Anrichteweise. Sie gehört zu den Objekten, die auf einer Kochkunstschau ganz speziell den Laienbetrachtern imponieren, denen begreiflicherweise noch nicht oft Enten in einer solchen Aufmachung begegnet sind.

Den saftig gebratenen Enten ist die Brust ausgelöst, und die verbliebenen Karkassen sind mit Gänselebermus wieder zur ursprünglichen Form aufgefüllt. Jede Brust, korrekt geschnitten und ebenso exakt aufgelegt, ist mit einem sparsamen Dekor versehen und leicht mit Gelee überglänzt.

Die weitere Umlage besteht weitgehend aus einer Früchtegarnitur, die das Angebot sinnvoll komplettiert.

Duck Composition "Senator"

This piece of work was of particular interest owing to its clean method of serving. It falls under those show-pieces, that — this could be observed — especially impressed the layfolk, who, and this is quite understandable, have not very often encountered such a presentation.

The juicy, roasted duck itself has been boned of its breast, and the carcass remaining, has been filled up to its original state again with a goose-liver pulp. The breast, correctly cut, and laid out just as perfectly, has been provided with an economical decoration, and slightly glazed over with jelly.

The rest of the outlay largely comprises an arrangement of fruits, which sensibly completes the show-piece.

Composition de canard «Sénateur»

Ce travail intéressait plus particulièrement par son dressage soigné. Il faisait partie des objets qui, comme on pouvait l'observer, en imposent tout spécialement au spectateur profane, car il est vrai qu'on n'a pas encore souvent rencontré des canards avec une telle parure.

Après que le canard lui-même ait été rôti jusqu'à consistance succulente, les blancs sont détachés et la carcasse restante, fourrée de crème de foie d'oie, reprend sa forme originelle. Le blanc, bien découpé et soigneusement exposé, est pourvu d'un décor sobre et finement glacé.

L'arrangement restant se compose, pour sa plus grande part, d'une garniture de fruits qui complète judicieusement l'offre.

Stubenkükenparfait nach Gourmetart

Am schöpferischen Drang des Teilnehmers liegt es, dem Ausstellungsobjekt eine beabsichtigte Gestalt zu geben. Zu diesem Drang gehört selbstverständlich auch die konsequente Beherrschung der Formgebung, die sich sowohl in der Machart wie auch in der Raumaufteilung und den Proportionen widerspiegeln sollte.

Die angesprochene Aufteilung wird zum einen durch das Parfait und zum anderen durch die Terrine vorzüglich unterstützt. Des weiteren ist die Arbeit mit der im Bild sichtbaren Umlage komplettiert.

Caged Baby Chicken Parfait "Gourmet Style"

The creative aspiration of this participant was to lend to his show-piece a certain appearance. It goes without saying that this aspiration also entails the consistent mastery of styling, which should be reflected in presentation, the division of space and in proportion.

The division mentioned was for one thing excellently realized through the parfait and for another through the tureen. Besides, the piece of work has been completed with the arrangement shown in the picture.

Parfait de poussin d'Hambourg «Gourmetart»

Procurer à son objet d'exposition une forme projetée dépendait de l'impulsion créatrice du participant. Il va de soi qu'une maîtrise conséquente du façonnage conditionne également ce désir, qui devrait se refléter aussi bien dans la méthode que dans la répartition de l'espace et les proportions.

Le partage évoqué est remarquablement souligné, d'une part avec le parfait et de l'autre avec la terrine. Puis la réalisation est complétée par l'arrangement visible sur l'illustration.

Perlhuhnterrine und Rehroulade auf exzellente Art

Dem Verfertiger der nebenstehenden Platte ist bei einer genauen Betrachtung seines Objekts vieles gelungen, was für eine ausgewogene Ausstellungstechnik spricht.

Diese Ansicht begründet schon allein das Einlagemotiv, das er unter Verwendung von Trüffel und Gänseleber bei der Perlhuhnterrine gestaltet hat.

Aber auch die Fertigung der Rehroulade, die zu der Terrine einen gutgewählten Kontrast bildet, und die angewandte Früchteumlage bescheinigen dem Gestalter eine gutdurchdachte Arbeitsweise.

Guinea Cock and Venison Meat Roll "Excellent Style"

When taking a closer view of this piece of work, it can be seen that the exhibitor of the platter found a great deal which lends to achieving harmony in exhibiting techniques.

This point of view is alone substantiated in the garnish motif, which he accomplished with the guinea cock tureen by using truffle and goose-liver.

But also the completion of the venison meat roll, which makes for a well-chosen contrast to the tureen, and the fruit outlay used, is evidence of the fact that the exhibitor carefully planned his method of approach.

Terrine de pintade et roulade de chevreuil «à la mode excellente»

Après une observation précise, l'objet du plateau ci-contre rend compte que l'exposant a fait sienne une grande partie de ce qui constitue une technique d'exposition équilibrée.

Ce point de vue se fonde déjà sur le seul motif de la garniture qu'il a confectionnée utilisant la truffe et le foie d'oie dans la terrine de pintade.

L'achèvement de la roulade de chevreuil, qui produit un contraste bien étudié avec la terrine, et les arrangements de fruits employés attestent également au confectionneur une méthode de travail bien réfléchie.

Restaurationsgerichte

Restaurationsplatten mit hohem Leistungsstand

Läßt man nach Beendigung der Frankfurter Schau die Ausstellungsarbeiten der Klasse Restaurationsplatten noch einmal Revue passieren, so kann mit vollem Recht auch dieser Kategorie das Prädikat Kochkunst – Kochkunst als einer Fertigkeit nämlich, bei der sich Erfahrung und Befähigung vereinen – zugesprochen werden.

Leider gab es gelegentlich auch Ausstellungsujets, bei denen der Begriff Kochkunst mißverstanden wurde. Man sah sich in erster Linie einer recht zweifelhaft ausgeklügelten, gewagten Zusammenstellung gegenüber. Weder das Kochen noch die ausstellerische Kochkunst ist eine Fertigkeit zum Austoben; für beides ist vielmehr ein klares Verantwortungsbewußtsein notwendig, das sich in erster Linie bei den warm gedachten und kalt präsentierten Restaurationsplatten zeigt und durch Routine ergänzt wird.

Selbstverständlich ist Kochkunst wandelbar, sie muß aber der Zeit, für die sie zu gelten hat, wie auch den wirtschaftlichen und geschmacklichen Erwartungen der Klientele konstant angepaßt sein. Zu jeder Ausstellung gehört nun einmal das Gebot, durch eine qualifizierte Arbeit zum Erfolg zu kommen, und davon sind die Restaurationsgerichte, die als warme Gerichte kalt zu präsentieren sind, nicht ausgenommen.

An den Ausstellern liegt es daher, der Kochkunst den Gegenwartsausdruck zu verleihen, denn sie wird nicht nur durch ausgefallene Hummer- oder Langustengerichte dokumentiert. Auch das perfekt zusammengestellte und einwandfrei dargebotene Restaurationsgericht – wie auch das später noch zu behandelnde Tellergericht –, sofern es sich mit geschmacklichem Können und in einer vertretbaren Proportion anbietet, muß zur Kochkunst zu zählen sein.

Jeder Wettbewerb, besonders jeder internationale, konfrontiert den Teilnehmer mit der Jetztzeit und spornt ihn an, nach brauchbaren Fertigungs- und Anrichtemethoden zu suchen, die kulinarisch interessant und schaugerecht sind. Dem Guten, und das sollte zum Motto für jeden Teilnehmer werden, muß Besseres entgegengestellt werden, womit die Zweckmäßigkeit der anderen Ausstellungsform „Restaurationsgerichte" nachdrücklich unterstrichen sein soll.

Gastronomic Platters of a High Standard of Achievement

Now that the exhibition in Frankfort has been closed, we want to pass again in review those display pieces classified as gastronomic platters, and in doing so, it can rightly be said that this category, too, can be given the best rating in culinary art – that is to say, culinary art, when defined, is the ability to combine experience and skill.

Unfortunately, there were occasionally also show-pieces, in which instance, the concept of culinary art was misunderstood. In the first place one found oneself confronted with a composition, that had been worked out in quite a questionable manner, and was a daring untertaking at that. Neither cooking nor exhibiting culinary art is a skill by which one can exhaust oneself; on the contrary, for both, a definite feeling for responsibility is necessary, which is particularly seen in gastronomic platters, intended to be presented warm and cold, and which is supplemented with everyday practical experience.

Needless to say, culinary art continually goes through a transition, and yet is must constantly be adapted to the times it is supposed to reflect, not forgetting the tastes and expectations of guests, as seen from the angle of economy. It just happens that the primary goal at every exhibition is to achieve success through a qualified piece of work, and the gastronomic dishes, which are to be presented cold, but are intended to be served warm, cannot be excluded here.

For this reason, it is up to the exhibitors to give cookery that look of today, for this is not only documented with exceptional lobster and rock-lobster dishes. The gastronomic dish, too, that has been perfectly composed and impeccably presented – as well as the plate dish, which will be dealt with later –, as long as it is offered with the necessary knowledge of taste and in reasonable proportions, has to be numbered among those in culinary art.

In every contest, especially at international contests, the exhibitor is confronted with the present, and incites him to seek useful methods of preparation and serving that are interesting and decorative from the angle of cookery. The good pieces of work should be surpassed with even better ones, and this should be the motto for every participant at an exhibition, in which instance, the appropriateness of other forms of exhibits, the "gastronomic dishes", should particularly be stressed.

Des plats de restaurant de haut niveau

Si les travaux d'exposition du groupe des plateaux de restaurant sont encore une fois passés en revue après la clôture de l'exposition de Francfort, cette catégorie mérite également en toute justice le titre d'art culinaire, celui-ci, pour préciser, étant conçu comme un jumelage habile de l'expérience et de la qualification.

Malheureusement, il y eut de temps en temps des sujets d'exposition qui se méprirent sur cette notion d'art culinaire. On se trouvait en premier lieu face à une composition risquée, combinée de manière vraiment douteuse. Ni la cuisine, ni l'art culinaire d'exposition ne constituent une facilité pour se libérer des contraintes; ils nécessitent tous les deux bien davantage une prise de conscience claire de ses responsabilités, celle-ci se révélant tout d'abord par les plats de restaurant conçus chauds et présentés froids et se complétant avec le savoir-faire.

Il va de soi que l'art gastronomique évolue mais il doit toujours s'adapter à son époque ainsi qu'aux exigences pécuniaires et gustatives des clients. Toute exposition s'accompagne en permanence du précepte qui suit: «réussir par un travail qualifié» et les mets de restaurant constitués par les plats chauds à présenter froids n'y font pas exception.

C'est à l'exposant de conférer l'empreinte du présent à l'art culinaire, celle-ci ne pouvant seulement être attestée par un plat réussi de homard ou de langouste.

Parfaitement composé et présenté de manière irréprochable, le plateau de restaurant doit aussi appartenir à l'art culinaire, de même que les mets sur assiettes évoqués plus loin, tant qu'il est offert avec une connaissance du goût et dans des proportions raisonnables.

Tout concours, surtout s'il est international, confronte le participant avec l'actualité et l'aiguillonne à rechercher des modes de confection et de dressage utilisables, intéressants culinairement parlant et conformes à la présentation. La devise de chaque exposant devrait être d'opposer du meilleur au bon; ainsi l'opportunité de cette autre forme d'exposition que représente le «mets de restaurant» devra être expressément soulignée.

Japanisches Allerlei

Bei der Präsentation von Restaurationsgerichten begegnet man allzu leicht einer monotonen Anspruchslosigkeit, sofern durch das Thema nicht ein verstärktes Farbenspiel in Erscheinung tritt.

Wer aber bei warm gedachten Gerichten für die Materialien das nötige Fingerspitzengefühl besitzt wie der Verfertiger der nebenstehenden japanisch nachempfundenen Mahlzeit, bei der Krustentiere, Fisch, Fleisch und Gemüsebestandteile Verwendung finden, hat am Ende einen beachtlichen und für ihn gewichtigen Vorsprung.

Japanese Hotchpotch

In the presentation of gastronomic dishes, we all too often encounter a monotonous frugality, in that because of the subject, an intensity in the play of colors, does not make itself felt.

But whoever possesses the necessary flair in this direction, and this, with dishes, intended to be served warm, as the exhibitor of the display-piece shown here did, whereby in a Japanese oriented meal, crustaceans, fish, meat and vegetable ingredients are used, has very certainly achieved a great and remarkable lead in the final account.

Macédoine japonaise

On ne rencontre que trop souvent une simplicité monotone dans la présentation des plats de restaurant, sauf si leur thème est à même de faire apparaître un jeu de couleurs accentué.

Celui qui dispose du doigté indispensable à la confection de ces plats chauds aura déjà certainement une avance respectable et décisive pour lui lors de l'addition finale, comme c'est le cas du confectionneur du plat ci-contre: un repas japonais reconstitué qui utilise des crustacés, du poisson, de la viande et quelques légumes.

Heilbutt mit Zanderklößchen in Riesling

Der mit Spinatblättern versehene und in Riesling pochierte Heilbutt ist mit Zanderklößchen angeordnet. Die das Angebot umgebende Rieslingsauce, die das Ganze vorteilhaft unterstreicht, enthält eine Brunoise von jungen Gartengemüsen.

Das Gericht, vervollständigt mit der Umlage von tournierten Kartoffeln wie auch Courgetten mit ihrer Füllung von Gurken und Tomaten, kommt in dieser Anrichteart recht vorteilhaft zur Geltung.

Diese Feststellung und das nebenstehende Bild zeigen auf, wie vielfältig Restaurationsgerichte zur Schau gestellt werden können.

Halibut with Zander Dumplings in Riesling

The halibut provided with spinach leaves and poached in Riesling is grouped with Zander dumplings. The Riesling sauce that frames the offer, and which provides an emphasis to the whole dish, and this, to its advantage, contains a brunoise of young garden vegetables.

The dish, which has been completed with an outlay of potatoes, formed to decorative shapes, as well as the gourgettes with their filling of cucumbers and tomatoes, lends to the favorable appearance of the method of serving.

With this assertion and the picture shown next, a perspective view is given of how many possibilities exist in displaying gastronomic dishes.

Flétan avec quenelles de sandre dans du Riesling

Le flétan pourvu de feuilles d'épinards et poché dans du Riesling est arrangé avec des quenelles de sandre. La sauce au Riesling entournant l'offre, qui souligne avantageusement l'ensemble, contient une brunoise de légumes nouveaux de jardin.

Complété avec l'arrangement de pommes de terres tournées ainsi qu'avec des courgettes fourrées de concombres et de tomates, le plat est très avantageusement mis en valeur par ce mode de dressage.

Cette constatation et l'illustration ci-contre offrent la perspective de la diversité avec laquelle peuvent être présentés les plats de restaurants.

Timbale von Meeresfrüchten

Wie es unser Bild beweist, kann immer wieder festgestellt werden, daß auch Restaurationsgerichte dankbare Objekte sein können, vor allem, wenn bei der gewählten Zusammenstellung und selbstverständlich neben dem vorausgesetzten guten Geschmack auch das Auge — durch farbliche Ausgewogenheit und sorgsame Anrichteweise — befriedigt wird.

Das ist bei dieser aus Meeresfrüchten gefertigten, auf einem gebackenen, stilisierten Weinblatt angerichteten Timbale besonders der Fall. Die Umlage von grünem Spargel und Tomaten, die sparsame Saucenbeigabe und der Dekor von Hummerscheren, Trüffelscheiben und Miesmuscheln sind dabei unterstützende Elemente.

Timbale of Sea Fruits

As our picture shows, it can continually be noted that gastronomic dishes, too, can be rewarding pieces of work. Especially then when in the composition selected, and, when — this is a matter of course — besides the required good taste, the eye itself is pleasantly attracted by a balance in color and a carefully chosen method of serving.

This was particularly the case with the timbale, made out of fruits of the sea, and served on a baked, stylized wine-leaf.

Timbale de fruits de mer

Notre illustration démontre qu'il y a toujours lieu de constater que les plats de restaurants peuvent également constituer des objets gratifiants. Surtout lorsqu'avec la composition choisie et, cela va de soi, auprès de la qualité gustative présumée, l'œil y trouve aussi son compte, en ce qui concerne l'harmonie des couleurs et la méthode de dressage soignée.

Il en allait tout particulièrement ainsi avec cette timbale confectionnée de fruits de mer, dressée sur une feuille de vigne stylisée, cuite au four. Cet effet est soutenu par des éléments tels que l'arrangement d'asperges vertes et de tomates, l'accompagnement mesuré de sauce et le décor de pinces de homard, de rondelles de truffe et de moules.

Mosaik von Lachsforelle, in Strudelteig gebacken, „Schöne Fischerin"

Vielfach beschränken sich Hersteller von aus Fisch gefertigten, warm gedachten Restaurationsgerichten auf die herkömmlichen Zubereitungsarten, nämlich auf gebraten, gesotten und gebacken. Da ist es wohltuend und ein Zeichen von Kreativität, wenn sich Aussteller auch einmal etwas anderes einfallen lassen.

Wie es das Bild verdeutlicht, ist das anschaulich gefertigte Fischgericht portionsweise aufgeschnitten und, mit einer Chablissauce untergossen, angerichtet.

Die Umlage, die sich aus Pariser Kartoffeln, gedünsteten Paprikaschoten und Artischockenherzen zusammensetzt, rundet das Arrangement ab.

Mosaic of Sea Trout Baked in Strudel Dough "Schöne Fischerin"

Most exhibitors limit the gastronomic dishes made of fish, and served warm to the conventional methods of preparation, such as, roasting, boiling or baking. It is gratifying and evidences creativity when the exhibitor comes up with something quite different.

As the picture clearly shows, the fish dish, prepared in an expressive manner, has been cut up into portions and served, soaked in a Chablis sauce.

The arrangement seen in the foreground, which comprises Paris potatoes, stewed paprika and artichoke hearts, adds to the clearness of the picture.

Mosaïque de truite saumonnée cuite au four dans une pâte roulée «Schöne Fischerin»

Les confectionneurs de plats de restaurants chauds composés de poisson se limitent le plus souvent aux modes de préparation traditionnels tels que la cuisson à la poêle, au court-bouillon ou au four. C'est pourquoi il est bien agréable et témoigne d'un esprit créatif que, pour une fois, des exposants imaginent autre chose.

Le plat de poisson, apprêté de manière expressive, est découpé en portions et dressé, arrosé d'une sauce au Chablis, comme le précise l'illustration.

L'accompagnement visible au premier plan, composé de pommes de terre à la parisienne, de poivrons étuvés et de cœurs d'artichauts, contribue à donner une image claire de l'arrangement.

Warme Fischterrine nach japanischer Art

Die hier offerierte Fischterrine mit ihrer Crab-
meateinlage und der dominierenden Gemüsegarnitur
hat zwar einen Mangel in der Präsentation, doch ist die
exakte Ausführung zu loben, die der Verfertiger seinem
Gericht angedeihen läßt.

Als Mangel müssen wir das Fehlen jeglicher Saucenbeigabe anführen. Selbst wenn eine solche Beigabe nur
darin besteht, daß das Fleisch- oder Fischgericht lediglich andeutungsweise mit Sauce untergossen wird, kann
man von einem vollwertigen Angebot sprechen.

Warm Fish Tureen Japanese Style

The fish tureen offered here, with its addition of
crabmeat, and the dominating vegetable arrangement,
does have a flaw in presentation, and yet, the accuracy
of execution is to be praised, that is, the manner in
which the exhibitor had his dish reach this stage.

The flaw we have to mention is the lack of any addition of a sauce. Even when such an addition is merely
made in such a way that the meat or fish dish is only
slightly soaked in a sauce, can we speak of a fully completed offer.

Terrine de poisson chaud à la mode japonaise

La terrine de poisson offerte ici avec son accompagnement de crabe Chatka et la garniture dominante de
légumes dénote, il est vrai, un manque dans la présentation; cependant l'exécution méticuleuse, que le confectionneur laisse affleurer dans son plat, doit être compli-
mentée.

Nous devons citer comme manque l'absence complète de sauce d'accompagnement. Il suffirait pourtant
qu'elle soit esquissée par le simple arrosage du mets de
viande ou de poisson avec la sauce, pour qu'on puisse
alors parler d'une offre tout à fait valable.

Fantaisie des poissons (cuisine naturelle)

Mit dieser Arbeit hat der Verfertiger eine betonte Anlehnung an die natürliche Küche deutlich gemacht.

Diese Kreation, die im kochtechnischen Sinne den extravaganten Eintopfgerichten zuzuordnen ist, unterstreicht den Versuch einer darstellerischen Kochkunst, deren Primat weniger im Optischen als im Geschmacklichen liegt.

Das in unserem Schaubild präsentierte Gericht setzt sich zusammen aus Zutaten von Fischen, Schal- und Krustentieren, die in einer leicht mit Tapioka gebundenen, mit wenig Safran und viel Gemüsen versehenen klaren Brühe fertiggestellt werden.

Fish Fantasy (Cuisine naturelle)

With this piece of work, the exhibitor clearly adapted his methods to normal cooking habits.

That this creation, which can be categorized as an extravagant stew, and this, in its assessment and in the technical, cooking sense, emphasizes the attempt at display cookery, its primary goal being less the visual aspect, but that of taste.

The dish presented in our picture comprises ingredients of fish, shell and crustacean animals, which were prepared in a clear broth, that was slightly thickened with Tapioka, and provided with saffron and lots of vegetables.

Fantaisie des poissons (cuisine naturelle)

Le confectionneur a exprimé un penchant marqué pour la cuisine naturelle avec cette réalisation.

Cette création, à situer dans une classification et au point de vue de la technique gastronomique comme un plat extravagant de pot-au-feu, souligne la recherche d'un art culinaire représentatif dont l'axiome repose moins sur l'œil que sur le palais.

Le plat présenté sur notre illustration se compose d'ingrédients tels que les poissons, les coquillages et les crustacés, achevés dans un bouillon clair légèrement lié avec du tapioca, garnis d'une pointe de safran et de nombreux légumes.

Gefülltes Steinbuttfilet „Remo"

Daß alle einschlägigen Fischgerichte, gleichgültig aus welchen Sorten sie auch gefertigt sein mögen, verschieden interpretiert werden können, ist nicht unbekannt.

Doch wird man gerade bei Restaurationsgerichten, die auf einer Fachschau für das jeweilige Haus werben sollen, solche Sujets wählen, die auch durch ihre Optik den Erfolg versprechen.

Das ausgelöste, gefüllte und gerollte Steinbuttfilet ist als Ganzes pochiert, für die Präsentation aufgeschnitten, mit wenig des konzentrierten Fonds untergossen, mit einer Garnitur von Brechspargel und Gartenkarotten angerichtet und mit einer gemischten Reisbeilage vervollständigt.

Filled Fillet of Turbot "Remo"

That all the relevant fish dishes, regardless of their kind, can be expounded differently is not unknown.

But in the very cases of gastronomic dishes, that, at the cookery show, should make publicity for the respective locality, one will choose those pieces of work, which also ensure success, simply through their appearance.

The fillet of turbot, boned, filled and rolled has been poached as a whole, cut up for presentation, soaked in a little of the thickened gravy, served with an arrangement of crushed asparagus, and garden carrots, and completed with a mixed rice garnishing.

Filet de turbot fourré «Remo»

Il est notoire que les plats se rapportant au poisson, quelles que soient les espèces qui les composent, peuvent être interprétés avec diversité.

Cependant on choisira aussi des sujets d'aspect prometteur, ceci justement avec ces mets de restaurant qui doivent assurer la publicité de leurs maisons respectives pendant les expositions.

Le filet de turbot détaché, fourré et roulé est poché entier, découpé pour la présentation, arrosé avec une petite partie du fond concentré, dressé avec une garniture d'asperges en morceaux et de carottes de jardin et complété avec un accompagnement de riz panaché.

Gefüllte Riesengarnelen, in Noriblättern gedünstet

In der gastgewerblichen Küche eines Landes findet man wohlüberlegte Zubereitungsarten. Darüber hinaus sind findige, an Ausstellungen beteiligte Köche ständig bemüht zu zeigen, was durch neubelebte und aparte Zubereitungsarten der Kochkunst zuträglich sein kann.

Die roh ausgelösten Riesengarnelen erhalten eine dem Sujet entsprechende Füllung und werden, in papierdünne Seetangblätter eingeschlagen, auf den Punkt gegart.

Die gleichmäßig geschnittenen Tranchen sind in einer gewollten Unordnung mit jungen Gemüsen wie auch gesottenen Miesmuscheln versehen und mit Sauce Newburgh angerichtet.

Filled Giant Shrimp stewed in Nori Leaves

In every restaurant kitchen of a country you will continually find well thought-out methods of preparation. Apart from this, inventive cooks, participating in cookery shows, are constantly endeavoring to display how beneficial cookery can be made to be through revived and striking methods of preparation.

The giant shrimp, boned raw, were given a filling fitting to the subject, wrapped in paper-thin seaweed leaves, and cooked to the right point.

The evenly cut pieces have been arranged with the young vegetables in an intentional disorder, also having been provided with boiled mussels, and served with sauce Newburgh.

Bouquets fourrés étuvés dans des feuilles de Nori

Des modes de préparation mûrement étudiés se retrouvent dans tous les restaurants d'un pays. De plus, les cuisiniers inventifs qui participent aux expositions s'efforcent en permanence de montrer ce qui, par des méthodes de confection réanimées et originales, peut profiter à l'art culinaire.

Les bouquets, décortiqués crus, sont fourrés conformément au sujet et cuits à point, enveloppés dans des feuilles de varech, fines comme du papier.

Les tranches régulièrement découpées sont, dans un désordre recherché, nanties de légumes nouveaux ainsi que de moules au court-bouillon et dressées avec une sauce Newburgh.

Piccata von der Rotbarbe auf Rieslingrahm

Als eine schmucke Arbeit bietet sich auch dieses warm gedachte Gericht an. Selbst mit der einfachsten Art der Darbietung lenkt der Verfertiger die Aufmerksamkeit der Betrachter auf diese Platte.

Die gespaltenen und in ihrer Länge belassenen Barbenfilets sind auf einer Unterlage von Rieslingrahm angerichtet. Sie haben eine Beigabe von mit Champignons versehenem wildem Reis und gedünsteten Tomatenecken.

Piccata made of Red Barbel on Riesling Cream

This decorative piece of work, a dish to be served warm, was offered and defined as the Red Barbel Piccata. Even with its simple method of presentation, it can be said that the exhibitor attracted the attention of the viewers with his platter.

The barbel fillets, which were sliced and left in the lengths they are, are served on a base of Riesling cream. They include an outlay of wild rice provided with mushrooms and stewed tomato corner-pieces.

Piccata de barbeau méridional sur une crème au Riesling

Le plat chaud dénommé «piccata de barbeau méridional» se présente comme une réalisation soignée. Le confectionneur attirait l'attention sur son plat avec un mode de présentation des plus simples.

Les filets de barbeau, découpés en tranches dans le sens de la longueur, sont dressés sur un fond de crème au Riesling. Ils sont accompagnés de riz complet agrémenté de champignons de couche et de petits quartiers de tomates étuvés.

Mit Lachs gefülltes Heilbuttfilet

Das hier gezeigte Gericht in seiner informativen Anrichteart bietet dem ausstellungsfreudigen Fachmann ein reiches Maß an verwertbaren Ideen, die er in Arbeiten auf Wettbewerben und in der täglichen Praxis verwirklichen kann.

Exakt mit Lachsfarce gefüllt, sind die pochierten, nicht uninteressanten Heilbuttfilets auf Safransauce angerichtet. Sie haben eine kleine Garnitur von sautierten Champignonköpfen und sind, wie es der Ausstellungsbesucher erwarten darf, im Anschnitt gezeigt.

Halibut Fillet filled with Salmon

With its informative method of serving, the dish shown here offers enthusiatic cookery-show goers a wide range of valuable ideas, which can, not only be employed at exhibitions but also in everyday cooking.

The not uninteresting fillets of halibut, have been poached, and perfectly filled with salmon forcemeat. They include mushroom heads, and are shown in a cross-section, which is legitimately expected by the show-piece viewer.

Filet de flétan fourré de saumon

Le plat proposé ici, avec son dressage instructif, offre au collègue friand d'exposition une quantité abondante d'idées utilisables qu'il peut aussi bien employer aux concours, pour la présentation, que dans la pratique quotidienne.

Les intéressants filets de flétan sont pochés, méticuleusement fourrés avec une farce de saumon et dressés sur une sauce au safran. Ils affichent une petite garniture de champignons de couche sautés et sont, comme pouvait l'espérer le spectateur de l'exposition, proposés en coupe.

Terrine von Hummer und Garnelen

Viele frühere, den Service hemmende Zubereitungsarten haben heute ihre Gültigkeit verloren. Aber bei allem Respekt vor dem Herkömmlichen fällt es dem ein-
sichtigen Fachmann nicht schwer zuzugeben, daß sich
die vor gar nicht allzu langer Zeit geübten Ausstel-
lungsformen auch neuzeitlich gestalten lassen.

Dies ist auch aus der nebenstehenden Terrine, die
zwar mit den drei auf einer Reismischung angerichteten Tranchen wie auch der Umlage von sautierten Pilzen und Streifen von Artischockenböden in ihren Proportionen nicht stimmt, ersichtlich.

Tureen of Lobster and Shrimp

Many of the earlier methods that hindered the preparation of a dish, have lost their importance in the
meantime. Yet in due respect of what was conventional, it is not difficult for an understanding expert to admit that the forms of display, practised not all too long
ago, can also be applied in modern times.

This can be seen from the adjacent tureen, which, it
is true, certainly does not agree proportionately with
the three cut-pieces, served on mixed rice, as well as the
outlay of mushrooms and strips on artichoke bases.

Terrine de homard et de crevettes

Beaucoup de modes de préparations anciens qui en-
travaient le service n'ont plus d'importance aujour-
d'hui. Mais, avec tout le respect dû à la tradition, le spécialiste entendu avouera facilement que les formes d'exposition pratiquées, il n'y a pas si longtemps encore, se
laissent aussi façonner avec modernité.

La terrine ci-contre illustre également ce fait avec les
trois tranches dressées sur un riz panaché ainsi qu'avec
l'arrangement de champignons sautés et les bandelettes
de fonds d'artichauts, même s'il est vrai que les proportions ne sont pas respectées.

Hummerschwanz- und Krevettenarrangement

Daß das Fleisch der Krusten- und Schaltiere zur bekömmlichen Nahrung gehört und auch gleichzeitig — beispielsweise für ein kaltes Büfett — eine wahre Delikatesse darstellt, ist sicher nicht unbekannt. Neben diesen Vorzügen bieten diese Tiere aber dem Hersteller von Ausstellungsarbeiten auch reizvolle Möglichkeiten bei der Zubereitung von attraktiven warmen Restaurationsgerichten.

Der Anblick dieses in fremdländischer Genauigkeit gefertigten Hummergerichts überzeugt jeden Fachbetrachter von dem vollendeten Können des Verfertigers.

Lobster Tail and of Arrangement Crevettes

That the meat of crustacean and shell animals belong to the category of wholesome food, and, for example, also represent at the same time a true delicacy for a cold buffet, is certainly not unknown. Besides these features, these animals offer the exhibitor of display-pieces in addition, marvelous opportunities to prepare attractive, warm gastronomic dishes.

A glance at this exotic, accurately prepared lobster dish, convinced all the experts of the perfected know-how of the exhibitor.

Arrangement de queue de homard et de crevettes

Il est bien connu que la chair des crustacés et des coquillages compte parmi les nourritures saines et représente aussi en même temps une réelle délicatesse, pour un buffet froid par exemple. Auprès de ces avantages, ces animaux offrent au confectionneur de travaux d'expositions des possibilités séduisantes pour la préparation de plats chauds de restaurants attrayants.

La vue de ce plat homard, apprêté avec une précision exotique, aura convaincu tout observateur spécialisé du savoir-faire achevé du confectionneur.

Getrüffelte Mousselines von der Rotbarbe in ihrer Haut

Daß sich immer wieder einfallsreiche Aussteller finden, die exquisite Fischgerichte, und diese auch gleich serienweise, als Exponate anbieten, trägt in nicht unerheblichem Maße zu einer Erneuerung der bisher auf kulinarischen Fachschauen gezeigten Objekte bei.

Die nebenstehend im Anschnitt gezeigte Art getrüffelter Mousselines von der Rotbarbe, die in mit der Haut des Fisches ausgelegten Förmchen gefertigt sind, entspricht im heutigen Sinne einem gepflegten Angebot.

In einer Safrancreme mit Muscheln und Gemüsestreifen angerichtet, entsprechen sie der heute angestrebten Form.

Truffled Mousselines of Red Barbel in its Skin

That ingenious exhibitors time and again find ways of offering exquisite fish dishes as exhibits, and this, even in series, does contribute to a considerable extent to the innovative display-pieces shown up to now at culinary shows.

The adjacent picture of the truffled red barbel mousselines, displayed cut, which has been prepared in the skins of the fishes, and laid out in small moulds, corresponds to that offered today and considered cultivated.

They are served in a saffron cream with mussels and strips of vegetables and are an expression of the present-day form.

Mousselines truffées de barbeau méridional dans sa peau

Le fait qu'il existe toujours des exposants imaginatifs qui offrent les plats de poissons les plus exquis, et ceci même en série, contribue dans une mesure non négligeable à un renouvellement des objets proposé jusqu' ici dans les expositions d'art culinaire.

Le mode ci-contre, montré en coupe, correspond au sens actuel à une présentation soignée, avec les mousselines truffées de barbeau, confectionnées dans des petits moules garnis avec la peau du poisson.

Elles sont dressées dans une crème au safran avec des moules et des légumes en lamelles et constituent une expression des conceptions présentes.

Variation von Meeresfrüchten „Sept Îles"

Dieses gezielt geordnete Restaurationsgericht, das die Abwechslung, die uns, wie in diesem Falle, die Meeresfrüchte mit ihrer Kombination von Steinpilzen bieten, übersichtlich unterstreichen soll, ist ein gutes Beispiel sowohl in der Fertigung wie auch in der Darbietung. Man darf sogar behaupten, daß durch eine übersichtliche Anrichteart eine für den Gast noch größere Abwechslung möglich ist.

So gesehen hat diese Verdeutlichung des hier kredenzten Gerichts auf ihn eine überzeugende Wirkung, denn in jedem Falle bekommt er Hervorragendes serviert.

Variation of Fruits of the Sea "Sept Iles"

This gastronomic dish, aimed at accuracy, which should clearly emphasize the welcome change, that the fruits of the sea with their combination of mushrooms offer us in this case, is both a good example of preparation and presentation. We can even maintain that by serving in a clear form, an even greater change for the guest is made possible.

Seen from this viewpoint, the clarification of the dish, served here, convinces him, for in any case, he is served an excellent dish.

Variation de fruits de mer «Sept Îles»

Un bon modèle, que ce soit dans la confection ou la présentation, est fourni par ce plat de restaurant volontairement ordonné qui doit clairement souligner le renouvellement, ici proposé par les fruits de mer, avec leur combinaison de cèpes de Bordeaux. Il est même possible d'affirmer que davantage de variété serait encore offerte au client par un mode de dressage bien inspiré.

Considérée ainsi, cette mise en évidence du plat offert ici le convaincra, car de toute façon du surchoix lui sera servi.

Meeresfrüchte nach Pariser Art

Jedes warm gedachte und kalt ausgestellte Gericht kann rein bildlich, und dies fällt ja speziell bei einer Ausstellung ins Gewicht, von vorzüglicher Wirkung sein, wenn es wie in diesem Falle der Verfertiger versteht, eine Kochkunst zu präsentieren, bei der Natürlichkeit wie auch Ausgewogenheit maßgebend sind.

Das auf einer Weißweinsauce dargebotene Gericht, das durch eine gesondert angerichtete Reisbeilage komplettiert ist, besteht aus Hummer, Riesen- und anderen Garnelen und einer gedünsteten Julienne von jungen Gemüsen.

Fruits of the Sea "Parisian Style"

Any dish, that is displayed, and is intended to be served warm, can from the pure pictorial aspect have an excellent effect — this carries special weight at an exhibition — when, as in the case of the exhibitor here, he knows how to present culinary art, in which instance, naturalness and also proportionate uniformity is the guiding line.

This dish, offered on white-wine sauce, and which has been completed with a specially prepared rice trimming, consists of lobster, giant shrimp, shrimps and a stewed julienne, made of young vegetables.

Fruits de mer «à la parisienne»

Il est particulièrement important pendant une exposition que tout plat conçu chaud et présenté froid puisse, au seul plan de l'image, produire une excellente impression lorsque, comme ici, le confectionneur s'entend à présenter un art culinaire où le naturel ainsi qu'un équilibre dans les proportions sont déterminants.

Le plat présenté sur une sauce au vin blanc, complété par un accompagnement de riz présenté à part, se compose de homard, de bouquets, de crevettes et d'une julienne de légumes nouveaux cuite à l'étuvée.

Köstliche Calamarestuben „Mon caprice"

Dieser Aussteller hat sich zweifellos die Aufgabe gestellt, für die warm gedachten Gerichte eine Lanze zu brechen. Dies ist, wie anzunehmen ist, mit der hier vorgeführten Arbeit mit gutem Erfolg erreicht worden.

Zur Fertigung ist zu sagen, daß die gesäuberten und von ihrer Innenhaut befreiten Calamares zunächst pochiert, nach dem Auskühlen mit einer Lachsfarce versehen und im Anschluß daran gegart sind.

Für die Präsentation sind die Calamaresscheiben auf einer Sahnesauce, die mit Gurkenkugeln und rosa Pfefferkörnern vollendet ist, im Kranz angerichtet. Als Garnitur dienen die in die entstandene Mitte gelegten gerösteten Greifarme des Tieres.

Die Sättigungsbeigabe besteht sowohl aus Spinat- wie auch Eierravioli, die einmal eine Füllung von Karottenmus und zum anderen eine Füllung von Mangoldpüree aufweisen.

Delicious Calamary Tubes "Mon Caprice"

It is without a doubt that this exhibitor had set himself the task to give his very best in preparing dishes, intended to be served warm. As can be assumed, this is the case here with the piece of work presented, and this, he did with great success.

As far as preparation is concerned, it can be said here that the calamaries, which have been cleaned and freed from their inner skins, are first poached, and following cooling are provided with a salmon forcemeat, and are then cooked.

For presentation, the calamary slices laid on a cream sauce, which has been completed with cucumber balls and pink peppercorns, are served in wreath form. The arrangement in the center has been provided with the roasted tentacles of the animal.

The trimming embodies spinach as well as egg-ravioli, which in one case contains carrot pulp, and in the other a filling of mashed beets.

Tentacules délicats de calmars «Mon caprice»

Cet exposant s'était sans aucun doute assigné la mission de batailler pour les plats chauds. Comme on peut le supposer, il y est bien parvenu avec la réalisation présentée ici.

Les calmars, nettoyés et débarassés de leur peau intérieure, sont tout d'abord pochés, pourvus, une fois refroidis, d'une farce de saumon et, pour terminer, cuits.

Pour la présentation, les tranches de calmars sont dressées en couronne sur une sauce à la crème achevée avec des boules de concombre et des grains de poivre rose. Le rond central créé est pourvu d'une garniture constituée par les tentacules grillés de l'animal.

Les ravioli d'épinards ainsi que d'œufs, fourrés soit de crème de carottes soit de purée de bettes, représentent un accompagnement consistant.

Navarin von Meeresfrüchten

Da jeder Gast viel Abwechslung und Phantasie im Restaurationsangebot sucht, hat ein Aussteller mit Ideenreichtum besondere Chancen.

Impulse oder Vorstellungen, die, wie im Falle des hier offerierten Navarins, Farbe und Abwechslung in das Ausstellungsobjekt bringen, entsprechen beinahe dem Wunschbild der Teilnehmer und Besucher, und sie können ferner ein echtes Bild von der Entwicklung der Kochkunst vermitteln.

Der im Bild zu sehende Navarin, nur kurz mit dem zur Sauce eingekochten Fond gebunden, enthält als Zutaten verschiedene Meeresfrüchte und Gemüse. Er ist durch seine unkomplizierte Anrichteart von beispielhafter Wirkung.

Navarin of Fruits of the Sea

Since every guest is always looking for a change and greater fantasy in offering gastronomic dishes, the exhibitor's extra chances lie solely with him, that is to say, in his own imaginative ideas.

Impulses or conceptions, which, as the case is here with the Navarin offered, bring color to and change in the display-piece, are part of the dream of the participant and viewer, and they can also draw a true picture of the new trends in cookery.

The Navarin, to be seen in the picture, thickened only briefly with the gravy made to a sauce, contains various ingredients of fruits of the sea and vegetables. Through the uncomplicated method of serving, it has an exemplary effect as a dish.

Navarin de fruits de mer

Les chances supplémentaires d'un exposant reposent toujours dans la richesse de son inspiration, car chaque client recherche un changement permanent et une fantaisie accrue.

Comme dans le cas du navarin offert ici, les impulsions ou les idées qui apportent de la couleur et du renouvellement pour les objets exposés constituent l'idéal des participants et des observateurs et ils peuvent en outre s'avérer capables d'esquisser un tableau réel du développement de l'art culinaire.

Le navarin à observer sur l'illustration, lié brièvement avec le fond réduit en sauce, contient des ingrédients variés de fruits de mer et des légumes. Il produit un effet exemplaire par son mode de dressage.

Meeresfrüchte „Chesapeake Bay"

Das Arrangement eines warm gedachten Fischgerichts bietet, wie unschwer zu erkennen ist, dem Betrachter eine Fülle zu einem Ragout zusammengestellter Leckerbissen.

Die vorbildlich pochierten Zutaten – Hummer- und Riesengarnelenschwänze, Jakobsmuscheln, Scampi und Hechtklößchen – sind auf der Platte natur angerichtet.

Zur Dokumentation als Fischgericht hat der Verfertiger ein aus Blätterteig gebackenes, stilisiertes Kopf- und Schwanzstück eines Fischs angelegt, womit sich eine weitere Beilage erübrigt.

Die separat dazu servierte Sauce hat den Vorzug des Besonderen, denn die Zusammenstellung von einem Chablissabayon mit frischem Mangomus und gehackten Pistazien wird wohl jeden Konsumenten beeindrucken.

Fruits of the Sea "Chesa Peak-Bay"

This arrangement of a fish dish, intended to be served warm, offered viewers, as can easily be seen, an abundance of good things, a ragout of all kinds of delicacies.

The excellently poached ingredients of lobster and giant shrimp tails, scallop-shell St. Jacques, scampi and pike dumplings have been laid in their natural state on the platter.

To document a fish dish the exhibitor provided it with a stylized head and tail piece, prepared with baked puff-pastry, in which case, a further arrangement was no longer necessary.

The sauce, served separately, had the feature of being something very special. For the combination of a Chablis sabayon with fresh mango pulp and hacked pistachios will hardly be looked upon by any consumer unfavorably.

Fruits de mer «Chesa Peak-Bay»

Comme il est aisé de le constater, l'arrangement du plat de poisson conçu chaud propose à l'observateur une quantité de mets fins rassemblés en un ragoût.

Les ingrédients exemplairement pochés, constitués de queues de homards et de bouquets, de coquilles Saint-Jacques, de scampi et de quenelles de brochet, sont dressés nature sur le plateau.

Tout autre accompagnement serait superflu car le confectionneur a disposé une tête et une queue de poisson stylisée en pâte feuilletée cuite pour l'identification du plat.

La sauce complémentaire servie séparément possède le charme de l'originalité, car vraiment aucun consommateur ne pourra rester de glace devant la combinaison d'un sabayon de Chablis avec de la crème de mangues fraîches et des pistaches hachées.

Seezungentimbale mit Morcheln

Über diese nebenstehende Arbeit, die den Vorzug einer einfachen und natürlichen Darbietung hat, ist Empfehlenswertes zu sagen, beweist sie doch, und darin liegt ihre Besonderheit, daß eine Brücke zwischen Altüberliefertem und Modernem geschlagen werden kann.

Zur Verfolgung dieses Ziels sind für die Fertigung die Becherförmchen mit Seezungenfilets wie auch mit einer mit Morcheln angereicherten, feinen Kräuterfarce ausgelegt und im Wasserbad pochiert.

Für die Präsentation sind die Timbalen auf einer Weißweinsauce angerichtet und als Abschluß mit Morcheln versehen. Die als Sättigungsbeilage vorgesehenen Nocken sind eine Kombination von feinen Gemüsewürfeln und wildem Reis.

Timbale of Fillet of Sole with Morels

What is noteworthy here with the next piece of work is its simple and natural manner of presentation. It evidences, and this is its particular feature, that it is quite possible to find an connecting link between that passed on through generations and that what is acceptable today.

In striving towards this goal in the case of the piece of work here, the little cup moulds needed for preparation were enriched with fillets of sole, as well as with morels, laid out in a fine forcemeat, and then poached in a water-bath.

For presentation the timbales have been served on a white wine sauce and as finishing touch have been provided with mussels. The dumplings, as trimmings, include a combination of fine vegetable dices and wild rice.

Timbale de sole aux morilles

On ne peut dire que du bien de la méthode ci-contre, offrant l'avantage d'une présentation simple et naturelle qui est à recommander. Elle atteste, et c'est là sa particularité, qu'il est tout à fait possible de trouver une passerelle entre la tradition léguée et la modernité.

Pour parvenir au but visé par cette réalisation, les petits gobelets étaient pour la finition garnis de filets de sole ainsi que d'une farce délicate aux fines herbes enrichie de morilles et pochés au bain-marie.

Les timbales sont dressées sur une sauce au vin blanc et, pour terminer, nanties de morilles. Les boulettes prévues pour un accompagnement consistant sont une combinaison de dés fins de légumes et de riz complet.

Tiger prawns „Changi Bay"

Der erste Eindruck, den man bei dieser Arbeit gewinnt, ist, daß sich der Verfertiger mit seinem Ausstellungsangebot von Tiger prawns, einer besonders großen Riesengarnelenart, einer zeitgemäßen Darbietung anpaßt und sich auch im Serviertechnischen auf reine Zweckmäßigkeit einstellt.

Die ansprechend in der Einfachheit der Anrichteweise und doch in vollendeter Marnier dargebotenen Krustentiere sind zunächst im Rohzustand aus ihrem Panzer gelöst und entdarmt, dann mit Hilfe eines Speils in die Länge gestreckt, in Lachsfarce und Noriblätter eingeschlagen und auf den Punkt pochiert.

Sie sind auf einer mit chinesischen Morchelstreifen versehenen Sauce angerichtet und mit Kartoffeln sowie einer tournierten Rübchen- und Karottenmischung tischfertig gemacht.

Tiger Prawns "Changi Bay"

The first impression gained from this piece of work is that, that the exhibitor with his display-piece of "tiger prawns", a particularly large type of giant shrimp, had adapted himself to a modern-day presentation, employing in this instance, as well, serving techniques that are solely directed towards practicability.

The crustacean animals, offered in an appealing method of serving, and this, with simplicity, and yet in a perfected fashion, have first been boned in their natural state from the shell and cleaned within. The next step was to lay them out in their lengths with the aid of a wooden stick, to wrap them up in forcemeat and Nori leaves, and to poach them to the right point.

They are offered on a sauce, provided with strips of Chinese morels, and have been made ready to serve with potatoes, as well as with carrots, shaped into decorative shapes, and a carrot mix.

Tiger Prawns «Changi Bay»

La première impression provoquée par cette réalisation est que le confectionneur, avec son offre exposée de bouquets tigrés (une espèce de crevette particulièrement imposante), se conforme à une présentation contemporaine et qu'il se règle également sur le caractère purement pratique de la technique de service.

Les crustacés, présentés avec attrait dans la simplicité de leur mode de dressage et pourtant de manière achevée, sont tout d'abord décortiqués et vidés à l'état cru. Au cours de l'opération suivante, ils sont étirés à l'aide d'une brochette en bois, enveloppés dans une farce de saumon et des feuilles de Nori et pochés à point.

Ils sont dressés sur une sauce nantie de lamelles de morilles de Chine et apprêtés pour la table avec des pommes de terre ainsi qu'un mélange de petits raves tournés et de carottes tournées.

Rendezvous on parade

Sehr appetitlich werden hier Meeresfrüchte dargeboten. Auf einer ovalen Platte, auf Sauce Newburgh angerichtet, sieht man eine geschmacklich interessante Zusammenstellung von Krevetten, Scampi, schlankem Hummer wie auch Muscheln. Sie ist mit buntem Reis komplettiert.

Wir gehen nicht auf jede Einzelheit dieses Exponats ein, damit wir uns in unseren unzähligen Kommentaren nicht allzusehr wiederholen. Daß die Arbeit jedoch von uns eine Würdigung findet, beweist die Aufnahme in dieses Werk.

Rendez-vous on Parade

This dish of fruits of the sea offered, was very appealing. Served on an oval-shaped platter, and on a sauce Newburgh, a tasteful and interesting composition is to be seen here, including crevettes, scampi, a slender lobster as well as mussels, which have been complemented with colorful rice.

If we neglect going into all the single details of this exhibit, then this is only done, so as not to repeat ourselves all too often in our numerous comments. That this piece of work, however, is worthy of praise, can be seen from the picture of the next piece of work.

Rendez-vous on parade

Ce service de fruits de mer était présenté de manière très appétissante. Dans un plateau ovale et dressé sur de la sauce Newburgh, on peut voir une intéressante combinaison de crevettes, de scampi, de homard filiforme ainsi que de moules, complétée par un riz coloré.

Nous n'analyserons pas davantage toutes les caractéristiques de cet objet, afin de ne pas trop nous répéter dans nos innombrables commentaires. Son admission dans l'ouvrage présent prouve de toute façon que nous avons apprécié la réalisation.

Gefüllte Seezungenfilets

Der Verfertiger dieses einfallsreichen Fischgerichts, läßt sich mit seiner Arbeit von dem Grundsatz leiten, daß warm gedachte und kalt ausgestellte Restaurationsgerichte, die ja durchaus zum Erlebnisfeld der Gastronomie gehören können, einfallsreich und kreativ sein müssen.

Die zur Schau gebrachten und geschickt gefüllten Seezungenfilets, auf einer Unterlage von Curryrahm angerichtet, die Mandelkroketten und die pochierten, mit Pistazienfarce gefüllten Äpfel lassen, wie wir meinen, keine Wünsche offen.

Filled Fillets of Sole

The exhibitor of this ingenious fish dish allowed himself to be guided by the principle that gastronomic dishes, intended to be served warm, and displayed in a cold state, which can most certainly be an experience in itself in the art of cookery, have to be imaginative and creative.

The fillets of sole made for display purposes, and skillfully filled, then served on a foundation of curry cream, the almond croquettes and the poached apples, filled with pistachio forcemeat, were made in our opinion to utter perfection.

Filets de sole fourrés

Avec sa réalisation, l'exposant de ce plat bien inspiré s'est laissé guider par le principe selon lequel les plats de restaurants conçus chauds et exposés froids, qui peuvent parfaitement s'intégrer au champ d'expérience de la gastronomie, doivent être imaginatifs et créatifs.

A notre avis tous les désirs étaient comblés par les filets de sole présentés et adroitement fourrés, dressés sur une couche de crème au curry, par les croquettes aux amandes et les pommes pochées, fourrées de farce aux pistaches.

Pomfeg in Ingwercreme

Auch wenn dieses orientalische Gericht durch die Vielfalt seiner Garnituren und Umlagen wie überbackener Fenchel, gefüllte Pimientos, Pilze und weiße Rübchen vorab den Betrachter besticht, so muß der völlig verdeckte Fisch, der ja im Grunde dem Gericht den Namen gibt, als ein vermeidbarer Mangel betrachtet werden. Ein Mangel, der im Interesse des Betrachters abzustellen ist, denn gerade dieser ist in erster Linie an einer umfassenden Information interessiert.

Pomfeg in Ginger Cream

Even if this oriental dish with its various arrangements and outlays, like for example, the fennel au gratin, filled pimentos, mushrooms and white turnips, did at first make a deep impression, it has to be said here that the totally covered fish, which actually designates the food dish, has to be considered an avoidable flaw.

A flaw, which in the interest of the viewer, can be removed, for it is precisely he, who is primarily interested in receiving extensive information.

Pomfeg dans une crème au gingembre

La dissimulation complète du poissons qui donne en fait son nom au plat doit être considérée comme une erreur évitable, même si ce mets oriental séduisait d'abord l'observateur par la diversité de ses garnitures et accompagnements tels que du fenouil gratiné, des piments fourrés, des champignons et des petits navets.

Une faute à corriger dans l'intérêt du spectateur, car justement celui-ci est en premier lieu intéressé par une information exhaustive.

Heilbutterrine im Lauchmantel „Sankt Francis"

Durch ein zur Wirkung gebrachtes dezentes Farbenspiel, dessen sich der Verfertiger der hier offerierten Arbeit bedient, wird das Fischgericht, auch wenn ihm die begleitende Sauce fehlt, zu einem gefälligen und wohlgestalteten Bild.

Mit diesem Angebot ist auf eine reine Sachlichkeit in der heutigen Ausstellungstechnik hingewiesen, die nicht allein die Herstellung betrifft, sondern sich auch vom Ballast vergangener Zeiten löst. Solches anzumerken ist ein Gebot unserer Zeit, die in diesem Gericht ihren Ausdruck findet.

Das für die Zubereitung in seiner Länge ausgelöste und aufgeschnittene Heilbuttfilet ist mit einer Farce versehen, in der Spinat und Pfeffer dominieren. Das Ganze wird in gebrühten Lauch eingeschlagen, stramm in ein Tuch gebunden und in Fischfond auf den Punkt gegart.

Halibut Tureen in a Leek Coat "Saint Francis"

Through an effective demonstration of a subtle play of colors, which was made use of by the exhibitor of the piece of work offered here, this fish dish developed into a pleasing and well-arranged show-piece, even if the accompanying sauce was missing.

With this offer, pure practicability is stressed in the present method of exhibiting, which not only applies to its preparation, but also to having relieved the burden of past times. Doing just this, is an absolute must in our age, and which is demonstrated with this food dish.

To prepare this dish, the halibut fillets have been boned in their lengths and cut up, then provided with a forcemeat, which mainly comprised spinach and pepper. The whole piece was then wrapped in briefly stewed leek, tied firmly in a cloth, and cooked in a fish gravy to the right point.

Terrine de flétan enrobée de poireau «Saint Francis»

Grâce au jeu de couleurs délicat et expressif utilisé par le confectionneur de la réalisation présentée ici, le plat de poisson constituait un tableau plaisant et parfaitement façonné, même en absence de sauce d'accompagnement.

Cette offre indique une sobriété absolue, dans la technique d'exposition d'aujourd'hui, qui ne concerne pas uniquement la confection mais qui affranchit également de la charge du passé. Cette constatation représente le commandement de l'époque, qui s'exprime par ce mets.

Le filet de flétan, détaché longitudinalement et découpé pour la préparation est nanti d'une farce où dominent le poivre et les épinards. Le tout est enveloppé dans du poireau ébouillanté, fermement lié dans un linge et cuit à point dans un fond de poisson.

Seezungenfilet „Florentine"

Mit der nebenstehenden Darstellung ist ein weiterer Beweis erbracht, daß auch Restaurationsgerichte von guter Wirkung sein können.

Zusammenstellung und Farbenspiel ergänzen sich bei diesem Sujet vorzüglich. Es besteht ein gutes Verhältnis zwischen dem in Spinatblättern eingeschlagenen Fischanteil, seiner Sauce und der Umlage.

Die zur Verwendung gekommenen Beilagen, die das Gericht vervollständigen und beleben, bestehen aus getrüffelten Glasnudeln, gedünsteten Gurken und Riesengarnelen.

Fillet of Sole "Florentine"

With the presentation published next, further proof is produced that gastronomic dishes, too, can be very effective.

Excellent composition and a play of colors were evidenced here in the case of this piece of work, and this, in a complementary relation between the fish portion, wrapped in spinach leaves, its sauce, and the outlay chosen.

The trimmings that were used, and which perfected and enlivened the dish, comprise truffled glass-noodles, stewed cucumbers and giant shrimp.

Filet de sole «Florentine»

La présentation publiée ci-contre démontre encore une fois que même des plats de restaurants peuvent faire bonne impression.

Pour ce sujet, la composition et le jeu des couleurs se complètent dans de très bonnes proportions entre la part de poisson enveloppée dans des feuilles d'épinards, sa sauce et l'arrangement.

Les accompagnements utilisés qui parachèvent et animent le plat se composent de pâtes de riz truffées, de concombres étuvés et de bouquets.

Tendron de veau glacée

Wenn man davon ausgeht, daß bei einer Kochkunst-schau es im wesentlichen darauf ankommt, die fachge-rechte Bearbeitung gleich welchen Materials und die Geschicklichkeit beim Anrichten zur Geltung zu brin-gen, so wird man nebenstehender Arbeit das Gelingen nicht absprechen können.

Die in ansprechender Form gebratenen und glasier-ten Kalbstendrons sind auf einer klaren Jus angerichtet und begleitet von mit Pfifferlingen gefüllten, gedünste-ten Tomaten wie auch von Tranchen einer gefüllten Wirsingroulade.

Tendron de veau glacés

Assuming that at a cookery show it is of primary im-portance that specialized preparation, regardless of the material used, and adeptness in serving are the main fea-tures, then it can be said of this piece of work that the exhibitor succeeded in accomplishing just that.

The veal tendrons, roasted and glazed in an appeal-ing fashion are accompanied with stewed tomatoes, filled with chanterelles, as well as with cuts of filled cabbage rolls.

Tendrons de veau glacés

En considérant qu'il s'agit avant tout, lors d'une ex-position d'art culinaire, de mettre en valeur un travail qualifié, quels que soient les ingrédients, et la dextérité d'un dressage, il sera impossible de contester la réussite de la réalisation ci-contre.

Les tendrons de veau, frits et glacés sous une forme agréable, sont dressés sur un jus clair et accompagnés de tomates étuvées fourrées de chanterelles ainsi que de tranches d'une roulade de chou frisé.

Schweinerücken „Estrella"

Wenn wir auch zugeben müssen, daß sich mit Schau-platten größere Effekte als mit Restaurationsplatten er-reichen lassen, so ist doch sicher, daß Fachleute auf ei-ner Kochkunstschau das Restaurationsgericht am mei-sten suchen, um Studien zu machen.

Auch der nebenstehende Schweinerücken gibt, so-wohl in der Auswahl der Rohstoffe wie auch in der An-richteweise, eine lohnende Anregung, die sich nicht al-lein auf den materiellen Wert der Rohstoffe bezieht, sondern auch mit der Zubereitung und der Präsenta-tion bietet.

Saddle of Pork "Estrella"

Even if we have to admit that greater effects can be achieved with show platters, it is a certainty that the ex-perts that go to exhibitions, and who usually look for gastronomic dishes, do so to make rewarding discov-eries.

Thus, also the piece of work shown, the saddle of pork, provides the viewer with valuable suggestions not only in the selection of raw materials, but also in the method of serving; in which case, however, it is to be noted here that the suggestion does not necessarily have to be seen in the material value of the raw mate-rials, but can truly be realized in preparation and pre-sentation.

Selle de porc «Estrella»

S'il faut reconnaître que des effets spectaculaires peuvent être obtenus avec des plateaux présentés, il est pourtant évident que les spécialistes qui fréquentent les expositions recherchent en priorité le service de restaurant pour accomplir des études fructueuses.

La selle de porc ci-contre procure ainsi une stimula-tion intéressante, tant par le choix des ingrédients que par le mode de dressage. Il faut à ce sujet remarquer que l'incitation ne doit pas forcément se rapporter à la va-leur matérielle des ingrédients, mais qu'elle peut égale-ment se réaliser dans la préparation et la présentation.

Kalbspiccata „Landhus"

Je einfacher und je sachlicher angerichtet wird, um so perfekter in der Zubereitung sollte sich das Exponat selbst darstellen.

Wenn Ausstellungsstücken wie dem nebenstehenden Piccata, dessen Garnitur und Umlage aus Brokkoliröschen, gebröselter Kartoffelroulade, Trüffelstreifen wie auch aus marinierten Gemüsen besteht, von kritischen Betrachtern eine Verflachung nachgesagt wird, so teilen wir diese Meinung nicht.

Wir sehen in diesem Bestreben zur Vereinfachung eine brauchbare Anpassung an die Jahreszeit.

Veal Piccata "Landhus"

The simpler and more practical a dish is served, the more perfected it should be made to be by the exhibitor in preparation.

When display-pieces, such as that shown here, whose arrangement and outlay includes broccoli roses, potato-crumb rolls, truffle strips, as well as marinated vegetables, are said to fall flat — this being seen from the standpoint of critical viewers — then we do not share this opinion.

In this endeavor we see a broad basis that can be employed, and which can at any time lead to simplicity and flexibility.

Piccata de veau «Landhus»

Plus un dressage est simple et qualifié et plus l'objet lui-même devrait offrir la perfection dans sa préparation.

Nous sommes en désaccord avec la controverse selon laquelle des observateurs critiques font état d'un affadissement avec des pièces d'exposition telles que la piccata ci-contre dont la garniture et l'accompagnement se composent de rosettes de broccoli, de roulade de pommes de terre émiettées, de lamelles de truffe ainsi que de légumes marinés.

Nous voyons dans cette aspiration un point de départ utilisable, qui peut conduire à une simplification et à une adaptation aux contingences actuelles.

Roulade von Putenbrust und Tranchen von gefülltem Hasenrücken

Wir haben schon in Band 1 dieses Werkes erwähnt, daß die warm gedachten Restaurationsplatten, wenn sie mit der nötigen Sorgfalt gefertigt sind, instruktive und reputierliche Arbeiten darstellen.

Ergänzend muß noch gesagt werden, daß durch das jeweils gewählte Servicegeschirr, sei es aus Porzellan, Kupfer, Glas oder Silber, die Wirkung des offerierten Arrangements verstärkt werden kann.

Mit den beiden hier vorgestellten Arbeiten wird eine ansprechende Leistung in die Konkurrenz gebracht.

Neben der Fertigung von Putenbrust und Hasenrük- ken gefallen die einfachen, aber ansprechenden Garnituren von naturbelassenen Gemüsen bei der Roulade und von Waldpilzen beim Hasenrücken.

Turkey-Breast Meat Roll and Cuts of Filled Saddle of Rabbit

It was already in Volume 1 of this publication that we mentioned the fact that the gastronomic platters, intended to be served warm, represent instructive and reputed pieces of work, if they are prepared with the necessary care.

It has to be added here that in selecting the respective kind of plate, be it made of porcelain, copper, glass or silver, the arrangement offered can quite certainly gain on effectiveness.

In the instance of the two pieces of work presented here, it can be seen that an appealing display-piece was brought into the contest.

Besides the preparation of the turkey-breast and the saddle of rabbit, the simple and yet appealing arrangements of vegetables, left in their natural state, for the meat roll, and the forest mushrooms in the case of the saddle of rabbit found great appreciation.

Roulade de blanc de dinde et tranches de râble de lièvre fourrées

Nous avons déjà mentionné au commencement du tome 1 de cet ouvrage que les plats chauds de restaurants représentent un travail instructif et digne d'être recommandé, lorsqu'ils sont confectionnés avec le soin nécessaire.

Pour être complet, il faut encore ajouter que l'arrangement proposé pourrait être notablement rehaussé par une vaisselle de service choisie en conséquence, qu'elle soit de porcelaine, de cuivre, de verre ou d'argent.

Avec les deux réalisations présentées ici, on peut constater que c'est une prestation engageante qui prend place parmi la concurrence.

Les garnitures simples mais attrayantes, de légumes préparés nature pour la roulade et de champignons des bois pour le râble de lièvre, étaient plaisantes, auprès de la confection de blanc de dinde et de râble de lièvre.

Schweinelendchen im Wirsingmantel

Die hier offerierten Schweinelendchen, im Wirsing-mantel zubereitet, haben den Vorzug einer ungekün-stelten, d. h. natürlichen Darbietung, und gerade darin liegt der Wert dieser Arbeit.

Die leicht angebratenen Schweinelendchen, mit fei-nen Kräutern gewürzt, mit einer zarten Farce eingestri-chen und mit hauchdünnen Speckscheiben versehen, werden in gebrühte Wirsingblätter sowie ein Schweins-netz eingeschlagen und vorbildlich rosa gebraten.

Hier sind sie auf leicht gebundener Madeirajus ange-richtet und haben eine ergänzende Garnitur von mit Pilzen gefüllten Fenchellöffeln und gebratenen Schupf-nudeln.

Fillet of Pork in Savoy Cabbage Coat

The loins of pork offered here, and prepared in a sa-voy cabbage coat, featured an inartificial and natural presentation, and should it not be said that the value of a piece of work should lie just in that?

The slightly roasted loins of pork, flavored with fine herbs, given an exquisite forcemeat and provided with paper-thin slices of bacon, were folded — this is the next step — into cooked savoy leaves, as well as a pork mousseline, and excellently roasted to a pink color.

They are served on slightly thickened Madeira juice and include an additional outlay of fennel spoons filled with mushrooms and croquettes.

Filet de porc enrobé de chou frisé

Les petits filets de porc offerts ici, préparés dans un enrobage de chou frisé, avaient l'avantage d'une présen-tation sans artifices et naturelle et ne devrait-on pas af-firmer que c'est justement ce qui fait leur valeur?

Les petits filets de porc saisis, épicés aux fines herbes, enduits d'une farce tendre et nantis de très minces tranches de lard sont, au cours de l'opération qui suit, enveloppés dans des feuilles de chou frisé blanchies ainsi que dans une crépinette de porc et poêlés de façon exemplaire.

Ils sont dressés sur un jus au Madère légèrement lié et possèdent une garniture complémentaire de cuillerées de fenouil fourrées de champignons et de «schupfnu-deln» frites.

Truthahnbrustroulade „Mount Faber"

Es ist sicher keine neue Erkenntnis, wenn wir betonen, daß auch Restaurationsgerichte viele neue Anregungen geben. Daß dabei nicht jeder Versuch gelingen kann, sollten unvorbereitete und allzu sorglos agierende Aussteller bedenken.

Eine klare Vorstellung seines Themas – übrigens etwas, was zur Ausstellung gehört – hat der Gestalter der gefüllten Truthahnbrustroulade.

Die Füllung besteht aus einer Einlage von blanchierten Spinatblättern und einer feinen Fleischfarce, die mit einer reichen Zugabe von Lotosnüssen ergänzt ist. Die

Paprikaschoten mit ihrer Füllung von Melonenkugeln und die leicht kolorierten rhombischen Grießschnitten sind die dazugehörende Umlage.

Turkey-Breast Meat Roll "Mount Faber"

It certainly does not entail a new recognition when we emphasize that gastronomic dishes contribute a great deal towards awaking new ideas. That not every attempt can be successful is an aspect, however, that exhibitors, who are unprepared and who work in an all too disconcerned manner, should take into consideration.

The exhibitor of this filled turkey-breast meat roll had a clear conception of his subject — by the way, a point, that just happens to be of importance at an exhibition.

The filling consists of an addition of blanched spinach leaves and a delicious forcemeat, which has been

completed with a topping of Lotus nuts. The paprika pods with a filling of melon balls and the slightly colored rhombuses of grit-slices are the outlays that are adequately chosen here.

Roulade de blanc de dindon «Mont Faber»

Il n'est certes pas nouveau d'insister sur le fait que les mets de restaurants contribuent pour une grande part au renouvellement de l'inspiration. Les exposants mal préparés et agissant avec par trop d'insousiance devraient considérer que toute tentative ne peut se transformer en réussite.

Le confectionneur de la roulade de blanc de dinde fourrée avait imaginé son thème avec clarté, aujourd'hui du reste un point acquis pour les expositions.

Cette roulade est fourrée d'une garniture de feuilles d'épinards blanchies et d'une fine farce de viande complétée par une abondante quantité de noix de lotus. Les

poivrons fourrés de boules de melon et les losanges, légèrement colorés, de tranches de semoule forment l'accompagnement.

Zickleinrücken „Heidi"

Der Verfertiger dieses Angebots ist bestrebt, daß es einem Gast leichtgemacht wird, wenn er sich von der Platte bedienen soll.

Wie aus dem Bild ersichtlich, läßt er das Gericht portionsweise aufgeteilt in Erscheinung treten. Er kommt damit dem Konsumenten entgegen. Ferner macht der Gestalter deutlich, daß auch mit sparsamsten Mitteln, sofern die Materialbehandlung beherrscht wird, Ausstellungsarbeiten geschaffen werden können.

Saddle of Kid "Heidi"

The exhibitor of this offer gave some thought to: how simple can it be made for the guest, if he wants to help himself from a platter?

As can be seen from the picture, an endeavor was made to have the dish have a striking appearance, and this, by dividing it up proportionately. By doing this, something very valuable was offered the consumer. Apart from this, the exhibitor made it clear that even with economical means, inasmuch as a mastery of material preparation exists, display-pieces can be created.

Selle de chevreau «Heidi»

Le confectionneur de cette présentation s'est posé la question suivante: Comment faciliter la tâche à un client qui doit se servir sur le plateau?

Comme le montre l'illustration, on s'est efforcé de mettre en évidence le mets, découpé en portions. Ainsi le consommateur dispose d'une offre précieuse. En outre le confectionneur révélait que des travaux d'exposition peuvent également être créés avec des moyens réduits, dans la mesure où est maîtrisé le traitement des ingrédients.

Chinesischer Yünnan-Schinken „Vagabond"

Beim Anblick des sauber ausgeführten Yünnan-Schinkengerichts staunt jeder Betrachter über die Präsentation. Die hier demonstrierte Aufmachung dieses chinesischen Spezialgerichts wird bei einer Kochkunstschau sowohl von den Fachleuten wie auch von den Laienbetrachtern eingehend gewürdigt.

Der originale Yünnan-Schinken ist ein mit Salz, Zimt, Salamblättern und Knoblauch gepökelter Schinken des chinesischen Maskenschweins. Er wird für die Zubereitung in Reiswein mit der Zugabe einer reichen Menge Orangenschalen gekocht und für die Auskühlung in eine Form gepreßt.

In der nebenstehenden Anrichteart ist der aufgeschnittene Schinken mit einer klaren Jus untergossen und hat eine Beigabe von gerösteten Schnittlauchblüten und Tofu, der einmal mit Karamel und einmal mit Kurkuma versehen ist.

Tofu ist ein aus Sojabohnenmilch gewonnener Käse, der in den ostasiatischen Ländern zu den Spezialitäten gehört.

Chinese Yunnam Ham "Vagabond"

When having viewed the well prepared Yunnam ham dish, certainly everyone was astonished at its presentation. For the arrangement of this special Chinese dish, demonstrated here, was not only entirely appreciated by experts, but by laymen as well.

Yunnam ham is conventially a pickled ham of the Chinese masque pig, prepared with salt, cinnamon, Salam leaves, and garlic. For preparation, it is cooked in rice-wine, including a large quantity of orange peels, and pressed into a mould for cooling.

In the method of serving this piece of work, it is also required that the cut-up ham is soaked in a clear juice, provided with a trimming of roasted chive blossoms and Tofu, which in one instance has been provided with carmel, and in the other with curcuma. The Tofu mentioned is a bean curd, which falls under one of the delicacies in East-Asian countries.

Jambon chinois de Yunnam «Vagabond»

A la vue du plat soigneusement exécuté de jambon de Yunnam, chaque spectateur était bien surpris par sa présentation. Car la tenue démontrée ici par ce mets spécial chinois fut aussi profondément appréciée des spécialistes que des observateurs profanes.

Le jambon de Yunnam est à l'origine un jambon de sanglier masqué chinois, macéré dans une saumure avec du sel, de la cannelle, des feuilles de salam et de l'ail. La préparation comporte une cuisson dans du Saké auquel est ajouté une grande quantité d'écorces d'oranges, ainsi qu'un pressage en moule, après refroidissement.

Dans le mode de dressage ci-contre, le jambon découpé est arrosé d'un jus clair, pourvu d'un accompagnement de fleurs de ciboulette grillées et de tofou qui est nanti soit de caramel soit de curcuma. Le tofou en question est un fromage blanc de haricots qui compte au nombre des spécialités des pays de l'Asie du Sud-Est.

Lammrücken auf moderne Art

Die Zusammenstellung des nebenstehenden Restaurationsgerichts ist mit seiner originellen Gemüse- und Kartoffelgratinumlage von ansprechendem Gepräge. Der Verfertiger der Arbeit hat nichts unterlassen, um ein wirkungsvolles Bild zu schaffen.

Auf ovaler Platte angerichtet und mit leicht gebundener Jus übergossen, macht die Zusammenstellung in der Art ihrer Darbietung einen sehr guten, wenn nicht sogar einen nachhaltigen Eindruck. Es ist anzunehmen, daß so mancher Ausstellungsteilnehmer für seine eigene Praxis davon profitiert.

Saddle of Lamb "Modern Style"

The composition of the gastronomic dish shown here next, which was designated "modern style" is distinctly appealing with its originally stylized vegetables and outlay of potato gratin. The exhibitor of this piece of work omitted nothing to create an effective picture.

Served on an oval-shaped platter, and soaked in a thickened juice, this composition gave a very good impression in the manner in which it was presented, perhaps even a lasting impression, and it is to be assumed that one or other exhibitor has profited from it in practice.

Selle d'agneau à la mode d'aujourd'hui

La composition du plat de restaurant ci-contre, dénommé selle d'agneau «à la mode d'aujourd'hui», possède un cachet plaisant avec son accompagnement original de gratin de pommes de terre et de légumes. L'auteur de la réalisation n'a rien négligé pour créer un tableau attirant.

Dressée sur un plateau ovale et arrosée avec un jus légèrement lié, la composition dégageait une impression excellente, pour ne pas dire persistante; et il est à supposer que plus d'un participant à l'exposition aura su en tirer profit pour sa pratique personnelle.

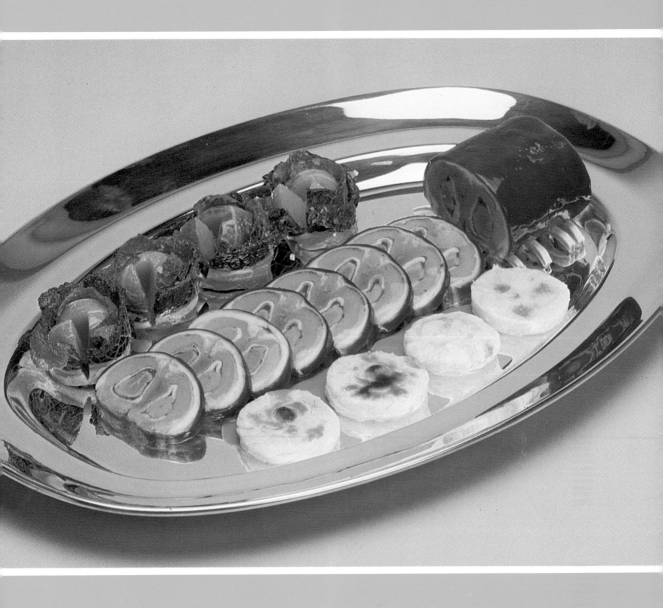

Lammsattelstück „Sabie-Sabie"

Wir haben wiederholt darauf hingewiesen, daß ein einfallsreich zusammengestelltes Restaurationsgericht keine minder gute Beurteilung gegenüber einer Schauplatte erfährt, wie oft angenommen wird. Daß diese Ausstellungsform für den nach jeder Neuheit suchenden Fachmann attraktiv sein kann, bestätigt sich durch unser Bildmaterial.

Der ausgelöste und parierte Lammsattel erhält für seine Fertigung eine zarte Farcefüllung, die mit einer Einlage von Lammzunge und Lammfilet angereichert ist. Das aufgeschnittene Fleisch ist mit einer Rotweinsauce umkränzt und hat eine Garnitur von Brokkoliflans, die mit geschmolzenen Tomaten auf einer gebackenen Unterlage angerichtet sind.

Piece of Saddle of Lamb "Sabie—Sabie"

We have repeatedly pointed out that a gastronomic dish, that has been composed with a great deal of imagination, is not given a poorer assessment than the other show-platters, this very often being the general assumption.

Our illustration confirms that this form of display can be attractive to experts looking for any sort of novelties.

For preparation the boned and carved saddle of lamb was given a deliciously flavored forcemeat filling, which was enriched with an addition of lamb-tongue and lamb fillet. The cut-up meat is wreathed in a red-wine sauce, and includes an arrangement of broccoli, that is served with stewed tomatoes on a baked foundation.

Pièce de selle d'agneau «Sabie-Sabie»

Nous avons déjà indiqué à plusieurs reprises qu'un plat de restaurant composé avec imagination ne fait pas l'objet d'une appréciation dévaluée par rapport aux plats d'expositions, comme cela est souvent supposé. Nos illustrations confirment que cette forme d'exposition peut être attrayante pour le spécialiste à l'affût de chaque nouveauté.

La selle d'agneau, détachée et parée, est, pour sa finition, fourrée d'une farce tendre, enrichie d'une garniture de langue et de filet d'agneau. La viande découpée est entourée d'une sauce au vin rouge et possède une garniture de flans de broccoli, dressés avec une fondue de to'ates sur un socle cuit au four.

Gefülltes chinesisches Seidenhuhn „Chinatown"

Bei der Betrachtung dieser exotischen Arbeit, die bei der Fachwelt ein ungeahnte Resonanz findet, wird man im ersten Augenblick an eine schlechte Farbwiedergabe denken, aber dem ist keinesweg so. Wie der Verfertiger glaubhaft erklärt, hat die Haut dieser mit seidigen Federn behafteten Züchtung von Natur aus eine schwarz-graue Pigmentierung.

Für die Zubereitung wird dem Vogel im rohen Zustand der Brustknochen entfernt und der entstandene Hohlraum mit einer Farce gefüllt, die mit Lotosnüssen durchsetzt ist.

Zur weitgehenden Erhaltung seiner interessanten Schattierung ist das Huhn pochiert und für die Präsentation im Anschnitt gezeigt. Die hier demonstrierte Aufmachung, deren Idee als positiv bezeichnet werden kann, ist dennoch nicht ohne Widerspruch zu akzeptieren, denn mit Sicherheit ist das Gericht in einer zu reichen Menge angerichtet.

Filled Chinese "Silk"-Hen "China Town"

When viewing this exotic piece of work, which had received an all-around, positive reaction of experts, one will at first glance believe to see a poor reproduction of color, but this is by no means the case at all.

As the exhibitor plausibly explained to us, the skin of this species, which is covered with silk feathers, has by nature a black-gray pigmentation. For preparation the breastbone of the bird was removed in its raw state, and the hollow section left was filled with a forcemeat, comprising Lotus nuts.

To largely preserve its interesting shade of color, the hen was poached and then for presentation was shown in a cut state. The display demonstrated here, the idea of which can be given a plus-mark, is, nevertheless, not to be accepted without contradiction. For most certainly the dish was served in too rich a quantity.

Poule chinoise satinée, fourrée «China Town»

L'examen de cette réalisation exotique, qui rencontra un très bon accueil auprès des spécialistes, faisait au premier abord penser à une mauvaise reproduction en couleurs, mais il n'en est nullement ainsi.

Le confectionneur expliquait, de manière digne de foi, que la peau de cette race, caractérisée par des plumes soyeuses, possède par nature une pigmentation grise-noire. Pour la préparation, l'os de la poitrine de l'oiseau cru est retiré et le vide obtenu est fourré d'une farce entremêlée de noix de lotus.

La poule est pochée pour bien conserver son intéressant dégradé de couleurs et est présentée en coupe. La tenue démontrée ici, dont l'inspiration peut être qualifiée d'enrichissante, ne peut cependant être acceptée sans restrictions; car le plat était certainement dressé en trop grande quantité.

Netzgericht von Kaninchenfilets „Wipptal"

Daß die Stärke einer warm gedachten Restaurationsplatte in der einfallsreichen und gefälligen Anrichteweise liegt, ist eine allgemein gültige Regel.

An diesem hier offerierten, mit Blattspinat unterleg-
ten Netzgericht kann man feststellen, daß es sich bei
dem Angebot um etwas Ansprechendes handelt, denn
appetitlicher können die auf geschmolzenen Tomaten
angerichteten Tranchen mit ihrer Beigabe von gebratenen Polenta-Rundlingen und den kleinen Gemüsen
kaum serviert werden.

Mousseline of Rabbit Fillet "Wipptal"

That the strength of a gastronomic platter, intended
to be served warm, lies in ingenuity and a pleasing
manner of serving, is a generally accepted rule.

It can be seen from the dish offered here, placed on
spinach leaves, that it involves an offer, which has a definite appeal. For the cuts, served on stewed tomatoes,
with an addition of roasted Polenta rondelle and small
vegetables, can scarcely be offered in a more appetizing
form.

Mets en crépinette de filet de lapin «Wipptal»

Le fait que le point fort d'un plat de restaurant chaud
se trouve dans un dressage inspiré et plaisant constitue
une règle universelle.

Comme on peut le constater, cette offre est attirante
avec le mets en crépinette présenté ici sur une couche
d'épinards en branches. En effet, les tranches, dressées
sur une fondue de tomates, ne pourraient qu'à peine
être servies de manière plus appétissante, avec leur accompagnement de rondelles de polenta frites et les petits légumes.

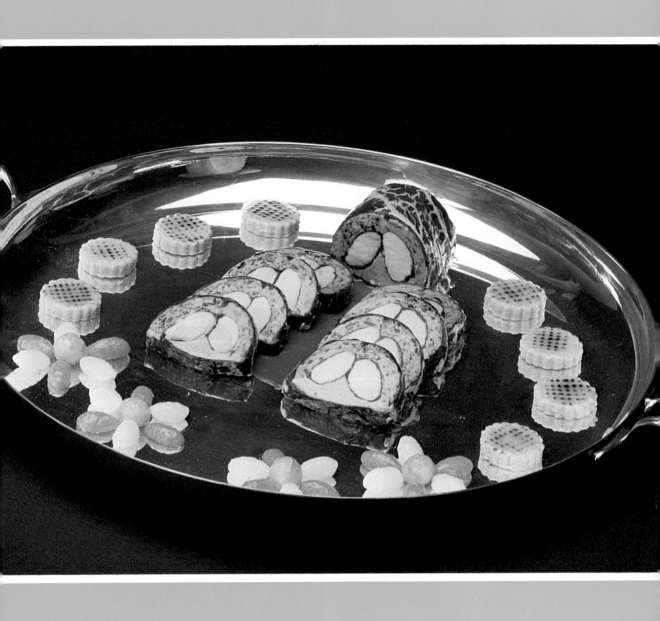

Mit Pistazien gefüllter Kalbssattel „International"

Dieses warm gedachte Gericht zählte mit zu den anschauungswerten Arbeiten. Durch die mit der Pistazienfüllung des Sattels erreichte Farbharmonie trägt es den Stempel einer modernen und zeitgemäßen Aufmachung. Das Ganze ist zu einem anschaulichen Bild gestaltet.

Auch die Gemüserosette und die weiteren Umlagen weisen auf eine solide Sachlichkeit hin, die gleichermaßen den Service wie auch die Herstellung des Objektes betrifft.

Saddle of Veal Filled with Pistachios "International"

This food dish, intended to be served warm, classed with those pieces of work that were attractive to look at. Through the harmony in color, brought about by the pistachio filling of the saddle, the exhibit bore the stamp of a modern and present-day oriented presentation, and lent to the expressive appearance of the entire dish.

With the vegetable rosette, too, and the other outlays, sound functionalism is stressed, which applies to the same degree to both the serving method and to the preparation of the food dish.

Selle de veau fourrée avec des pistaches «International»

Ce service conçu chaud était au nombre des réalisations remarquables. Avec l'harmonie en couleurs suscitée par le contenu de pistaches de la selle, l'objet portait la marque d'un façonnage moderne et actuel et l'ensemble constituait un tableau agréable à l'œil.

Une sobriété solide, s'appliquant aussi bien au service qu' à la confection de l'objet, est également révélée par la rosette de légumes et les autres garnitures.

286

Gerollte Lammlaffe nach serbischer Art

Jede Kochkunstschau – insbesondere die IKA – zeigt, was gut, vorbildlich und zeitgemäß ist.

Auffallend ist, daß die Mehrzahl der Aussteller sich neuerdings an einer übersichtlichen Linie orientiert. Dadurch haben viele Fachbetrachter Gelegenheit, aus der Praxis für die Praxis zu lernen, sozusagen aus dem vollen zu schöpfen.

Das repräsentative Restaurationsgericht einer hohl ausgelösten, gerollten und perfekt gebratenen Lammschulter mit gemischten bunten Bohnen und Polentabeigabe läßt keinen Zweifel darüber aufkommen, daß der Verfertiger keine Mühe gescheut hat, den Betrachtern das zu bieten, was dem Rahmen der Ausstellung angepaßt ist.

Rolled Lamb, Serbian Style

As far as the IKA is concerned, and this, in connection with the cookery show, it was shown here what is good, what is exemplary, and what is modern.

Striking to see was, too, that the majority of the exhibitors adapted themselves to the task of creating a clear line. In this way, many experts had the opportunity, so to speak, to draw the most from the cornucopia of practice, and this, for everyday practice.

This representative gastronomic dish of shoulder of lamb, which was carved hollow, rolled, and then perfectly roasted, including a mixed, bright bean and Polenta trimming, left no doubt whatsoever that the exhibitor made every possible endeavor to offer just that which fits into the scope of such a show.

Epaule d'agneau roulée «à la mode serbe»

L'IKA et sa présentation d'art culinaire proposent ce qui est bon, exemplaire et actuel.

Il était également frappant de constater que la majorité des exposants se tenait à une ligne claire. Ainsi de nombreux observateurs spécialisés avaient l'occasion de puiser, pour ainsi dire à pleines mains, dans la pratique pour la pratique.

Le plat de restaurant représentatif ne laissait subsister aucun doute sur le fait que le confectionneur n'avait pas menagé ses efforts pour offrir à l'observateur ce qui est adapté dans le cadre d'une exposition, avec cette épaule d'agneau entièrement détachée, roulée et frite à la perfection et son accompagnement panaché et coloré de haricots et de polenta.

Warm gedachte Geflügelterrine auf mildem Püree von Pfefferschoten

An der Präsentation dieses Gerichts ist abzulesen, daß dabei in erster Linie die Zweckmäßigkeit im Auge behalten wird. Dies wird dem aufmerksamen Betrachter sicher nicht entgehen.

Der Aussteller stellt sich mit der Fertigung seiner Geflügelterrine, die – möglicherweise der Bekömmlichkeit wegen – mit einer reichen Gemüseeinlage versehen und auf mildem Püree angerichtet ist, gegen die alltägliche Norm der Präsentation. Durch die Auswahl der zur Terrine gehörenden Umlage erhält die Gesamtanordnung eine passable Ergänzung.

Chicken-Tureen on a Mild Pulp of Pepper Pods, a Dish, Intented to be Served Warm

It was to be seen from the presentation of this dish displayed at the show that in the form in which it was served, it was mainly its practicability that caught one's eye. This observation will certainly not have been missed by attentive cookery-show goers.

With the preparation of his chicken-tureen, which was provided with a rich vegetable addition, and served on a paprika pulp, and this, to possibly serve the purpose of tastefulness, the exhibitor directed his energies more towards an unusual standard of presentation. The entire picture received a suitable finish through the selection of the proper outlay for the tureen.

Terrine chaude de volaille sur purée de poivrons

La présentation du mets de restaurant exposé permettait de constater que c'est tout d'abord l'utilité qui fut recherchée dans le mode de dressage. Ce fait n'aura certainement pas échappé à l'observateur attentif.

L'exposant a pris position contre les normes en usage dans la présentation avec la confection de sa terrine de volaille, pourvue d'une riche garniture de légumes, peut-être pour rendre le mets plus digeste, et dressée sur une purée aux poivrons. L'ensemble de l'arrangement reçoit un complément convenable avec le choix qui accompagne la terrine.

Gefüllte Schweinsbrust „Landegg"

Die abgeschwartete Schweinsbrust, deren Füllungsgrundlage eine mit feinen roten Pfefferschotenwürfelchen versehene und mit Sahne aufgezogene Kalbsfarce ist, wird zunächst pochiert und im Anschluß daran in der herkömmlichen Art glasiert.

Für die Präsentation, über die unser Bild genaue Aufklärung gibt, sind die exakt geschnittenen Tranchen auf einer klaren Jus angerichtet und durch eine weitere Umlage von Polentakrusteln, Blattspinat und jungen Gartenkarotten sinnvoll ergänzt.

Filled Breast of Pork "Landegg"

The breast of pork (the rind having been removed), whose filling basis is a fine red pepper-pod dice mixture, including veal forcemeat prepared with cream, was first poached and then afterwards glazed in the conventional manner.

For presentation, a detailed illustration of which is given with our picture, the finely cut pieces are served on a clear juice, and properly completed with a further arrangement of Polenta croustades, spinach leaves and young garden vegetables.

Poitrine de porc fourrée «Landegg»

La poitrine de porc sans couenne, fourrée pour la plus grande part d'une farce de veau pourvue de petits dés fins de piments rouges et montée à la crème est d'abord pochée et ensuite glacée suivant le mode traditionnel.

Pour la présentation, au sujet de laquelle notre illustration donne des explications précises, les tranches bien découpées sont dressés sur un jus clair et judicieusement complétées par un autre arrangement de croquettes de polenta, d'épinards en branches et de carottes nouvelles de jardin.

Gefüllter Kaninchenrücken, in der Salzkruste gebraten

Obwohl der Anblick des gefüllten Kaninchenrükkens den Betrachter vom Können des Verfertigers überzeugen kann, stellen wir fest, daß die Arbeit nicht dem angekündigten Titel, der besagt, daß der Rücken in der Salzkruste gebraten ist, entspricht.

Der Gestalter sollte auch die Salzkruste oder einen Teil davon anbieten, denn dies wird auf den Fachbetrachter Eindruck machen. Doch das Fehlen kann die Jury bei der Urteilsfindung nicht unbeachtet lassen.

Filled Saddle of Rabbit, roasted in a Salt-Crust

Although a glance at the filled saddle of rabbit could convince the viewer of the exhibitor's know-how, we note here, too, a mistake made in the title given to this piece of work, which said that the saddle was roasted in the salt-crust.

If this holds true, then it should be the practice of the exhibitor to offer the salt-crust, too, or a piece of it.

This would make an impression on the experts. But its not having been offered, will certainly be reflected in the jury's judgement passed.

Râble de lapin fourré frit dans une croûte au sel

Si l'aperçu du râble de lapin fourré pouvait convaincre l'observateur des capacités du confectionneur, nous constatons ici également une erreur dans le titre annoncé pour cette réalisation qui indiquait que le râble était frit dans une croûte au sel.

S'il en a effectivement été ainsi, il devrait être d'usage pour le confectionneur de la présenter, au moins en partie.

Ceci ferait bonne impression à l'observateur spécialisé. Son absence sera notée par le jury à la recherche d'une évaluation.

Louisiana Ponce

Selbst die ausstellungsbeflissene Gastronomie ist bemüht, dem Konsumenten auch die rustikalere Form der Kochkunst zu vermitteln und in angemessener Prägung näherzubringen.

Das Ergebnis ist sicher nicht in jedem Falle ganz überzeugend. Doch bei genügender Bereitwilligkeit für das Machbare kann vieles, was am Anfang als nicht ausreichend erscheint, befriedigend verwirklicht werden. So liegt — wie bei dem hier gezeigten Gericht — der Hauptwert in der Anregung, die zu einem ersten Versuch führen soll.

Die gefüllte Kalbsschulter ist mit einer leicht gebundenen Kalbsjus umkränzt und mit zwanglos beigegebener Gemüsegarnitur vervollständigt.

Louisiana Ponce

Even gastronomers, well acquainted with the methods of display at a show, also endeavor to convey to the consumers the rustic form of cookery, giving them an insight with reasonable poignancy.

Certainly not in every case is success achieved to a satisfying degree. And yet with ample willingness to attain just this, a great deal can be realized, which may not seem sufficient in the beginning. So, in looking at the dish shown here, the main emphasis lies in ideas that should give the necessary incentives.

The filled veal shoulder is wreathed in a slightly thickened veal juice, and completed with a casual looking vegetable arrangement.

Louisiana Ponce

Même la gastronomie qui se consacre à l'exposition s'efforce d'un autre côté de transmettre également les formes plus rustiques de l'art culinaire et de les rendre plus accessibles en les transformant de manière appropriée.

Le résultat n'est certes pas toujours satisfaisant. Pourtant, à condition d'être suffisamment résolu pour agir, il est possible de réaliser beaucoup à partir de ce qui paraissait insuffisant au départ. La valeur essentielle repose donc dans la stimulation qui doit vraiment être à l'origine de la création, comme avec le plat proposé ici.

L'épaule de veau fourrée est couronnée avec un jus de veau légèrement lié et est complétée par la garniture de légumes ajoutée sans façons.

Fasanenbrust „Dragon"

Unkompliziert und wirklichkeitsnah spricht das Gericht den Beschauer an und macht eine gegenwärtig gültige Anrichteweise sichtbar.

Von dem rosa gebratenen Fasan sind die Brüste ausgelöst und mit einer leicht gebundenen Jus, die aus der Karkasse des Vogels gezogen wird, untergossen.

Die Brüste sind von einer kleinen Pilzbeigabe, einer bunten Gemüsemischung wie auch gebackenen Krusteln begleitet.

Pheasant-Breast "Dragon"

Being uncomplicated and yet true to life, this dish appeals to the viewer and evidences a method of serving employed nowadays.

The breasts have been boned from the pink roasted pheasant, and soaked in a slightly thickened juice, which was drawn from the carcass of the bird.

As a final note, the breasts include an arrangement of small mushrooms, bright mixed vegetables, as well as baked crustades.

Blanc de faisan «Dragon»

Simple et pourtant proche de la réalité le mets plait au spectateur et révèle un mode de dressage aujourd'hui valable.

Les blancs du faisan poêlé sont détachés et arrosés avec un jus légèrement lié, préparé à partir de la carcasse de l'oiseau.

Les blancs sont accompagnés d'une petite garniture de champignons, d'une macédoine de légumes colorée ainsi que de croquettes cuits au four.

Ballotine von Poulardenkeulen „Fort Canning"

Die heutige Ausstellungstechnik verlangt für die Angebote, vornehmlich die Restaurationsgerichte, außer Vollkommenheit in der Zubereitung auch eine serviertechnisch vertretbare Anrichteweise.

Wer sich bei einer Kochkunstschau über das Tagesangebot in der Gastronomie gewissenhaft informiert, kann diesen Trend, wie er auch in dieser Arbeit dargestellt ist, bei der Mehrzahl der Exponate feststellen.

Wie das nebenstehende Bild zeigt, ist der mit einer perfekten Füllung versehen, bis auf die unteren Keulenknochen hohl ausgelösten und beim Anrichten mit einer Portweinjus untergossenen Poulardenkeule, einschließlich ihrer exotischen Umlage, eine zeitgerechte Präsentation eigen.

Ballotine of Leg of Poularde "Fort Canning"

The present-day method of display and the offers that follow, mainly demand in the case of gastronomic dishes, besides perfection in preparation, also a technically reasonable method of serving.

Whoever conscientiously informed himself of that which is offered every day, was able to observe this trend, also presented as such, in this piece of work.

Offered in the form depicted in the adjacent picture, the dish is characteristic of modern times, it having been provided with a perfected filling, boned hollow down to the lower drumstick bone, and soaked for serving in a Port-wine juice, including the poularde legs, and their exotic outlay.

Ballotine de cuisse de poularde «Fort Canning»

La technique d'exposition actuelle et les offres qui en résultent exigent, avant tout avec les plats de restaurants, aussi bien une préparation parfaite qu'une méthode de dressage soutenable face aux contingences du service.

Celui qui se tenait scrupuleusement au courant de l'offre journalière pouvait constater cette tendance, également représentée dans ce travail, avec la majorité des objets exposés.

Offert sous la forme ci-contre, le service s'assure une présentation moderne, son décor exotique y compris, avec la cuisse de poularde, détachée jusqu'à son os inférieur, munie d'une farce parfaite et arrosée lors du dressage avec un jus au Porto.

Gefüllter Ochsenschwanz „Eggmattli"

Mit der nebenstehenden Arbeit soll auf ein Exponat hingewiesen werden, das für den Betrachter von aus dem Rahmen fallendem Reiz ist. Dies gilt freilich nur für den, der die hier angewandte Fertigungsmethode gebührend einzuschätzen weiß.

Sicherlich gehört viel Übung dazu, ehe der hier verdeutlichte Grad von Korrektheit erreicht wird, wie man ihn am Gesamtbild des Gerichts wahrnehmen kann.

Neben den aufgelegten Fleischtranchen bilden die mit Steinpilzen und Brokkoliröschen gefüllten Fenchellöffel, die mit Concassé versehenen Artischockenviertel und die mit Blattspinat gefertigten Kartoffelsubrics das Gesamtangebot.

Filled Ox Tail "Eggmattli"

With the next piece of work attention is to be drawn to an exhibit that possessed a fascination for the viewer, which was quite out of the ordinary. Needless to say, this only then held true, if you knew how to assess the method of preparation employed, and this, in the manner it deserved.

Most certainly a great deal of practice is required before the degree of correctness, clearly shown here, is reached; this can be seen from the entire picture of the food dish.

Besides the fish cuts laid on top, the fennel spoons filled with mushrooms and broccoli roses, the quarter-pieces of artichokes provided with concassée, and the potato subrics prepared with spinach leaves, contributed to the entire offer.

Queue de bœuf fourrée «Eggmattli»

La réalisation ci-contre doit mettre l'accent sur un objet dont l'attrait pour l'observateur sortait de l'ordinaire. A condition, bien sûr, qu'il sache dûment apprécier les méthodes de confection employées ici.

Il faut certainement beaucoup d'exercice pour atteindre le degré de savoir-faire exprimé ici, comme on pouvait le remarquer à l'aperçu global du plat.

Les cuillerées de fenouil fourrées de cèpes de Bordeaux et de rosaces de broccoli, les quartiers d'artichauts garnis de concassée et les subrics de pommes de terre confectionnés avec des épinards en branches constituaient l'ensemble de l'offre, auprès de l'étalage des tranches de viande.

Bürgerliche Restaurationsplatte „New England" (boiled dinner)

Dieses rustikal angebotene Gericht von gesottenen Zutaten weist darauf hin, daß Kochkunst nicht nur aus Gebratenem und Gebackenem bestehen muß. Auch gesottene Gerichte haben ihre ausstellerische Berechtigung, vorausgesetzt, sie sind — wie in diesem Falle — geschmacksharmonisch und in einem guten Gleichmaß zusammengestellt.

Für diese Komposition sind ein gefüllter Schweinsfuß in seiner Aufgliederung, gepökelte Ochsenzunge, Tranchen von gefüllter Schweinsschulter und mit Mais gefüllte Poulardentranchen à la nage angerichtet.

Das Ganze wird begleitet von bunter Gemüsejulienne und Subrics von Brokkoli.

Simple Gastronomic Platter "New England" (Boiled Dinner)

This rustic dish offered, comprising boiled ingredients, points out that the art of cooking does not merely have to include roasting and baking. Boiled dishes, too, have their justification at a show, under the condition that they are composed as the case here with a harmony of taste and in good balance.

For this composition, a filled pig's trotter has been served, including pickled ox tongue, cuts of filled pork shoulder and poularde cuts à la nage, filled with rice.

The entire dish is accompanied with bright young vegetables and subrics of broccoli.

Plat de restaurant bourgeois «New England» (Boiled Dinner)

Présenté de manière rustique, ce plat fait d'ingrédients cuits à l'eau démontre que l'art culinaire ne doit pas uniquement comporter les cuissons à la poêle et au four. Les plats bouillis ont également leur justification culinaire, à condition qu'ils soient, comme ici, de goût agréable et composés de manière bien équilibrée.

Un pied de cochon fourré selon sa structure, une langue de bœuf écarlate, des tranches d'épaule de porc et des tranches de poularde fourrées avec du maïs, sont dressés «à la nage».

L'ensemble est accompagné d'une julienne de légumes colorée et de subrics de broccoli.

Suprême de volaille farci et crevettes

Beim Entwurf dieses Exponats hat der Verfertiger das Nützliche mit dem Praktischen verbunden, um zum einen belehrend und zum anderen werbend zu wirken. Er weiß genau, daß dies am besten durch Beispiele aus der täglichen Praxis zu erreichen ist.

Diese Arbeit mit der leicht kolorierten und im Anschnitt gezeigten Poulardenbrust ist von einem leicht exotischen Einschlag, denn der Aussteller gruppiert um die beiden mit Trüffeln gefüllten und auf Safranrahm angerichteten Brüste eine Anordnung von Krevettenschwänzen und Früchtereistimbalen. Dadurch entsteht ein illustres Gericht, das durchaus den Anforderungen eines Luxusrestaurants entspricht.

Sûpreme de Volaille Farce et Crevettes

When designing this piece of work, the exhibitor combined that which can be used and that which is practical, so as to be instructive on the one hand and to be promotive on the other.

The exhibitor knows exactly that this can best be achieved through examples in everyday practice.

The dish of poularde-breast, slightly colored and shown in the cut state, has a somewhat exotic appearance, for the exhibitor had grouped around the two breasts, filled with truffle and served on saffron cream, an additional arrangement of crevette tails and timbales of fruit ice-creams. With this outlay an illustrious dish was created that without a doubt corresponds to an achievement of a luxurious restaurant.

Suprême de volaille farci et crevettes

Le confectionneur a concilié l'utile et le pratique avec l'élaboration de cet objet pour produire un effet d'une part instructif et d'autre part publicitaire. Il savait exactement qu'il atteindrait au mieux ce but avec les exemples de la pratique quotidienne.

Le service du blanc de poularde légèrement coloré et proposé en coupe dénote un habillage un peu exotique, le confectionneur ayant regroupé un arrangement de queues de crevettes et de timbales de riz au fruits autour des blancs fourrés de truffes et dressés sur une crème au safran. Un plat de prestige, déjà digne des prestations des restaurants de luxe, apparaît avec cette composition.

Gefüllte Truthahnkeule nach Vermonter Art

Gewinnende Zusammenstellungen, durch eine schier unbegrenzte Phantasie geschaffen, die bei jeder Kochkunstschau in der Regel dem Gros der Verfertiger bescheinigt werden kann, vermitteln den Besuchern eine immer wieder stimulierende Fülle von unerschöpflichen Mitteln und Wegen in der Gestaltung von Ausstellungsstücken und setzen Maßstäbe.

Was der Interpret dieser Arbeit beflissen zu zeigen versucht, wirkt in seiner Anrichteweise höchst vorteilhaft und ansprechend.

In der unschwer zu erkennenden Zusammenstellung des Gerichts dominiert die gefüllte Truthahnkeule. Die aus Pastetenteig gebackenen Kastanien mit ihrer Füllung von Maronenmus wie auch die Mischung von glasierten Zwiebelchen und Maronen nebst einer Garnitur von Zucchini und jungen Gartenkarotten kommen dennoch zur Geltung.

Filled Turkey Drumstick, Vermont Style

Attractive compositions with an almost unlimited degree of fantasy, which were to be seen of the majority of the exhibitors, conveyed to those present an ever stimulating degree of inexhaustible means and ways of preparing show-pieces.

What the exhibitor of this piece of work tried to show with great pains, had a highly advantageous and appealing effect in his method of serving.

In the easily recognized composition of this dish, it was the filled turkey drumstick that dominated, that is, besides the chestnuts baked out of pâté dough, with a filling of marron pulp (edible chestnut), as well as the mixture of glazed small onions and chestnuts, along with an arrangement of zucchini and young garden carrots.

Cuisse de dindon fourré à la mode du Vermont

Les combinaisons fructueuses, d'une fantaisie absolument sans limites, qui pouvaient être attestées à la majorité des confectionneurs, procuraient à leurs témoins oculaires la mesure toujours stimulante des moyens et des possibilités inépuisables dans le façonnage des pièces d'exposition.

Ce que l'interprète de cette réalisation cherche à démontrer avec application produit un effet des plus avantageux et attrayant.

Les chataîgnes constituées de pâte cuite au four, fourrées de crème de marrons ainsi que le mélange d'oignonnets glacés et de marrons avec une garniture de courgettes et de carottes nouvelles de jardin, s'imposent, auprès de la cuisse de dindon fourrée, dans la composition, facile à deviner, du plat.

Truthahn „Peninsula“

Mancher Verfertiger von warmen Restaurationsgerichten kommt leicht in Versuchung, die praktische Seite zugunsten des Dekorativen zu vernachlässigen, doch ist die amtierende Fachjury nur solchen Arbeiten gegenüber aufgeschlossen, die weder der Natürlichkeit noch der Harmonie entbehren.

Daß derartige Ausstellungsstücke, wenn Maß und Norm eingehalten werden, eine anziehende Wirkung haben können, beweist das hier in seiner Natürlichkeit servierte Gericht.

Turkey "Peninsula"

Some exhibitors of warm gastronomic dishes are easily tempted to neglect the practical angle in favor of the decorative aspect. And yet the jury officiating is only responsive to such pieces of work that are neither detrimental to naturalness nor to harmony.

That such show-pieces mentioned, when rhyme and reason are observed, can have an appealing effect, is proven here by the naturalness of this dish served.

Dindon «Penninsula»

Plus d'un confectionneur de plat de restaurant chaud se laisse aller à délaisser l'aspect pratique au profit de la décoration. Pourtant le jury spécialisé qui délibère est seulement réceptif aux réalisations qui ne négligent ni le caractère naturel, ni l'harmonie.

Le plat servi ici dans toute sa simplicité démontre que de telles pièces d'exposition peuvent être attirantes, quand la mesure et la norme sont respectées.

Gefüllte Pekingentenkeulen mit Lotoswurzeln und Lotosnüssen

Wenn auch das für europäische Begriffe etwas fremd-ländisch anmutende Ausstellungsstück zunächst ver-wirrend in seiner Darbietung ist, so sind es bei näherer Betrachtung die gewählten exotischen Mittel für den Dekor und die originelle Aufmachung der mit Lotos-nüssen gefüllten Entenkeulen, die besonders dem Ver-fertiger zum Erfolg verhelfen.

Die als Ballotinen gefertigten Entenkeulen sind im Anschnitt gezeigt, auf einer Unterlage von chinesi-schen Baumpilzen angerichtet und mit einer auf das Gericht bezogenen Umlage versehen.

Filled Peking Leg of Duck with Lotus Roots and Lotus Nuts

Even if this display-piece, which is a bit exotic and curious by European standards, may at first glance appear to be confusing in presentation, then, when viewing it closer, it can be seen that it was these very exotic means chosen for decoration and the originality in the preparation of the legs of duck, filled with Lotus nuts, which particularly brought this exhibitor such success.

The legs of duck, prepared as ballotines, are served on a foundation of Chinese tree mushrooms — as seen from the cut-section — and provided with an outlay, suitably selected for this food dish.

Cuisses de canards de Pékin fourrées avec racines de lotus et noix de lotus

Même si, face aux conceptions européennes, cette pièce d'exposition d'aspect quelque peu étrange, décon-certait tout d'abord par sa présentation, une observa-tion plus approfondie démontrait que les moyens exo-tiques choisis pour le décor et la présentation originale des cuisses de canards fourrées de noix de lotus contri-buèrent tout particulièrement à la réussite du confec-tionneur.

Proposées en coupe, les cuisses de canards apprêtées en ballotines sont dressées sur une couche de champi-gnons de souches chinois et nanties de l'accompagne-ment qui convient au plat.

Grillierte Babyhähnchen

Ganz im Sinne der neuzeitlichen kulinarischen Empfehlung kommen diese Babyhähnchen, die die Größe eines Stubenkükens haben und bis auf die Schenkelknochen entbeint sind, zur Verwendung.

Die nach dem Auslösen wieder in Form gebrachten Hähnchen sind auf dem Rost gebraten und mit einer Scheibe Kräuterbutter belegt. Sie haben eine würzige Ergänzung von einer gedünsteten Zwiebel-und-Pfefferschoten-Mischung und sind mit einer Beigabe von gegrillten Auberginen vollendet.

Grilled Baby Chicken

These baby chickens, having the size of a caged baby chicken, and which have been boned except the leg bone, were presented quite in line with present-day culinary recommendations.

The chickens, after having been boned, and laid back again in shape, were grilled on a roast, and topped with a slice of herb butter. They were provided with a seasoned addition of mixed and stewed onions and pepper pods, along with an outlay of aubergines (egg-plant), also grilled, which completes the dish.

Poulet nain grillé

Ces poulets nains, désossés à la taille d'un poussin d'étuve excepté les cuisses, sont résolument utilisés dans l'esprit des nouvelles recommandations culinaires.

Après cette opération, les poulets sont reconstitués et grillés, garnis d'une tranche de beurre aux fines herbes. Ils disposent d'un complément relevé affichant un mélange étuvé d'oignons et de piments forts et sont encore complétés par un accompagnement d'aubergines également grillées.

Weißgedünstete Poulardenbrust „Nahal"

Die nebenstehend abgebildete Restaurationsplatte mit den weißgedünsteten gefüllten Poulardenbrüsten, denen nach dem Auslösen und Enthäuten der Flügelknochen belassen wird, ist ein Bekenntnis zur modernen und übersichtlichen Ausstellungstechnik, die sich, wie schon an anderer Stelle erwähnt, besonders durch den gezeigten Anschnitt folgerichtig darstellt.

Die in Chablis und Butter mijotierten Brüste sind naturell auf einer Safransauce angerichtet. Ferner zeigt das Bild, wie die verwendete Beilage von Fenchel, jungen Karotten wie auch kleinen gekräuterten Nokken der Arbeit den gewünschten Abschluß gibt.

Blanched Poularde-Breast "Nahal"

The gastronomic platter, displayed here with its blanched, filled poularde-breasts, the wing bone having been left, following boning and skinning, evidences modern and distinct display techniques, which — this was already mentioned at a different place — particularly demonstrates a correct procedure, as can be seen from the cut-piece.

The breasts, roasted in Chablis and butter, are served in a natural state on a saffron sauce. Apart from this, the picture shows how the outlay of fennel, young carrots, as well as small herb dumplings, gives this piece of work the desired last touch.

Blanc de poularde étuvé «Nahal»

Le plat de restaurant exposé ci-contre avec le blanc de poularde étuvé, fourré, dépiauté et désossé jusqu'aux ailes, témoigne d'une technique d'exposition moderne et claire qui, comme cela est déjà mentionné par ailleurs, et tout spécialement dans la coupe proposée, se présente dans une suite logique.

Les blancs mijotés dans du Chablis et du beurre sont dressés nature sur une sauce au safran. L'illustration montre en outre comment l'accompagnement utilisé de fenouil, de carottes nouvelles ainsi que les petites brochettes aux fines herbes apportent la conclusion souhaitée à la réalisation.

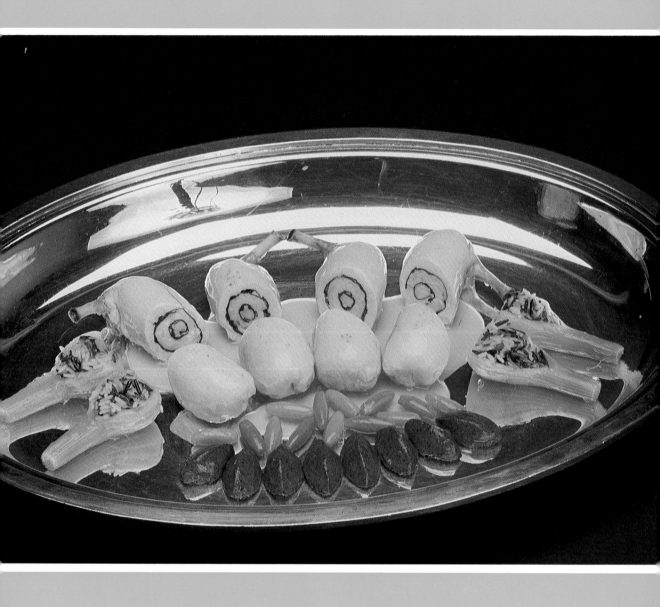

Kalbsnieren, in Wirsingblättern poeliert

Dieser Teilnehmer hat sich, den Erfordernissen der Zeit und den geltenden Ausstellungsbedingungen folgend, nicht auf Schauplatten eingestellt, sondern zeigt, was man mit Restaurationsplatten zu leisten vermag.

Dabei müssen, wie schon wiederholt gesagt, der Aufbau wie auch die Anrichteweise des Gerichts stimmen, denn letztlich prägt das Angebot und die damit verbundene Leistung das informative Bild einer Fachschau. Da die Leistung stimmt, ist für den Verfertiger die Zubereitung des Gerichts nicht sehr kompliziert.

Bewunderung verdient neben der Fertigstellung der Nieren auch die kreative Zusammenstellung der Beilage, die aus Champignonkartoffeln, gedünstetem Chicorée, Kürbis sowie weißen Rübchen und Karotten besteht.

Veal Kidneys Fried in Savoy Leaves

This participant in observing modern-day standards and the rules that apply at an exhibition did not adapt himself to show platters as such, but rather demonstrated what can be achieved with gastronomic platters.

As already repeatedly mentioned, it goes without saying that the structure of the dish as well as the method of serving have to be correct, for in the end it is that which is offered that leaves a lasting impression, thus providing an informative picture of the achievement made. Since the accomplished piece of work in this case was correct, it can be said that the preparation of the dish was not at all that complicated for the exhibitor.

Apart from the preparation of the kidneys, the creative composition of the kidneys deserved admiration, the trimmings having included stewed chicory, prepared with mushroom potatoes, squash, as well as white turnips and carrots.

Rognons de veau poêlés dans des feuilles de chou frisé

En respectant les exigences de l'époque et les conditions d'exposition en vigueur, ce participant ne s'est pas référé aux plateaux présentés mais a montré les prestations que peuvent léguer des plats de restaurants.

Comme il l'a déjà été répété, l'élaboration du plat ainsi que le mode de dressage doivent être à l'unisson, car en définitif l'offre et les prestations qui s'y rapportent caractérisent le tableau documentaire d'une exposition spécialisée. Comme la prestation était convenable, la préparation du mets n'était pas trop compliquée pour le confectionneur.

La finition des rognons, ainsi que la composition créative de l'accompagnement, constitué de pommes de terre aux champignons de couche, de chicorée étuvée, de potiron ainsi que de petits navets et de carottes, méritent l'admiration.

Geröstetes Lammfilet

Diese Restaurationsplatte, die eine anschauliche Fertigung zeigt, betont eine ausstellerische Pflege der warm gedachten Gerichte auf das löblichste.

Für eine derartige Arbeit besteht auf einer Kochkunstschau großes Interesse, denn sie wirkt in der Art ihrer Zubereitung belehrend.

Die auf einem Saucenspiegel angerichteten und mit einem Mantel versehenen Rückenfilets sind für die Präsentation fein säuberlich geschnitten und mit tournierten Gemüsebuketts versehen. Des weiteren ist das Bild durch die Beigabe von in Weißwein gedünsteten Calvilleäpfeln farblich belebt.

Roasted Fillet of Lamb

This gastronomic platter, which demonstrates distinctive preparation, emphasized a sophisticated display of dishes, meant to be served warm, in the most praiseworthy fashion.

For this piece of work characteristic interest was shown, for it was instructive in the manner in which it was prepared.

The saddle fillets, served on a sauce mirror, and provided with a coating, have for presentation been given a bouquet of vegetables, very finely cut, and formed in decorative shapes. This is the reason why the picture is enlivened with color through the addition of Calville-apples, stewed in white wine.

Filet d'agneau grillé

Ce plat de restaurant, qui dénote une finition claire, met l'accent de la manière la plus élogieuse sur le soin à apporter à l'exposition des plats chauds.

L'intérêt suscité par cette réalisation était typique car le mode de préparation se révélait instructif.

Les filets de selle, dressés sur un miroir de sauce et munis d'un enrobage, sont soigneusement découpés pour la présentation et nantis de bouquets de légumes tournés. Le tableau est encore rehaussé en couleurs par l'accompagnement de pommes Calville étuvées dans du vin blanc.

Schweinelendchen „Erraught"

Mit großer Sorgfalt, wenn auch farblich dominie-
rend, ist nebenstehendes Restaurationsgericht – ein mit
Morcheln gefülltes und in Farce eingeschlagenes
Schweinelendchen – ausgeführt.

Diese Arbeit mit der zur Schau gebrachten Tafelfreu-
de, die durch die gewählte Beigabe von frisch gekoch-
ten Krebsen, tournierten Karotten, grünem Kapspargel
wie auch einer Sauce unterstützt wird, ist so zubereitet
und angerichtet, wie es die heutige Ausstellungspraxis
erfordert.

Loins of Pork "Erraught"

Even if the next gastronomic dish, comprising pork
loins filled with morels, and wrapped in forcemeat, is
very dominating in color, it was, nonetheless, presented with the greatest of care.

The dish delight displayed here, which was enhanced
with the selected trimming of fresh, cooked crabs, carrots shaped into decorative forms, green Cap-asparagus,
as well as with the sauce, has been prepared and served
in such a manner required by present-day exhibiting
practice.

Petit filet de porc «Erraught»

Constitué d'un petit filet de porc enveloppé dans une
farce et fourré de morilles, le plat de restaurant ci-contre était exécuté avec beaucoup de soin, l'ensemble
étant dominé par les couleurs.

Les plaisirs de la table rapportés ici sont préparés et
dressés comme l'exigent les pratiques acutelles d'exposition. Ils sont soutenus par leur accompagnement choisi
d'écrevisses ébouillantées fraîches, de carottes tournées,
d'asperges vertes du Cap ainsi que par la sauce.

Kalbsfilet im Schweinsnetz nach Gärtnerinart

Auserlesenes Material, eine sorgfältige Zubereitung, praktische Anrichteweise und nicht zuletzt ein vollendeter Geschmack, der allerdings bei den kalt vorgestellten Ausstellungsarbeiten nicht nachprüfbar ist, sind die Grundbedingungen für ein einwandfreies Exponat. Wenn dann noch beim Anrichten auf Formschönheit geachtet wird, dann ist das Gericht in seiner natürlichen Einfachheit von sich aus schön. Das gilt auch für dieses im Schweinsnetz zubereitete Kalbsfilet.

Obwohl mit dem nebenstehenden Fleischgericht ein guter Effekt erzielt wird, wäre für die Bezeichnung „nach Gärtnerinart" eine etwas reichere Gemüsegarnitur und für die Komplettierung des Ganzen eine Beigabe von Reis oder Kartoffeln wünschenswert.

Fillet of Veal in Pork Mousseline "Gärtnerinart" (Lady Gardener Style)

Choice material, careful preparation, a practical method of serving and not least of all perfected taste, which, however, cannot be proved in the case of the exhibits displayed in a cold state, are the rudiments of show-pieces. And if, when preparing the particular dish, even beauty of form is observed, the result then achieved is in itself beautiful, and this, in its natural simplicity, as can be seen from this fillet of veal prepared in pork mousseline.

In spite of this, a good effect could have been achieved with the next fish dish shown, had not the designation „Lady Gardener" called for a somewhat richer arrangement of vegetables, and a trimming of rice or potatoes to complete the whole dish.

Filet de veau en crépinette de porc «à la mode jardinière»

Des ingrédients exquis, une préparation soignée, un mode de dressage pratique, sans oublier un goût achevé, il est vrai invérifiable avec les travaux d'exposition présentées froids, constituent les références d'un objet irréprochable. Lorsqu'en plus, lors du service, la beauté plastique est prise en considération, le résultat est de lui-même harmonieux, par sa simplicité naturelle, comme avec ce filet de veau préparé dans une crépinette de porc.

Quoique le plat de viande ci-contre fasse bonne impression, une garniture de légumes un peu plus abondante et, pour compléter le tout, un accompagnement de riz ou de pommes de terre, aurait été souhaitable.

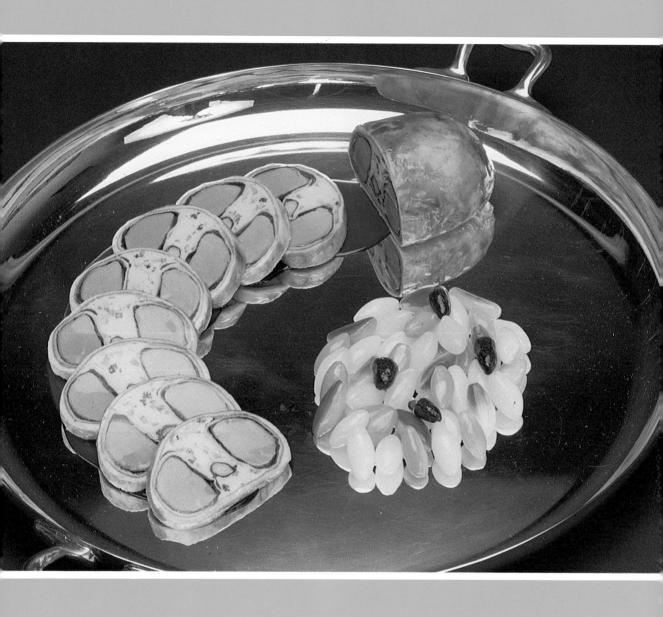

Erlesene Restaurationsgerichte

Ebenso wie das Gros der gezeigten Schauplatten sind die hier gezeigten Exponate von Restaurationsgerichten Arbeiten, die auf keiner Kochkunstschau mehr fehlen dürfen.

Es sind keine Fleisch-, Geflügel- oder Fischportionen mit Trüffelzeichnungen, sondern zeitgerechte Angebote, wie sie täglich zu Tausenden ausgegeben werden, wobei allerdings erlaubt sein möge zu bemerken, daß man sich nur wünschen kann, sie überall in der hier demonstrierten Zubereitung zu sehen.

Die saubere und akkurate Ausführung der Restaurationsgerichte „Meeraal ‚Graf Luckner'", „Gefüllter Salm ‚Ozean'" und „Matelote ‚Casino Royal'" gehört zu den überzeugenden Punkten dieser Angebote.

Der Salm hat eine Beigabe von Tomaten und grünem Spargel, der Meeraal ist auf gedünstetem Kürbis angerichtet, und das Matelote besteht aus Jakobsmuscheln, Hummerscheren, Seezungen-, Lachs- und Steinbuttstreifen und ist mit einer Hummercreme vollendet. Die die Gerichte begleitenden Sättigungsbeigaben sind römische Nocken, Safran- und wilder Reis.

Exquisite Gastronomic Dishes

Just like the majority of the show-platters displayed at the exhibition, the exhibits of the gastronomic dishes too, should not be missing at a cookery show. No fish, poultry or fish food-portions with truffle characteristics, but rather modern-day offers which are given to thousands daily, in which case, however, we take the liberty of noting at this point that we hope to find them everywhere, and this, prepared in the manner demonstrated here.

The neat and accurate preparation of these gastronomic dishes, whose designations were: "Ocean Eel Count Luckner", "Filled Salmon Ocean" and "Matelot Casino Royal", were among those that found the greatest appeal.

The salmon includes a trimming of tomatoes and green asparagus, the ocean eel is served on a stewed squash, and the matelot consists of mussels St. Jacques, lobster claws, fillet of sole, salmon and turbot strips and has been completed with a lobster cream. The dishes that accompanied and completed the meal were Roman dumplings, saffron and wild rice.

Plats de restaurants sélectionnés

Les constituants des plats de restaurants montrés ici sont désormais indispensables à toute exposition d'art culinaire, de même que la majorité des plateaux de présentation proposés. Non pas des portions de viande, de volaille ou de poisson portant une signature de truffe, mais des offres actuelles, telles qu'elles sont distribuées quotidiennement par milliers; à ce sujet on pourra d'ailleurs se permettre de remarquer qu'il faut seulement souhaiter de les voir partout avec la préparation démontrée ici.

L'exécution soignée et méticuleuse de ces plats de restaurants dénommés: «Anguille de mer Comte Luckner», «Saumon fourré Océan» et «Matelot Casino Royal», faisait partie des pôles d'attraction convaincants.

Le saumon est accompagné de tomates et d'asperges vertes, l'anguille de mer est dressée sur du potiron étuvé et le matelot est composé de coquilles Saint-Jacques, de pinces de homard, de bandelettes de sole, de saumon et de turbot et est achevé avec une crème de homard. Des boulettes romaines, du riz au safran et complet, formaient un accompagnement consistant pour les plats.

Tellergerichte

Tellergerichte in einer internationalen Fachschau

Als logische Konsequenz nach den Forderungen von Vorspeisen-, Schau- und Restaurationsplatten bietet sich zum Abschluß dieser Reihe die weitgefächerte Palette von Tellergerichten an.

Das Streben nach Vereinfachung der Anrichtemethoden, die auch eine allgemein gewünschte Beschleunigung des Service mit sich bringt, hat, wie von Ausstellung zu Ausstellung beobachtet werden konnte, immer mehr zugenommen, so daß auch von uns dieser Ausstellungsgattung eine gesteigerte Aufmerksamkeit geschenkt werden muß.

In diesem Zusammenhang zitieren wir einen Kommentar von Küchenmeister Rudolf Decker, den er als langjähriges, erfolgreiches Mitglied der deutschen Nationalequipe vor Beginn der IKA-HOGA '84 abgab:

„Tellergerichte, früher nur in einfachen Gaststätten serviert, haben ihren Siegeszug durch die gesamte Gastronomie angetreten. Durchdacht und sauber angerichtete Teller sind wie ein Spiegel, in dem der Gast die echten Leistungen einer Küche erkennen kann. Ohne auf einen Mittler angewiesen zu sein, hat hier der Koch die Möglichkeit, dem Gast das von ihm konzipierte Gericht so zu präsentieren, wie er es sich vorgestellt hat.

Die optische Zusammenstellung ist der primäre Kontakt, den der Gast mit dem Gericht hat und der ihn auf den Genuß vorbereitet, dem er sich dann in Ruhe hingeben kann, ohne durch oft hektische und manchmal störende Betreuung abgelenkt zu werden.

Die zunehmende Zahl der Köche, die sich diesem interessanten Gebiet bei Ausstellungen widmet, zeigt, daß dieser Trend nicht von kurzer Dauer ist. Es ist aber nicht ganz einfach, Tellergerichte so zu präsentieren, daß sie auch nach Stunden noch einen ansprechenden Anblick bieten. Viel Erfahrung, Können und Ausdauer gehören dazu, Tellergerichte ausstellungsgerecht herzustellen.

Nicht die Menge oder der hohe Preis des eingesetzten Materials, sondern die Zusammenstellung, eine fachgerechte Zubereitung, die zeitgemäße Anrichteweise wie auch schließlich und endlich der Gesamteindruck sind die Kriterien, nach denen bei Ausstellungen beurteilt wird. Höchste Leistungen in den angeführten Punkten sichern den Erfolg, den sich jeder Aussteller wünscht."

Außer den nachfolgenden bildlichen Anregungen ist diesen Ausführungen nichts mehr hinzuzufügen.

Plate Dishes at an International Exhibition

Following the demands of entrées, show and gastronomic platters, in logical order thereafter we have the very wide-ranging assortment of plates dishes.

Striving for simplicity in the methods of serving, which in general also entails the speeding up of serving wanted has become more and more evident from exhibition to exhibition, so that this type of show-piece has to be given even more attention on our part.

In this connection, we quote a comment made by Rudolf Decker, a master-cook, and successful member of the German national equipe of long standing, before the opening of the IKA-HOGA '80:

"Plate dishes, which were formerly only served in simple restaurants, have started on their triumphant advance through the entire field of gastronomy. Plate dishes, that have been well thought-out and accurately served are like a reflection in a mirror, from which a guest can recognize the genuine accomplishments of a particular kitchen. Without being dependent on a go-between, the cook in this case has the opportunity to present to a guest the dish in the manner and form he visualized.

The optic impression of composition is the main contact a guest has with the dish and which prepares him for the enjoyment in store for him, and this, by taking the time wanted to do so, without being unduly distracted by personnel that is often hectic, and sometimes even disturbing.

The increasing number of cooks that devote themselves to this interesting field at exhibitions shows that this trend is not for a short time. But it is not quite simple to present plates dishes in such a way that they have an appealing appearance even after hours. A lot of experience, knowledge and preseverence are required to be able to make plate dishes suitable for an exhibition.

It is not the quantity or the high price of the material used, but rather the composition, qualified preparation, a modern method of serving, and last, but not least the entire impression that are the criteria, which are used as a basis in assessing exhibits at cookery shows. Great accomplishments in these lines listed guarantee the success every exhibitor wants."

There is nothing to be added to these comments except the following ideas given in pictures.

Les mets sur assiettes dans une exposition internationale spécialisée

La palette large des mets sur assiettes s'offre en conclusion à cette série de plats de hors-d'œuvre, de présentation et de restaurants, conséquence logique de leur demande.

Comme il a pu l'être observé au fil des expositions, l'aspiration à une simplification des méthodes de dressage, qui inclut également l'accélération partout souhaitée du service, s'amplifie de jour en jour. Ainsi nous devons aussi accorder une attention croissante à ce genre d'exposition.

Dans ce contexte, nous voudrions citer un commentaire du maître cuisinier Rudolf Decker, membre brillant depuis des années de l'équipe nationale allemande, qui, avant que ne débute l'IKA-HOGA '84, nous confia:

«Autrefois uniquement servis dans les restaurants modestes, les mets sur assiettes ont entrepris leur marche victorieuse dans la gastronomie. Des assiettes mûrement réfléchies et soigneusement dressées constituent un miroir où le client peut reconnaître les prestations réelles d'une cuisine. Sans avoir besoin d'une aide intermédiaire, le cuisinier peut ici présenter, comme il se l'est imaginé, le mets qu'il aura conçu au client.

La composition optique représente le premier contact du client avec le plat et le prépare au plaisir de savourer, auquel il pourra tranquillement se livrer, sans être importuné par le personnel en service, souvent fébrile et parfois dérangeant.

Le nombre croissant de cuisiniers qui se consacre à cet intéressant domaine d'exposition démontre que la tendance est durable. Mais ce n'est pas si simple de présenter des mets sur assiettes ainsi qu'après quelques heures ils offrent encore une image attirante. La confection, conforme à une exposition, de mets sur assiettes nécessite beaucoup d'expérience, de savoir-faire et de constance.

Les critères sur lesquels est jugée une exposition ne sont ni la quantité ni le prix élevé des ingrédients mis en œuvre, mais la composition, une préparation experte, un mode de dressage moderne ainsi que, pour terminer, l'impression générale. Les plus hautes performances dans les points mentionnés assureront le succès, souhaité par chaque exposant.»

Il n'est plus rien à ajouter à cet exposé, excepté les incitations illustrées qui s'y rapportent.

Lachsroulade mit grünen Spargelspitzen auf Safranrahm

Bei diesem Tellergericht, einer Lachsroulade mit ihrer benannten Garnitur, treffen eine Reihe von Finessen zusammen, die nicht jedem Betrachter wichtig erscheinen mögen, und doch sind sie für Ausstellungszwecke und deren Beurteilung ausschlaggebend.

Gründliche Verschiedenheit in den Einzeldingen, farbliche Kontraste und die ansprechende äußere Form der Darbietung kommen in diesem Fischgericht bewußt zum Ausdruck.

Salmon Roll with Green Asparagus Tips on Saffron Cream

In the case of this plate dish, a salmon roll with the arrangement mentioned above, a number of sleek ideas were used, which may not seem so important to every viewer, and yet, they are decisive and purposeful at an exhibition, particularly in a final assessment of the whole.

Basic differences in the single parts, contrasts in color, and the appealing outer form of presentation, were deliberately expressed here in the case of this fish dish.

Roulade de saumon avec pointes d'asperges vertes sur crème au safran

Dans ce mets sur assiette, une roulade de saumon avec sa garniture sus-nommée, une série de choses raffinées sont rassemblées qui, si elles peuvent paraître insignifiantes à beaucoup de spectateurs, sont pourtant déterminantes pour la finalité des expositions et leur estimation.

Une variété profonde dans chacun des éléments, des contrastes de couleurs et la forme extérieure attirante de la présentation s'experiment sciemment avec ce plat de poisson.

Gefülltes Mittelstück von Salm, grobgeschrotetes Rindfleisch in der Kräuterkruste und Hummervariation

Der Hersteller der in unserem Bild gezeigten Teller-gerichte bietet den Küchenfachleuten, die speziell in dieser Ausstellungsform Belehrendes suchen und sehen wollen, recht Gutes.

Jeder objektive Betrachter wird bestätigen können, daß hier verstanden wird, jedes einzelne Gericht zu einem kulinarischen Bild zu machen.

Dies unterstreicht in ganz besonderem Maße das im Vordergrund stehende Gericht mit seiner Kombination von Hummer, Hummerwürstchen, Lachsforellentim-bale und jungen Kefen oder Erbsenschoten.

Filled Salmon Middle Piece, Coarsely Minced Beef in a Herb Crust and Lobster Variation

The exhibitor of the plate dishes depicted in our pic-ture offered something quite good to the cookery ex-perts, who particularly wanted to find instructive ma-terial in this form of exhibiting.

Every objective viewer will be able to confirm that it was well understood here how to make every single dish to a culinary delight.

This is especially substantiated by the dish displayed in the foreground, including a combination of lobster, lobster sausages, salmon-trout timbale and young sugar peas or pea pods.

Flanc de saumon fourré, boeuf haché gros dans une croûte aux fines herbes et variation de homard

Le confectionneur des mets sur assiettes proposés sur notre illustration a vraiment offert de la qualité aux spé-cialistes cuisiniers qui voulaient spécialement voir et ex-aminer le côté instructif de cette forme d'exposition.

Tout spectateur objectif pourra confirmer qu'on a su ici former un tableau culinaire avec chacun des plats.

Ceci est tout particulièrement souligné par le mets disposé au premier plan avec sa combinaison de ho-mard, de petites saucisses de homard, de timbale de trui-te saumonnée et de gousses de petit pois.

Terrine von Kalbsbries im Spinatrock

Die zur Verwendung gekommene Form für das Arrangement der Kalbsbriesterrine ist dünn mit von den Rippen befreiten Spinatblättern ausgelegt und mit der Terrinenfarce gefüllt, zu deren Herstellung Geflügelfleisch und Kalbsbries zu gleichen Teilen Verwendung finden.

Des weiteren ist die Farce mit Sahne aufgezogen und hat eine Einlage von roten Pfefferschotenwürfelchen, die nach unserer Meinung ein wenig zu reichlich ausgefallen ist. Doch ergänzen die begleitende Umlage und die Saucenbeigabe das Ganze vorteilhaft.

Tureen of Veal Sweatbread in Spinach Coat

The mould used in the arrangement of the veal sweatbread tureen was laid out thin with spinach leaves that were freed of their rib-pieces, and then filled with tureen forcemeat, the preparation of which also included poultry meat and veal sweatbread in equal parts.

Apart from this, the forcemeat was mixed with cream, and was given an addition of red pepper pod dice-pieces, which in our opinion were a bit too abundant in quantity. And yet the accompanying outlay and sauce addition completes the whole dish advantageously.

Terrine de ris de veau enrobée d'épinards

Le moule utilisé pour l'arrangement de la terrine de ris de veau est couvert d'une mince couche d'épinards en feuilles débarrassés de leurs nervures et fourré avec la farce de la terrine confectionnée en parties égales de chair de volaille et de ris de veau.

La farce est ensuite montée avec de la crème et reçoit une garniture de petits dés de piments rouges, à notre avis un peu trop copieuse. Cependant les éléments d'accompagnement et l'apport de sauce complètent avantageusement l'ensemble.

Forellenfilet mit Lauch, Hirschkalbfilet im Steinpilzmantel und gefülltes Zanderfilet

Wie wir schon wiederholt an anderen Stellen bemerkten, gehört das Angebot von Tellergerichten ebenso zur Kochkunstkonkurrenz wie Pfeffer und Salz zum Kochen.

So können auch, wie man auf einer Kochkunstschau beobachten kann, diese Exponate – Forellenfilet mit gedünstetem Lauch; Hirschkalbfilet im Steinpilzmantel; gefülltes Zanderfilet auf bunten Gemüsestreifen – einer ganzen Reihe von Betrachtern recht gut gefallen, denn für diese gilt es, sich zwischen vielversprechenden Ausstellungsstücken und solchen, die auch halten, was sie versprechen, zu entscheiden.

Wir haben uns für diesen Verfertiger entschieden.

Fillet of Trout with Leek, Venison Fillet in Mushroom Coat and Filled Zander

As we have already said repeatedly at different places, the offer of plate dishes is just as important at cookery contests as pepper and salt in cooking.

So, as could be observed, these exhibits, having been designated: Fillet of trout with stewed leek, venison fillet in a mushroom coat and filled fillet of zander on bright strips of vegetables, were well received by curious viewers.

For in such cases the rule always applies that a decision has to be made between those exhibits that promise a great deal and those that keep what they promise. In the case of the dishes here, they decided on that of the exhibitor.

Filet de truite avec du poireau, filet de facon enrobé de cèpes de Bordeaux et filet de sandre fourré

Comme nous l'avons déjà par ailleurs remarqué à diverses reprises, l'offre de mets sur assiettes est aussi indispensable au marché de l'art culinaire que le poivre et le sel le sont à la cuisine.

Il a également pu être observé que ces objets ont vraiment bien plu à tout un groupe de curieux avec leurs appellations: filet de truite avec du poireau étuvé, filet de faon enrobé de cèpes de Bordeaux et filet de sandre fourré sur légumes en lamelles assortis.

Car pour ces curieux il s'agira toujours de décider entre une quantité de pièces d'exposition prometteuses et celles qui tiennent aussi ce qu'elles promettent. Ici leur préférence est allée au confectionneur.

Lachsfilet, in der Teigkruste gebacken

Bei Tellergerichten, die ja in der Hauptsache das tägliche Speisenangebot beleben sollen, gehört es zur vordringlichen Aufgabe des Verfertigers, Zweckmäßigkeit und Anschaulichkeit zu verbinden, um den immer größer werdenden Ansprüchen der Restaurantgäste zu genügen.

Das nebenstehende Gericht eines Lachsfilets, in der Kruste gebacken und an einer Cremesauce angerichtet, deutet in seiner Herstellung auf manuelles Können des Herstellers hin.

Salmon Fillet baked in a Dough Crust

In the case of plate dishes, which should mainly enliven food dishes that are served daily, ist should be a matter of importance to the exhibitor in his task of combining practicability and attractiveness, so as to satisfy the continually growing demands of restaurant customers.

The next dish published, consisting of salmon fillets baked in the crust and served on a cream sauce, evidences the exhibitor's skilled adeptness in preparation.

Filet de saumon rôti en croûte

Avec les mets sur assiettes, qui doivent essentiellement animer l'offre gastronomique quotidienne, la tâche la plus urgente du confectionneur semble être de concilier l'utile et l'expressif pour satisfaire aux exigences toujours grandissantes de la clientèle des restaurants.

Le mets publié ci-contre, un filet de saumon rôti en croûte et dressé sur une sauce à la crème, renseigne par la dextérité de son façonnage sur le savoir-faire manuel du confectionneur.

Fasanenbrust mit Wildfarcefüllung

Dieses japanische Ausstellungssujet deutet darauf hin, daß die im Lande gepflegte Küche ausdrücklich Wert auf das Erscheinungsbild einer Mahlzeit legt, das den Gerichten, indem man sie auf kostbarem Geschirr serviert, einen gewissen Reiz verleiht.

Auch das hier gezeigte Tellergericht mit der in englischer Manier tranchierten Fasanenbrust, einschließlich des Wildjus, wie auch mit seiner Umlage steht in harmonischem Einklang mit dem Geschirr und läßt das Gebotene noch kostbarer erscheinen.

Pheasant-Breast with Game Forcemeat Filling

This Japanese show-piece suggests that the art of cooking cultivated in the country attaches great importance to the appearance of a meal at the periphery, which is lent a particular touch, in having been served on valuable dish-ware.

The plate dish, shown here, too, with the pheasant-breast, cut the English way, including the game juice as well as its outlay, stands in perfect harmony with the dish-ware, and makes that offered appear even more splendorous.

Blanc de faisan fourré de farce de gibier

Ce sujet japonais d'exposition indique qu'au pays de la cuisine soignée la valeur formelle accordée à l'image périphérique d'un repas repose dans l'attrait certain qu'offre un mets servi dans une vaisselle précieuse.

Le mets sur assiette montré ici est également en harmonie avec le service et fait encore apparaître plus exquise la présentation du blanc de faisan tranché à l'anglaise, y compris le jus de gibier ainsi que son accompagnement.

Galantine von Flußaal, gefülltes Seezungenfilet und gefüllte Poulardenbrust

Mit der nebenstehenden Ausführung von Tellergerichten ist eine weitere Bestätigung dafür erbracht, daß auch diese Gerichte für das Auge von lobenswerter Wirkung sein können.

Auch wenn uns bei der Aalgalantine und der gefüllten Poulardenbrust die Größe des Angebots ein wenig stört – man sollte als Faustregel bei ausstellungsmäßig hergerichteten Tellergerichten von einer halben Portion ausgehen –, so haben sich doch Sinn für Formen und Anschaulichkeit im Zusammenwirken von aufgeschnittenen Tranchen und Umlage ergänzt.

Galantine of River Eel, Filled Fillet of Sole and Filled Poularde-Breast

With the plate dishes, displayed on the next page, further proof is given that these food dishes, too, can be of noteworthy appearance and effective as well.

Even if both the eel galantine and the filled Poularde-breast disturb us somewhat in size (the general rule at exhibitions in the case of serving plate dishes should be half portions), it can nevertheless be said that the sense of form and eye-appeal are in harmony with one another, and this, with respect to the cut-pieces as well as to the outlay.

Galantine d'anguille de rivière, filet de sole fourré et blanc de poularde fourré

L'exécution ci-contre de mets sur assiettes constituait une confirmation supplémentaire du fait que ce plat peut aussi produire un effet visuel remarquable.

Le sens des formes et l'expressivité dans l'effet conjugué des tranches découpées et de l'arrangement se complètent même si la galantine d'anguille et le blanc de poularde fourré nous paraissent tous les deux de dimensions quelque peu excessives (la règle fondamentale devrait être de miser sur une demi-portion pour des mets sur assiettes préparés à la mesure des expositions).

Bürgerliche Tellergerichte

Auf ausstellerischem Gebiet Phantasie und Geschmack zu demonstrieren ist nicht nur eine Frage des Aufwandes, sondern in erster Linie eine Frage der harmonischen und geschmacklich einwandfreien Zusammenstellung.

Mit diesen beiden offerierten Tellergerichten, die einen bayerischen Gemüsestrudel mit seiner Sauce und eine anschaulich gefüllte Pfefferschote auf frischem Tomatencoulis zeigen, ist beste Gelegenheit gegeben, sich zu überzeugen, daß Tellergerichte, sofern sie sachlich behandelt und für den Service praktisch sind, auch in ihrer einfachen Präsentation von der Fachwelt gewürdigt werden.

Plain Cooking – Plate Dishes

To be able to demonstrate fantasy and taste in the field of gastronomic displays is not only a question of effort but chiefly a question of harmony and taste in perfecting a composition.

In the case of these two plate dishes offered, which comprise a Bavarian vegetable strudel with its sauce and an illustratively filled pepper pod on fresh tomato coulis, the best opportunity was given to convince oneself that plate dishes, inasmuch as they are realistic in treatment, and are practicable for serving, are appreciated by the world of experts, and this, also for their simplicity in presentation.

Mets sur assiette traditionnel

Afficher de la fantasie et du goût dans le domaine culinaire n'est pas seulement un problème quantitatif, mais il est plutôt d'abord question d'une composition harmonieuse et de goût irréprochable.

La meilleure occasion de se persuader que les mets sur assiettes, dans la mesure ou ils sont traités avec sobriété et dotés d'un service practicable, sont estimés par les spécialistes, même dans leur présentation simple, est fournie par les deux mets sur assiettes offerts ici contenant un strudel (pâte roulée) bavarois aux légumes avec sa sauce et un piment joliment fourré sur un coulis de tomates fraîches.

Hirschmedaillons „Schöne Försterin", Steinbuttsoufflé mit Krebsen und Jakobsmuscheln in Safranrahm

Es gibt nirgendwo soviel Know-how im Ausstellungswesen, wie dies bei den Tellergerichten der Fall ist. Zum allgemeinen Erstaunen kann man immer wieder feststellen, daß das praktische Beherrschen dieser angesprochenen Ausstellungskategorie ausgiebig genutzt wird, um sie einem großen Besucherkreis vor Augen zu führen.

Die Akzente dieser Arbeiten liegen in der vorbildlichen Anrichteweise und in der Wahl der Beilagen, die bei den Hirschmedaillons auf Wacholderrahm aus Pfifferlingen, glasierten Maronen und Rosenkohl bestehen. Bei dem offerierten Steinbuttsoufflé auf mit Kresse versetztem Champagnerrahm besteht die Garnitur – neben dem als Farbtupfer gedachten Krebs – aus ausgebrochenen Krebsschwänzen, Morcheln und Zucchini. Die Garnitur der im Safranrahm dargebotenen Jakobsmuscheln besteht aus geschmolzenen Tomaten.

Venison Medaillons "Schöne Försterin" (Pretty Forester), "Turbot Soufflée with Crabs" and "Mussel St. Jacques in Saffron Cream"

There is no other case as with the plate dishes that so much know-how is demonstrated at exhibitions. With general surprise it could over and again be seen that practical mastery of this category of exhibits was thoroughly exploited, so as to make it utilizable for the many visitors to the exhibition.

The emphases laid in these pieces of work were in the exemplary manner of serving and in the choice of trimmings, which in the case of the venison medaillons comprised juniper berry cream, made with chanterelles, glazed chestnuts and brussel sprouts. In the case of the turbot-soufflée offered on champagne cream, mixed with water-cress, besides the crab, intended to give a touch of color to the whole, the arrangement consisted of crab tails, which had been broken out, morels and zucchini. The arrangement of mussels St. Jacques, offered in saffron, consists of stewed tomatoes.

Médaillons de cerf «Jolie forestière», «Soufflé de turbot avec écrevisses» et «Coquilles saint Jacques dans une crème au safran»

On ne rencontre nulle part autant de savoir-faire dans le service exposition qu'avec ce mets sur assiette. A la surprise générale, on pouvait en permanence constater que la connaissance concrète de la catégorie d'exposition en question était copieusement employée, pour qu'elle puisse être utile à un cercle élargi de visiteurs.

L'accent était porté, dans cette réalisation, sur un mode de dressage modèle et sur les accompagnements choisis, constitués de chanterelles, de marrons glacés et de choux de Bruxelles pour les médaillons de cerf à la crème au Champagne agrémentée de cresson, la garniture comportait des queues d'écrevisses décortiquées, des morilles et des courgettes auprès de l'écrevisse utilisée comme touche de couleur. Celle des coquilles saint-Jacques, présentées dans une bordure de safran, est constituée de fondue de tomates.

Seezungenfilet „Pacific Coast" und Schnitten von gefüllter Forelle aus dem Winnipegsee

Die beiden hier auf Tellern präsentierten Fischgerichte von Seezunge und Forelle haben, was ihre Aufmachung betrifft, besondere Reize, auch wenn die Menge der Seezunge zu groß erscheint.

Den gefüllten Seezungenfilets, auf Kräuterrahm angerichtet und mit einer kleinen Garnitur von grünen Spargelspitzen versehen, ist gesondert angerichteter wilder Reis beigegeben. Wir erwähnen dies der Vollständigkeit halber.

Die Tranchen der gefüllten Forelle haben eine Unterlage von Sauerampferrahm.

Fillet of Sole "Pacific Coast" and Cuts of Filled Trout from Lake Winnipeg

The two fish dishes, fillet of sole and trout, offered and served here on plates, were particularly fascinating in presentation, even if the quantity of the fillet of sole seemed too large.

The filled fillets of sole, served on herb cream, and provided with a small arrangement of green asparagus tips, were supplemented with a separately prepared serving of rice. We are only mentioning this here to give a full picture.

The cuts of filled trout comprised a foundation of sour sorrel cream.

Filet de sole «Pacific Coast» et truites du lac de Winnipeg en tranches fourrées

Composés de sole et de truite, les deux plats de poisson offerts ici et présentés sur des assiettes affichaient par leur disposition un attrait particulier, même si la sole y apparaissait en trop grande quantité.

Les filets de sole fourrés, dressés sur une crème aux fines herbes et nantis d'une petite garniture de pointes d'asperges vertes étaient accompagnés de riz complet, servi à part. Nous mentionnons ceci pour être exhaustifs.

Les tranches de la truite fourrée étaient dressées sur une couche de crème à l'oseille.

Eine Variation von Tellergerichten

Einen guten Blick für die Erfordernisse der Praxis signalisiert dieser Hersteller mit seiner Variation von Tellergerichten, die ja im allgemeinen ein außerordentlich breites Angebot umfassen können.

Aus diesem Spektrum unterbreiten wir nebenstehend drei Arbeiten, und zwar – links beginnend und im Uhrzeigersinn gelegt – „Muräne in Schnittlauchsauce", „Lammfilet, in Spinatteig gebacken" und „Rinderfilet ‚Clairmont'".

A Variation of Plate Dishes

With his variation of plate dishes, which can quite commonly encompass a broad palette, the exhibitor here sent out a signal defining the requirements in everyday practice.

Seen from this perspective, we offer the next pieces of work, and this, beginning from the left, and running clockwise, their respective designations being: "Moraine in chive sauce", "fillet of lamb baked in spinach dough", and "Clairmont", a Fillet of beef.

Une variation de mets sur assiettes

Un bon aperçu des nécessités de la pratique était indiqué par ce confectionneur avec sa variation de mets sur assiettes, ceux-ci pouvant vraiment embrasser un éventail extraordinairement étendu.

Nous présentons ci-contre trois réalisations de ce spectre en débutant à gauche et en continuant dans le sens des aiguilles d'une montre. Elles se dénomment: «Lavaret dans une sauce à la ciboulette», «filet d'agneau rôti dans une pâte aux épinards», et filet de bœuf «Clairmont».

Seezungenröllchen „Chino" und Seezungenröllchen „Antoine"

Mit dem nebenstehenden Bild wollen wir die Aufmerksamkeit auf zwei appetitliche Zubereitungen lenken, die sich trotz sparsamster Umlage sehr wirkungsvoll in der farblichen Zusammenstellung zeigen.

Die roh ausgelösten und sorgfältig plattierten Seezungenfilets sind verschiedenartig gefüllt, aufgerollt und in kräftigem Fischfond und Weißwein pochiert.

Damit das Angebot gut zum Ausdruck gebracht werden kann, hat der Verfertiger die Filets schneckenförmig aufgeschnitten, zum einen auf einer leicht gebundenen Jus von Roséwein und zum anderen auf geschmolzenen Tomaten angerichtet.

Little Rolls of Fillet of Sole "Chino" and Rolls of Sole "Antoine"

With the next pieces of work we would like to point out two appealing methods of preparation, which in spite of their economical outlay are very effective, as the color scheme shows.

The fillets of sole, which have been boned raw and carefully flattened were given different fillings, rolled and then poached in a heavy fish gravy and white wine.

To ensure that the offer has a good effect, the exhibitor cut up the fillets in a snail shape, and in one case served them on a slightly thickened juice of rosé wine and in the other on stewed tomatoes.

Petit rouleau de sole «Chino» et petit rouleau de sole «Antoin»

Nous voulons ci-contre attirer l'attention sur deux préparations appétissantes qui se révèlent très attrayantes dans l'assortiment des couleurs, malgré un accompagnement des plus sobres.

Les filets de sole détachés crus et soigneusement attendris sont diversement fourrés, enroulés et pochés dans un fond consistant de poisson et du vin blanc.

Afin de pouvoir rendre l'offre bien expressive, le confectionneur a découpé les filets en forme d'escargots et les a dressés d'une part sur un jus légèrement lié de vin rosé et d'autre part sur de la fondue de tomates.

Hummer mit grünen Nudeln

Nicht weniger schön als das übrige Gros der Teller-gerichte ist diese Darbietung des Hummergerichts mit seiner nicht gerade gebräuchlichen Beigabe von grünen Nudeln. Doch haben – ebenso wie die Fleisch- und Ge-flügelsorten – auch die Krustentiere durch ihre unbe-strittenen Möglichkeiten im Zusammenhang mit dem dekorativen Aussehen eine ganze Reihe von Bearbei-tungsideen anzubieten, und Ideen sind dann gut, wenn sie den Betrachtern auffallen.

Diese Erkenntnis verdeutlicht der Hersteller mit sei-nem Hummergericht.

Lobster with Green Noodles

The presentation of this lobster dish with its not ex-actly common addition of green noodles, was no less beautiful than the other numerous plate dishes that exist. Just like all the various sorts of meat and poultry dishes, the crustacean animals, too, with their indis-putably many possibilities with regard to decorative appearance, have many processing ideas to offer, and such ideas are then good, if they attract the viewers' attention. The exhibitor here brings this point home with his lobster dish.

Homard avec pâtes vertes

Cette présentation du plat de homard avec son ac-compagnement réellement peu habituel de pâtes vertes n'était pas moins belle que la majorité des autres mets sur assiettes. De même que les catégories de viande et de volaille, les crustacés peuvent pourtant offrir toute une série d'idées de façonnage, grâce aux possibilités incon-testables inhérentes à leur aspect décoratif; et des idées sont valables lorsque les observateurs les remarquent.

C'est ce qu'exprime l'exposant avec son plat de ho-mard.

Gefülltes Filet vom Baby-Steinbutt, Barbenschnitte und Pot-au-feu von Meeresfrüchten

Die Möglichkeiten, Tellergerichte auszustellen, sind, wie wir inzwischen wissen, Legion. Von Ausstellung zu Ausstellung kommen immer wieder neue und anregende Angebote hinzu, so daß man zu der Überzeugung kommt, daß der Phantasie der Verfertiger kaum Grenzen gesetzt sind.

Dies drücken auch die nebenstehenden Tagesgerichte aus, die zum einen aus einem in Mangoldblättern gedünsteten, gefüllten Filet eines Baby-Steinbutts, zum anderen aus einer mit grobem Senf eingestrichenen Barbenschnitte und zum letzten aus einem natur angerichteten Pot-au-feu von Meeresfrüchten bestehen.

Das Steinbuttfilet erfährt seine Vollendung mit Curryreis, grünem Spargel und Safranrahm, die Barbenschnitte begleitet eine Sauce von frisch pürierten Tomaten, und das Pot-au-feu ist mit Gemüsen und Champagnerrahm fertiggestellt.

Filled Fillet of Baby Turbot, Barbel Cut, and Pot eu feu of Fruits of the Sea

The possibilities that exist in displaying plate dishes — as we have seen in the meantime — are great in number. From exhibition to exhibition ever new and attractive pieces of work are added to the long row, so that one comes to the conviction that there are hardly any boundaries to the exhibitor's world of fantasy.

This is also expressed in the next everyday dishes displayed, which in one instance consists of stewed mangold leaves, filled fillet of baby turbot, and in another of a barbel cut, coated with a coarse mustard, and the third, of pot au feu of fruits of the sea, prepared in their natural states.

The fillet of turbot was completed with curry rice, green asparagus and saffron cream; the barbel cut has a sauce of the pulp of fresh tomatoes, and the pot au feu has been prepared with vegetables and champagne cream.

Filet fourré de jeune turbot, tranche de barbeau et pot-au-feu de fruits de mer

Comme nous le savons à présent, il existe d'innombrables possibilitiés d'exposition pour les mets sur assiettes. De présentation en présentation, il s'y ajoute constamment des confections nouvelles et stimulantes ainsi qu'on en arrive à la persuasion que la fantaisie des exposants est quasiment sans limites.

C'est ce qu'expriment également les mets quotidiens ci-contre composés, tout d'abord d'un filet de jeune turbot fourré, étuvé dans des feuilles de bettes, ensuite d'une tranche de barbeau enduite de moutarde en grains et enfin d'un pot-au-feu de fruits de mer dressé nature.

La finition du filet de turbot s'effectuait avec du riz au curry, des asperges vertes et de la crème au safran, la tranche de barbeau était accompagnée d'une sauce de tomates, passées nature en purée et le pot-au-feu était achevé avec des légumes et de la crème au Champagne.

Jungschweinskotelett „New Jersey" und Kalbslende „Provimi"

Bei einem ausstellerischen Angebot, das regional, saisonal oder nach den Erkenntnissen der Jetztzeit ausgerichtet ist, liegt der Trend natürlich nicht im Mittelmaß, sondern mehr in der Bereitschaft, Können zu zeigen, um die Fachwelt dadurch auf brauchbare Einfälle aufmerksam zu machen.

Die nebenstehenden Tellergerichte können als Beispiel für das Gesagte gelten, denn erfreulicherweise wendet sich der Verfertiger mit seinen Umlagen von Zucchini, Maronen und Feigen für die Jungschweinskoteletts und von Steinpilzköpfen, Okraschoten, Maiskölbchen und bunten Spaghetti für die Kalbslende gegen die konventionellen Standardbeilagen, wobei er keine zufällige, sondern eine überlegte Auswahl trifft.

Young Pork Cutlet "New Jersey" and Veal Loin "Provimi"

In the case of a display piece, which is oriented to the region, to the season and/or to the recognitions of our time, it goes without saying that the trend does not lie in an average performance, but rather more in the willingness, to demonstrate know-how, so as in doing so to draw the world of experts' attention to practicable ideas.

The next plate dishes can apply as an example of that said. For it can fortunately be claimed that the exhibitor made an excellent choice in the selection of arrangements, including zucchini, chestnuts and figs for the young pork cutlet and the mushroom heads, okra pods, corn-cobs and mixed spaghetti for the veal loin, which is all in contrast to the conventional standard of trimmings; as said, this was not a random choice, but one with purpose.

Côtelette de porcelet «New Jersey» et filet de veau «Provimi»

Avec une offre exposée, déterminée aussi bien par la région, la saison ou par les connaissances actuelles, la tendance se dessine bien sûr moins par le caractère anodin que par la disposition à montrer un savoir-faire permettant d'attirer l'attention des spécialistes sur des idées utilisables.

Les mets sur assiettes ci-contre peuvent servir de modèle à cette affirmation, car leur confectionneur s'y est détourné de manière réjouissante des accompagnements conventionnels de référence, avec un assortiment non pas arbitraire mais recherché constitué d'un arrangement de courgettes, de marrons et de figues pour les côtes de porcelet et de cèpes de Bordeaux, de cornets grecs, de petits épis de maïs et de spaghettis variés pour le filet de veau.

Salmröllchen, gefüllte Fasanenbrust mit Gemüsen und Dialog von Red Snapper im Tellerservice

Der Hersteller dieser Tellergerichte hat durch seine Auswahl und seine Akkuratesse kundgetan, daß er die Fertigungs- und Servicemethoden in ihrer Vielseitigkeit sehr gründlich beherrscht.

Da die im Titel benannten Tellergerichte dieses Teilnehmers genau das zeigen, was man auf Ausstellungen zu sehen wünscht, sind wir der Überzeugung, daß er in bezug auf die Zubereitung nicht in Verlegenheit zu bringen ist.

Little Salmon Rolls, Filled Pheasant-Breast with Vegetables and a Dialog of Red Snapper on a Plate Dish

The exhibitor of this plate dish demonstrated with his selection and his accuracy that he thoroughly masters the methods of preparation and serving in all the variations that exist.

Since the plate dishes of this participant, given in the heading, exactly display what one wants to see at an exhibition, we are of the conviction that he cannot be surpassed as far as preparation is concerned.

Petits rouleaux de saumon, blancs de faisan fourrés avec légumes et dialogue de red snapers dans un service sur assiette

Le confectionneur de ce mets sur assiette a révélé qu'il maîtrisait absolument les méthodes de confection et de service dans toute leur diversité par son choix et sa méticulosité.

Nous sommes persuadés que la préparation ne lui posait aucun problème puisque les mets sur assiettes cités dans le titre de ce participant montraient exactement ce qu'on aime voir aux exposition.

Gefüllte Wachtel nach Straßburger Art

Auch die bis auf ihre Keulenknochen entbeinte Wachtel mit ihrer Füllung von getrüffeltem Gänseleberparfait und ihrer Früchtegarnitur hält, was sie in ihrer Bezeichnung verspricht.

Der Verfertiger macht mit seinem Angebot darauf aufmerksam, daß hier keine halbe Arbeit geleistet, doch durchaus ein gewinnendes Tun sichtbar gemacht ist, das auch kritischen Betrachtern standhalten kann.

Filled Quail "Strasbourg Style"

The quails, too, which were boned to the leg bone, with their filling of truffled goose-liver parfait and their arrangement of fruits, fulfilled the very promises made in their designation.

With his piece of work the exhibitor made it clear that it was not half a job, but that it was quite evident that what he achieved, could also withstand the critical observations of the viewers.

Caille fourrée «à la mode de Strasbourg»

La caille, désossée jusqu'à l'os de la cuisse, fourrée de parfait de foie d'oie truffé et garnie de fruits, tenait ce que promettait son appellation.

Le confectionneur démontrait avec sa réalisation qu'il ne s'agissait pas d'un travail bâclé mais qu'un savoir-faire convaincant, qui pouvait tenir tête à des observateurs critiques, apparaissait en toute clarté.

Drei Tellergerichte

Bei der Kommentierung der nebenstehenden Angebote „Red Garoupe Fu Lu Zho", „Fried crab claws flower cracks" und „Fish roll with King prawns ‚Ponggot Point'" erscheint es einmal ratsam, auf das Anrichten auf weniger geeignetem Geschirr zu sprechen zu kommen.

Der Aussteller besticht zwar den fachlich interessierten Betrachter durch seine exotischen Gerichte, doch stört der Tellerdekor über alle Maßen. Nach unserer Meinung vermittelt das Ganze auch den Eindruck eines überladenen Angebots.

Three Plate Dishes

When commenting on the next offers shown, each of them having been designated "Red Garoupe Fu Lu Zho", "Fried Crab Claws Flower Crabs" and Fish Roll with King Prawns "Ponggot Point", it would also seem advisable to speak of the less suitable serving dish than of the dish itself.

It is true that the exhibitor did awake interest among the experts with his exotic dishes, and yet the plate decoration greatly disturbed the viewer. In our opinion the entire dish, too, gave the impression of an overladen offer.

Trois mets sur assiette

Lors du commentaire des offres ci-contre respectivement dénommées: «Red garoupe Fu Lu Zho», «Fried crab claws flower cracs» et rouleau de poisson avec crevettes royales «Ponggot point», il paraît pour une fois opportun d'en venir à évoquer le service sur une vaisselle moins appropriée.

L'exposant séduisait, il est vrai, le visiteur intéressé par la spécialité avec ses plats exotiques; pourtant le décor d'assiettes dérangeait énormément l'observateur. A notre avis, l'ensemble produisait l'effet d'une offre surchargée.

Hechtnocken mit Salm und Hummerwürstchen auf Sauerampfercreme

Erfreulicherweise herrscht bei dem Gros der Aussteller speziell beim Anrichten von Tellergerichten das Prinzip vor, auf übertriebenen Dekor zu verzichten.

Nach dieser Leitlinie, das Korrekte zu treffen, richtet sich auch der Verfertiger der beiden Gerichte, und zwar zum einen der auf Salm angerichteten Hechtnocken mit der Umlage von Tomatenconcassé und gedünsteten Steckrüben und zum anderen der auf Sauerampfercreme angerichtet und im Anschnitt gezeigten Hummerwürstchen, die eine Beigabe von Kartoffelstreifen und gedünsteten Meeresalgen haben.

Pike Dumplings with Salmon and Lobster Sausages on Sour Sorrel Cream

It can fortunately be said here that with all that displayed by the exhibitor, especially in the instance of the plate dishes, he was consistent in following the principle of not making all too many concessions with regard to the abundant decorations.

In accordance with this guideline of doing the right thing, the exhibitor did just this, too, with both his dishes, like the pike dumplings served on salmon, with an outlay of tomato concassée and stewed Swedish turnips, and the lobster sausages shown in a cut state, and served on sour sorrel cream, including an arrangement of potato strips and stewed seaweed.

Boulettes de brochet avec du saumon et petites saucisses de homard sur une crème à l'oseille

Il est réjouissant que le principe qui consiste à ne pas faire trop de concessions à un décor exagéré prévaut chez la majorité des exposants, et spécialement pour le service des mets sur assiettes.

Le confectionneur des deux plats énoncés dans le titre suit également cette ligne directrice pour trouver ce qui convient, comme avec les boulettes de brochet dressées sur du saumon et leur arrangement de concassée de tomates et de navets étuvés, et les petites saucisses de homard présentées en coupe, dressées sur de la crème à l'oseille, avec leur accompagnement de pommes de terre en lamelles et d'algues marines étuvées.

Gefülltes Hirschkotelett, Rehkotelett, in der Teigkruste gebacken, und Hühnerbrust „Papagallo"

Der Verfertiger macht mit dieser Arbeit darauf aufmerksam, daß mit seinem Angebot von Hirschkotelett, von Hühnerbrust in einer mit Brunoise versehenen Rahmsauce wie auch von Rehkotelett in Morchelrahm durchaus eine Leistung erbracht wird, die auch den Forderungen kritischer Betrachter standhalten kann.

Alles in allem beweist der Hersteller, daß er es sich bei der Fertigung seiner Objekte in bezug auf Zusammenstellung und Anrichteweise nicht leichtgemacht hat.

Filled Venison Cutlet, Venison Cutlet baked in a Dough Crust and Chicken-Breast "Papagallo"

With this piece of work the exhibitor made it clear with his offer of venison cutlet, or the cicken-breast, offered with a cream sauce provided with brunoise, as well as the venison cutlet in morel cream, that this was not a half-job, but an achievement that could even stand up to any criticism on the part of the viewers.

All in all, the exhibitor proved that he did not make it easy on himself in the preparation of his pieces of work, and this, in connection with composition and method of serving.

Côtelette de cerf fourrée, côtelette de chevreuil rôtie en croûte et blanc de poule «Papagallo»

L'exposant signalait par cette réalisation que ce n'était pas un travail fait à moitié mais qu'il s'agissait bien d'une prestation qui pouvait aussi affronter les observations critiques avec sa présentation de côtelette de cerf ou avec le blanc de poule offert dans une sauce à la crème accompagnée de brunoise ainsi qu'avec la côtelette de chevreuil dans une crème aux morilles.

En définitif le confectionner a prouvé qu'il n'a pas choisi la facilité pour le façonnage de son objet, en ce qui concerne la composition et le mode de dressage.

Roulade von Seeteufel

Wenn auch in exakter Einfachheit hergestellt, so ist dieses Angebot dennoch ein nachahmenswertes Gericht.

Objektiv betrachtet, ist die mit Dillrahm und ihrer Garnitur versehene Roulade ohne Anwendung einer komplizierten Machart zwanglos auf den Teller gruppiert, und das bringt der Arbeit den angestrebten Erfolg.

Angler Roll

Even if it was prepared with accurate simplicity, this offer is nevertheless a food dish which is worthwhile to copy.

Seen objectively, the roll, provided with dill cream, and its arrangement was grouped in a haphazard method on the plate, and this, without employing a complicated manner in doing so; it was all this that brought the success striven for.

Roulade de lotte

Même confectionnée avec une nette simplicité, cette offre constitue pourtant un mets exemplaire.

Considérée objectivement, la roulade, pourvue d'une crème à l'aneth et de sa garniture, est disposée sans façons sur l'assiette, sans faire appel à une méthode compliquée et c'est ce qui assure le succès escompté à cette réalisation.

Pouletbrüstchen mit Muscheln, Frikassee von Steinbutt und Zöpfchen von Seezunge und Salm

Diese drei Tellergerichte, und zwar die Fertigungen „Pouletbrüstchen mit Muscheln und Brokkoli in Safrancreme", „Frikassee von Hummer und Steinbutt in Chablisrahm" wie auch die naturbelassenen „Geflochtenen Zöpfchen von Seezunge und Salm auf Avocadocreme", zeugen von eine untadeligen Schulung.

Der Verfertiger dieser Exponate hat alles darangesetzt, um das Renommee dieser Ausstellungsform zu wahren. Wie festgestellt werden kann, ist ihm dies in guter Form gelungen.

Poulette-Breast with Mussels, Turbot Fricassée and a Braid of Fillet of Sole and Salmon

These exhibits, three plate dishes in number, that is to say, their preparation: "Poulette-breast with mussels and broccoli in saffron cream", "Fricassée of lobster and turbot in Chablis cream", as well as the "Braid of fillet of sole and salmon on avocado cream", the fish having been left its natural state, evidence perfect training.

The exhibitor of these creations made every effort to maintain the reputation of this method of exhibiting. As can be seen, this was realized in the best form.

Suprême de poulet avec coquillages, fricassée de turbot et petites nattes de sole et de saumon

Ces objets, au total trois mets sur assiettes avec les confections suivantes: «suprême de poulet avec coquillages et broccoli dans une crème au safran», «fricassée de homard et de turbot dans une crème au Chablis» ainsi que les «petites nattes tressées de sole et de saumon sur crème d'avocats» servies nature, témoignaient d'une formation parfaite.

Le créateur de cet objet a tout mis en oeuvre pour préserver la renommée de cette forme d'exposition. Comme on peut le constater, il y est parvenu en bonne et due forme.

Jakobsmuscheln mit ihrem Rogen und Gemüsen, in Riesling gesotten

Für dieses Ausstellungsstück finden nicht nur ausgesuchte Jakobsmuscheln mit ihrem Rogen, sondern auch beste Gemüse Verwendung.

Jede Sorte der für diese Zubereitung benötigten Meeresfrüchte wie auch der Gemüse wird gesondert und weitgehend im eigenen Fond gegart. Zum Schluß werden die Sorten zusammen geschwenkt und natur angerichtet.

Mit der aus beiden Fonds hergestellten und mit Hummercorail wie auch Krebsbutter aufgeschwungenen Sauce ist das Ganze umkränzt.

Mussels St. Jacques with their Spawns, and Vegetables, cooked in Riesling

Not only selected mussels St. Jacques with their spawns, but also these very vegetables were used in the preparation of this show-piece.

The fruits of the sea, required for the preparation of this food dish, as well as the vegetables, all largely cooked seperately in their own gravy, were mixed together in the end, and served in their natural state.

The entire dish is wreathed with the two gravy types, each prepared with lobster coraile as well as with crab butter.

Coquilles saint-Jacques avec leurs oeufs et légumes cuits dans du Riesling

Pour cette pièce d'exposition ne furent pas seulement utilisées des coquilles saint-Jacques sélectionnées avec leurs oeufs mais également des légumes de la même qualité.

Les fruits de mer nécessaires à cette préparation ainsi que les légumes sont séparément cuits, pratiquement dans leur propre fond, puis, pour terminer, rissolés ensemble et dressés nature.

L'ensemble est cerné par la sauce confectionnée à partir des deux fonds et montée avec du corail de homard ainsi qu'avec du beurre d'écrevisse.

Truthahnroulade, gepökeltes Züngerl und ein gekräutertes Schweinelendchen

Dies sind die Bezeichnungen, mit denen der Aussteller die gefällig hergerichteten Tellergerichte zur Schau bringt.

Mit ihnen ist recht eindeutig dargestellt, daß die Bedeutung solcher Objekte darauf beruht, daß jeder Teller durch sein Aussehen und seine Proportionen zu den zeitgerechten Angeboten zu zählen ist.

Turkey Meat Roll, Pickled Tongue and a Herb Pork Loin

These were the designations, that the exhibitor here used to display his very nicely served plate dishes.

It is quite distinctly shown in their presentation that the importance of such show-pieces lies in the fact that every plate numbers among modern-day offers, and this in appearance and from the aspect of proportions as well.

Roulade de dindon, langue écarlate et un petit filet de porc aux fines herbes,

étaient les appellations des mets sur assiettes agréablement confectionnés présentés par l'exposant.

Ils montrent vraiment et sans équivoque que leur importance repose sur le fait que chaque assiette compte parmi les offres actuelles, par son aspect comme par ses proportions.

Lachsröllchen mit Jakobsmuscheln in Chablisrahm

Was die Darbietung der Lachsröllchen mit ihrer Beigabe von Jakobsmuscheln anbelangt, so bringt sie das im Titel Versprochene in tadelloser Form in die Konkurrenz.

Die Wahl der Beigaben, die bei vielen Ausstellungen leider zu den Nebensächlichkeiten gehören, bedarf aber einer gewissen Sorgfalt. Im nebenstehenden Bild besteht die Beigabe aus tournierten und gedünsteten Zucchinioliven wie auch aus Fleurons, die in Fischform gefertigt sind.

Little Salmon Rolls with Mussels St. Jacques in Chablis Cream

As far as the presentation of the salmon rolls are concerned, along with their trimming of mussels St. Jacques, it can be said here that as the promise made in the title they were brought into the contest in an impeccable form.

The arrangement chosen here, which at many exhibitions is regrettably looked upon as one of the redundancies found, does require a certain offer of choice. In the case here, it consists of stewed zucchinioli, formed into decorative shapes, as well as fleurons, which have been prepared in a fish mould.

Petits rouleaux de saumon avec coquilles saint-Jacques dans une crème au Chablis

Pour ce qui est de la présentation des petits rouleaux de saumon avec leur accompagnement de coquilles saint-Jacques, elle apportait sous une forme impeccable sur le marché ce que son titre promettait.

L'accompagnement choisi, malheureusement considéré comme accessoire par nombre d'exposants, nécessite pourtant une certaine sélection. Dans le cas ci-contre, il est composé courgettes en forme d'olives tournées et étuvées ainsi que de fleurons, confectionnés sous forme de poisson.

Teile eines First-class-Menüs

Sehr einladend ist die Demonstration eines achtgängigen, auf Tellern angerichteten Menüs, von dem wir nebenstehend vier Positionen zeigen. Es wäre zu wünschen, wenn sich in Zukunft diese Prägung verstärkt durchsetzen würde, denn hier muß neben der Präsentation der einzelnen Objekte auch die gültige kulinarische Folge der Gerichte beachtet werden.

Sehr einladend ist die Vorspeise mit der Bezeichnung „Mousseline von Gänseleber mit Orangengelee", die auf dem oberen linken Teller in besonderer Feinheit angerichtet ist. Dem Uhrzeiger folgend sieht man „Weißgedünstetes Steinbuttfilet ‚St. Germain'" mit Gemüsen und Krevette auf Erbsmus. Als Fleischgang wird ein gegrilltes Steak auf einem Matignon von Gemüsen und als Dessert ein Erdbeersavarin mit der Beigabe von frischen Erdbeeren und ihrem passierten Mark angeboten.

Das hier Offerierte verrät eine vorzügliche Schule. Das gleiche läßt sich auch von der Gesamtheit der Arbeit sagen, denn ein Zug exakter Eigenheit zeigt sich bei allen zu dem Menü gehörenden Tellern.

Parts of a First-class Menu

The demonstration of an eight-course menu, served on plates, was very appealing, of which we are showing four items on the opposite page. It would be fine to see that such individuality could be found more often in the future, for in this case not only presentation of the single pieces of work has to be observed but also the correct culinary sequence in serving.

The entrée, having been given the designation "Mousseline of Goose-Liver with Orange Jelly", which has been served in a particularly fine manner on the top left plate, is very enticing. We see clockwise, "Blanched Turbot Fillet St. Germain" with vegetables and crevettes on a pea-pulp, as meat-course, a grilled steak on a matignon of vegetables, and as dessert, a strawberry savarin with an addition of fresh strawberries and their strained pulp.

That offered here suggested an excellent school and the same can be said of the entirety of the piece of work, for a trait of perfect individuality was seen in all that was part of the plates, belonging to the menu.

Parties d'un menu de première classe

La démonstration d'un menu à huit services présenté sur assiettes, duquel nous proposons ci-contre quatre extraits, était très engageante. Il serait souhaitable que cette manière s'impose davantage à l'avenir, car une gradation culinaire valable des plats devra être respectée ici, auprès de la présentation de chacun des objets.

Dressé sur l'assiette supérieure gauche avec une finesse particulière, le hors d'oeuvre d'appellation «mousseline de foie d'oie avec de la gelée d'oranges» est très attrayant. En poursuivant dans le sens des aiguilles d'une montre on voit un «filet de turbot St. Germain blanchi» avec des légumes et des crevettes sur de la purée de petits pois, le plat de viande étant un steak grillé sur un matignon de légumes et le dessert un savarin aux fraises accompagné de fraises fraîches et de leur pulpe passée.

Ce qui est offert ici porte l'empreinte d'une excellente école et la même chose peut être affirmée de l'ensemble de la réalisation car une touche nettement marquée d'originalité est reflété par toutes les assiettes constituant le menu.

Exquisites von Fasan

Der Verfertiger der hier gezeigten Tellergerichte hat es verstanden, mit seinen Objekten den Forderungen gerecht zu werden.

Sein Versuch, die Ausstellungsstücke dieser Kategorie ins rechte Licht zu rücken, ist ihm vollauf gelungen. Jede der drei Arbeiten – „Ballotine von Fasan ‚Maison'"; „Gefüllte Fasanenbrust ‚Bagration'"; „Sautierte Fasanenstreifen nach Waadtländer Art" – verrät gutes fachliches Können.

Es ist mühelos festzustellen, daß der Aussteller gerade Tellergerichten die nötige Liebe entgegenbringt.

Pheasant Specialties

The exhibitor of the plate dishes displayed here knew how to satisfy his viewers with the presentation of his pieces of work.

His attempt at exhibiting the display-pieces in this category in the right manner was absolutely successful. Every single piece, each having been designated: "Ballotine of Pheasant Maison", filled Pheasant-breast "Bagration" and "Glazed Pheasant Strips Waadtland Style", evidenced good skill and knowledge.

It is easily said here that the exhibitor took great pains in preparing these very plate dishes.

Morceaux choisis de faisan

Avec ses objets, le confectionneur des mets sur assiettes proposés ici a su répondre aux attentes de l'observateur.

Chacune des trois réalisations dénommées: «ballotine de faisan maison», blanc de faisan fourré «Bagration» et bandelettes de faisan sauté «à la mode du Waadland» témoignait du bon savoir-faire d'un expert.

Il est aisé de constater que l'exposant a justement apporté aux mets sur assiettes la foi nécessaire.

Gefüllte Truthahnbrust

Ein verantwortungsvoll gefertigtes Ausstellungsgericht, bei dem sich der Hersteller bemüht, dem Ganzen eine kulinarisch tragbare Note zu geben, kommt, wie sollte es anders sein, einem Ratgeber gleich.

Dies werden alle diejenigen bestätigen können, die sich bei einem Wettbewerb gewissenhaft über die zur Schau gestellten Leistungen informieren.

Eine gute Note ist auch dem auf Preiselbeeren offerierten und als „Suprême von Truthahnbrust" bezeichneten Tellergericht zuzusprechen. Es hat eine Beilage von glasierten Maronen, gefüllter Gurke und Reiskrusteln.

Filled Turkey-Breast

A responsibly prepared show-piece, in which case the exhibitor made every effort to give the whole dish a special culinary touch – how else should it be – is just that what a guide is.

Whoever conscientiously informed himself daily of the achievements displayed, will certainly be able to confirm this.

A further confirmation of this good grading is also the plate dish, designated "Suprême of Turkey-Breast", offered on cranberry sauce.

It is accompanied with glazed chestnuts, filled cucumber and rice croustades.

Blanc de dinde fourré

Un plat d'exposition apprêté de manière conséquente, où le confectionneur s'efforce de procurer à l'ensemble un cachet culinaire acceptable, vaut un bon conseil; et comment pourrait-il d'ailleurs en être autrement?

Tous ceux qui s'informaient chaque jour consciencieusement des prestations offertes pourront en témoigner.

Il faut également confirmer l'attestation d'une bonne note au mets sur assiette intitulé «Suprême de blanc de dinde» présenté sur une sauce aux airelles.

Il est accompagné de marrons glacés, de concombre fourré et de croquettes de riz.

Wildentenbrust, Hirschfilet „New Hampshire"
und Fasanenbrust „St. Andrews"

Die heutige Ausstellungsform der Tellergerichte bedeutet keinen Verzicht auf Phantasie und keine Einengung des einzelnen Verfertigers, wie dies noch vor vielen Jahren angenommen wurde.

Die sich schon seit geraumer Zeit durchsetzende Form, die sich an schon wiederholt genannten Trends und Vorstellungen orientiert, ist kein Ausdruck der Vereinfachung, sondern auch sie braucht ein Konzept, das Leistung und Angebot in Einklang zu bringen hat.

Ein solches Angebot unterstreichen die nebenstehenden Gerichte von gefülltem Hirschfilet sowie von Fasanen- und Wildentenbrust, die mit ihren Beilagen sicher auch geschmacklich das halten, was sie bildlich versprechen.

Wild-Duck Breast, Fillet of Venison "New Hampshire"
and Pheasant-Breast "St. Andrews"

The present method of displaying plate dishes does not mean dispensing with fantasy, and setting limitations for the exhibitor, which was thought to be the case many years ago.

The method of form, that was already accepted quite some time ago, and which is oriented to the trends and conceptions, already repeatedly mentioned, is not an expression of simplicity, but rather it, too, requires a concept that brings harmony to achievement and that offered.

The next dishes demonstrate such an offer; they include filled fillet of venison, as well as pheasant and wild-duck breast, which with their trimmings certainly fulfil that promised in the picture, and this, too, as far as taste goes.

Blanc de canard sauvage, filet de cerf «New Hampshire»
et blanc de faisan «St. Andrews»

La forme d'exposition actuelle des mets sur assiettes ne signifie pas un renoncement à la fantaisie ni une gêne pour chacun des confectionneurs, comme on le supposait il y a encore un bon nombre d'années.

La manière qui s'est imposée depuis longtemps déjà, orientée suivant des tendances et des idées déjà énoncées à diverses reprises, n'est pas l'expression d'une simplification et elle nécessite également une conception qui doit harmoniser la prestation et l'offre.

Cette dernière est illustrée par le plat ci-contre de filet de cerf fourré ainsi que de blanc de faisan et de canard sauvage qui, avec leur accompagnement, tiennent certainement aussi au point de vue gustatif leurs promesses visuelles.

Vorzügliches von der Poulardenbrust „Victorio"

Durch diese mit einer Hummerfarce gefüllte Poulardenbrust ist nachdrücklich darauf hingewiesen, daß es auch in der Zusammenstellung von Geflügel und Krustentieren keine Tabus gibt.

In der Praxis der vielzitierten „Neuen Küche" stehen auch solche Gerichte im Vordergrund, die, wohlproportioniert und zusammenpassend angerichtet, nicht abzulehnen sind.

Für die nebenstehend zu sehende Präsentation ist die roh ausgelöste und ausplattierte Poulardenbrust mit Hummerfarce gefüllt, in ein Schweinsnetz gehüllt und in der herkömmlichen Weise vollendet.

Sie ist auf einer Gemüsejulienne angerichtet und mit einer kleinen Beigabe von Sauce américaine umkränzt.

A Specialty from the Poularde-Breast "Victorio"

In the presentation of this poularde-breast, filled with lobster forcemeat, it was particularly pointed out that there are no taboos in the combination of chicken and crustacean animals.

In the practice of modern-day cooking, which is often cited, those dishes are prominent, too, that are well proportioned and suitably served together, and thus, cannot be rejected.

For the next presentation to be seen, the poulardebreast, which was boned and pressed out in a raw state, has been filled with lobster forcemeat, wrapped in a pork mousseline and completed in the conventional manner.

It is served on a vegetable julienne and wreathed with a small addition of sauce Américaine.

Blanc de poularde exquis «Victorio»

Ce blanc de poularde fourré d'une farce de homard démontre expressément qu'il n'y a pas non plus de tabous en ce qui concerne les volailles et les crustacés dans leur combinaison.

De tels plats, qui bien proportionnés et harmonieusement dressés ne sont pas à rejeter, se retrouvent également promus dans les pratiques de la nouvelle cuisine à laquelle il est fréquemment fait référence.

Pour la présentation à observer ci-contre, le blanc de poularde détaché cru et attendri est fourré de farce de homard, enveloppé dans une crépinette de porc et achevé de manière traditionnelle.

Il est dressé sur une julienne de légumes et couronné par un petit accompagnement de sauce américaine.

Drei Tellergerichte in exklusiver Darbietung

Alles in allem ist über die Art der bei der IKA gezeigten Tellergerichte viel Empfehlenswertes zu sagen. Das gilt auch für diese drei Darbietungen, die oben links als warm gedachter „Salat mit geräucherter Poulardenbrust", oben rechts als „Würstchen von Meeresfrüchten ‚Ellen'" und vorne als „Pochiertes Seezungenfilet mit Hummermus" bezeichnet sind.

Sie gehören zu einem der zahlreichen wie auch erfolgreichen Angebote, und deshalb finden wir es wert, sie als farbiges Anschauungsmaterial festzuhalten.

Three Plate Dishes of Luxurious Presentation

All in all, there is a great deal to be said of the manner in which the whole plate dish was composed, and this, in the form of a recommendation; this also applies to the three presentations, which in the sequence of order, beginning at the top left are designated: A salad with smoked poularde-breast, meant to be served warm; top right: sausages of fruits of the sea "Ellen"; and the plate at the front: poached fillet of sole with lobster pulp.

They all fall under the numerous and most successful offers, for which reason, we saw it fit to document them in color photo-material.

Trois mets sur assiette en présentation exclusive

En fin de compte, il y a beaucoup à recommander à propos du monde des mets sur assiette rapporté dans son ensemble et ceci s'applique également aux trois présentations suivantes dénommées, en haut à gauche: salade chaude avec blanc de poularde fumé, en haut à droite: petites saucisses de fruits de mer «Ellen», l'assiette au premier plan s'appelant: filet de sole poché avec crème de homard.

Ils font tous partie d'une des offres les plus prolifiques et les plus réussies et c'est pourquoi nous les avons trouvés suffisamment valables pour les retenir en tant que spectacle coloré.

Medaillons von Steinbutt mit gebackenen Austern in Pfeffercreme und Gemischtes von Edelfischen „Maître Henri"

Wenn, wie dies bei der Ausstellungsform der Tellergerichte der Fall ist, bald auf jeder Ausstellung immer wieder originelle oder auch neuartige Kreationen den Wettbewerb beleben, so kommt dies in der Hauptsache den Betrachtern zugute. Jede Kochkunstschau hat den Zweck, neue Zusammenstellungen und eine Vielfalt von Ideen zu bekunden.

Eine dieser Ideen verwirklicht der Verfertiger der beiden im Titel genannten Fischgerichte, die in geschickter Anordnung dargeboten und nebenstehend zu sehen sind. Die Anordnung der Beilagen und auch die der Saucen, einer Pfeffer- und einer Paprikacreme, bildet eine sachbezogene Ergänzung.

Turbot Medaillons with baked Oysters in Pepper Cream and a Mixture of Noble Fishes "Maître Henri"

If, as is the case when exhibiting the different types of plate dishes, it happens that ever growing forms of originality or new kinds of creations enliven the contest, then it is chiefly the viewers who benefit from it. But the purpose of an exhibition is to provide new compositions and a variety of ideas.

The exhibitor, too, did present one of these ideas by way of the two fish dishes mentioned in the title, and this, by employing a skilled manner of grouping the two, as can be seen. The grouping of the trimmings and also of that of the sauces, a pepper and a paprika cream, makes for a perfect completion of the whole.

Médaillons de turbot avec des huîtres rôties dans une crème au poivre et assortiment de poissons nobles «Maître Henri»

Lorsque des créations originales ou même nouvelles animent les concours, et ceci bientôt dans chaque exposition, et comme c'est le cas avec la forme d'exposition que représentent les mets sur assiettes, ce sont essentiellement les spectateurs qui en profitent. Leur but est bien aussi de faire connaître des compositions nouvelles et une foule d'idées.

Le confectionneur des deux mets de poisson cités dans le titre, présentés dans un arrangement habile et illustrés sur la page suivante, s'est également inspiré d'une de ces idées. La disposition des accompagnements ainsi que celle des sauces, une crème au poivre et l'autre au paprika, forme un complément approprié.

Drei verschiedene Gerichte von Seezungen

Daß Tellergerichte bei jeder Kochkunstschau aktuell sind und mit ihnen vielgestaltige Zusammensetzungen wie auch Anrichteweisen erreicht werden können, bedarf eigentlich keiner ausdrücklichen Erklärung.

Wie dekorativ sie aber wirken können, vor allem, wenn sie, wie auf unserer Abbildung zu sehen, aus einer einzigen Fischsorte gefertigt sind, soll hiermit unterstrichen werden.

Alle drei Gerichte des Verfertigers verraten nicht nur einen ausgeprägten Sinn für eine geschmacklich sichere Zusammenstellung, sondern auch eine nützliche Präsentation.

Alle drei einer schonkostbedingten Zubereitungsart zuzuordnenden Gerichte sind jeweils mit ihrer passend gewählten Garnitur, wie zum Beispiel Krebsschwänze, Krevetten oder Trüffelscheiben, versehen und mit Champignon- und Schnittlauchsauce sowie Sauce Newburgh vollendet.

Three different Dishes of Fillets of Sole, served on Plates

Actually no special note has to be made of the fact that plate dishes are among those achievements found at any exhibition, and that with the diversified compositions that exist, along with the many methods of serving, a great deal can be attained in this field.

But how decorative they can be, particularly, as is the instance in our picture, when they are prepared from one kind of fish is to be stressed here.

All three food dishes of the exhibitor not only demonstrate a definite sense of taste as far as composition is concerned, but also a feeling for a practicable presentation.

All three dishes, to be classified as a method of preparation that falls under bland-diet meals, have in each case been provided with a suitably selected arrangement, like for example, crab tails, crevettes or truffle slices, and completed with a mushroom, Newbourg and chive sauce.

Trois mets variés de sole servis sur assiettes

Il est à vrai dire inutile d'insister sur le fait que les mets sur assiettes sont au nombre des activités de toute exposition et qu'ils permettent l'obtention de compositions et de modes de dressage multiformes.

Mais c'est leur pouvoir décoratif qui doit maintenant être souligné, surtout lorsqu'ils sont confectionnés d'une sorte de poisson, comme le montre notre illustration.

Les trois mets du confectionneur ne révèlent pas uniquement un sens prononcé pour une composition savoureuse mais également une présentation dont il peut être tiré profit.

Les trois plats, à ranger parmi les modes de préparation pour régime, sont respectivement pourvus de la garniture choisie à leur convenance, comme par exemple des queues d'écrevisses, des crevettes ou des rondelles de truffe et sont achevés avec de la sauce aux champignons de couche, Newburgh et à la ciboulette.

Kalbsbries „Mainau", Ballotine von Poulardenkeule und Lachsschnitte „Captain Cook"

Beim Betrachten dieser in ihrer Ganzheit wohldurchdachten und sauber ausgeführten Tellergerichte kann jeder Fachmann mit der Art der Darstellung zufrieden sein.

Auch sind die genannten Gerichte ein Beispiel dafür, daß auf große und teure Zutaten weitgehend verzichtet werden kann, wenn der Verfertiger wie bei diesen Tellern vor allem ein machbares Angebot und eine wirtschaftliche Zusammenstellung zugrunde legt.

Veal Sweetbread "Mainau", Ballotine of Poularde Leg and Salmon Cut "Captain Cook"

When studying this plate dish, which was well thought out and neatly presented in its entirety, any specialist in the field could be satisfied with the way it was presented.

For another, with the said dishes, an example has been given that many and expensive ingredients can largely be done without, that is to say, if the exhibitor, as in the instance of these plates, can achieve a practicable offer, and one that can economically be composed.

Ris de veau «Mainau», ballotine de cuisse de poularde et tranche de saumon «Captain Cook»

Tout observateur spécialisé pouvait être satisfait du mode de présentation en étudiant ces mets sur assiettes mûrement réfléchis et soigneusement exécutés dans leur ensemble.

En outre, les mets énoncés ci-dessus donnent l'exemple qu'il est généralement possible de renoncer à des ingrédients chers et grandioses lorsque, comme c'est le cas avec ces assiettes, le confectionneur peut avant tout élaborer une offre praticable et une composition économique.

Leckerbissen von Kalbsbries, in Strudelteig gebacken

Eine attraktive Gestaltung eines Tellergerichts mit seiner korrekten Bezeichnung soll als kulinarisches Muster akzeptiert werden können, wobei wir nicht behaupten, daß jede Leistung gefällt. Oftmals sind es sicher nur winzige Kleinigkeiten, die mißfallen oder an einen aufmerksamen Betrachter weitergegeben werden.

Für den im Bild festgehaltenen Leckerbissen ist das weißgedünstete Bries mit Kalbfleischfarce umhüllt, in Strudelteig eingeschlagen und gebacken.

Die aufgeschnittenen Tranchen sind mit Rotweinbutter untergossen und mit der dazugehörigen Beigabe vollendet.

Veal Sweatbread Delicacies baked in Strudel Dough

Besides the attractive presentation of a plate dish and its correct designation, an example of a culinary piece of work lies in its acceptance, in which instance, we cannot maintain that every achievement is always liked. Very often it is certainly only mere trifles, but precisely these are conveyed to an attentive viewer.

For the titbits documented in the picture, the blanched sweatbread has been covered with veal forcemeat, wrapped into strudel dough and then baked.

The cut-up pieces are soaked in red-wine butter and completed with just the right arrangement.

Bouchées délicates de ris de veau en stroudel, rôties

L'acceptation de tels modèles culinaires repose auprès du façonnage attirant d'un mets sur assiettes et de sa détermination correcte, ce qui ne signifie pas que nous puissions qualifier de plaisante toute prestation. Souvent ce ne sont sans doute que des détails minuscules, mais c'est justement ceux-ci qui sont retransmis à l'observateur attentif.

Pour ce qui est des bouchées délicates retenues sur l'illustration, le ris blanchi est enveloppé d'une farce de veau, inséré dans un stroudel (pâte roulée) et rôti.

Les tranches découpées sont arrosées de beurre au vin rouge et achevées avec l'accompagnement approprié.

Kalbsbrustrippe „Wilen", gerollte Truthahnbrust „Val Achsee" und Rindfleischroulade „Schöne Katharina"

Eine recht gute Resonanz finden auf einer Kochkunstschau auch die hier gezeigten Tellergerichte. Sie untermauern die Aussage, daß mit Exponaten dieser Kategorie die kulinarische Ausstellungsszene belebt werden kann.

Die Richtigkeit dieser Aussage ist nicht zu bestreiten, doch ist, um sie zu verwirklichen, ein solider und reicher Erfahrungsschatz des Verfertigers, der möglichen Überspanntheiten keinen Raum läßt, notwendig.

Veal-Breast Rib "Wilen", rolled Turkey-Breast "Val Achsee" and Beef Meat Roll "Schöne Katharina" (Pretty Catherine)

The plate dishes displayed here were well received. They substantiate the statement that the culinary scene at exhibitions can be given a stimulating effect with the exhibits in this category.

This statement cannot be contested and yet, it is required of the exhibitor that he possesses sound and extensive experience, that leaves no room for any extravagancies.

Côte de veau «Wilen», blanc de dindon roulé «Val Achsee», et roulade de bœuf «Schöne Katharina»

Les mets sur assiettes proposés ici trouvèrent également un écho très favorable. Ils permettent d'affirmer que la scène des expositions culinaires peut être animée par des objets de cette catégorie.

Ceci est indiscutable; cependant le confectionneur doit disposer d'un fonds d'éxperience solide et riche pour ne pas laisser place à de possibles exagérations.

Gedünsteter Lachs „Lake Michigan", Seebarsch „New Tuket" und Hirschfilet „Riverband"

Bei eingehender Betrachtung der Exponate erkennt man, daß bei der Zusammenstellung eine ausgewogene Wahl getroffen wurde. Dadurch ist auch bildlich ein artgemäßer Kontrast erzielt, durch den sich das Interesse des Betrachters nicht unwesentlich erhöht.

Der Hersteller hat eine umschichtige Wiedergabe geschaffen, die es gestattet, die nebenstehenden Tellergerichte als gelungen zu bezeichnen.

Stewed Salmon "Lake Michigan", Sea Perch "New Tuket" and Venison Fillet "Riverband"

When taking a careful look at the exhibits, it is recognized that a balance in the selection of the composition was achieved. In this way, a further contrast as to kind was also attained in the picture, through which the interest of the viewers was considerably increased.

The exhibitor created a circumspective reproduction which permits the plate dishes, displayed next, to be said to be achievements.

Saumon étuvé «Lac Michigan», loup de mer «New Tuket» et filet de cerf «Riverband»

Une observation approfondie des objets laisse apparaître un choix équilibré dans la composition. Ainsi, au plan pictural, un contraste naturel est également obtenu qui n'a pas pour peu contribué à accroître l'intérêt de l'observateur.

L'exposant a tour à tour créé une reproduction qui permet de qualifier de réussite les mets sur assiettes ci-contre.

Tellergerichte aus dem Tagesgeschäft

Wenn wir nebenstehende Tellergerichte, die, wie man beobachten kann, auf einer IKA den Betrachtern gut gefallen, noch einmal Revue passieren lassen, so wollen wir für den Küchenfachmann, der sich für dieses oder jenes Angebot insonderheit interessiert, die Gerichte kurz erläutern:

Das als „Forellenröllchen" bezeichnete Gericht hat die Füllung eines Krebssalpikons und eine Beilage von Fleurons und Kartoffeln. Des weiteren ist eine mit Waldpilzen versehene Rindsroulade präsent. Im Vordergrund sieht man ein in Strudelteig gebackenes Filet von Junghirsch, dessen Beigabe aus Würzpflaumen und Serviettenknödel besteht.

Plate Dishes from Everyday Gastronomy

If we let all the plate dishes that were well received by the curious viewers pass again in review, like the next shown, then we would like to make a few comments, which might be of special interest in one or other point, and this, in particular as follows:

The dish designated as a trout roll includes a filling of crab salpicon and has an arrangement of fleurons and potatoes. Apart from this, there is also a beef-meat roll provided with forest mushrooms. In the foreground can be seen a fillet of young venison, baked in strudel dough, whose trimming consists of spiced plums and "napkin" dumplings.

Mets sur assiette de la pratique quotidienne

En passant encore une fois en revue les mets sur assiettes ci-contre qui, comme on pouvait l'observer, étaient bien appréciés par tous les curieux, nous aimerions aussi commenter brièvement les mets suivants, pour l'expert cuisinier s'intéressant à l'une ou l'autre des particularités.

Le mets dénommé petits rouleaux de truite est fourré d'un petit ragoût de homard et garni de fleurons et de pommes de terre. Se présente ensuite une roulade de bœuf nantie de champignons des bois. Au premier plan apparaît un filet de jeune cerf rôti dans une pâte roulée, accompagné de prunses épicées et de quenelles.

Tellergerichte nach Sheraton Heliopolis

Der Akzent dieser Arbeit liegt in der untadeligen Zusammenstellung wie auch in der Wirklichkeitsnähe ihrer Darbietung, bei deren Betonung der Verfertiger deutlich macht, daß Tellergerichte bei keiner Ausstellung eine Konkurrenz zu fürchten haben.

Das gesamte wohldurchdachte Arrangement erreicht den gewollten Effekt voll und ganz durch die Gerichte „Navarin von Meeresfrüchten", „Soufflé von Wildlachs" und „Gegrillte Rotbarbe" mit der Beilage von Ratatouille.

Plate Dishes Sheraton Heliopolis Style

The emphasis laid here in the case of this piece of work was in perfect composition and realistic presentation, in which instance the exhibitor particularly stressed the fact that plate dishes have no competitors to fear at any exhibition.

The whole, well thought-out arrangement had the total effect wanted, and this, through the dishes offered here, like the "Navarin of fruits of the sea", the "Soufflée of wild salmon" and the "Grilled Red Barbel" with the ratatouille trimming.

Mets sur assiette d'après Sheraton Heliopolis

L'accent de cette réalisation était mis sur la composition impeccable ainsi que sur le réalisme de la présentation dans laquelle l'insistance des confectionneurs faisait comprendre que les mets sur assiettes n'ont pas à redouter la concurrence lors des expositions.

L'ensemble de l'arrangement bien conçu atteignait l'effet recherché à tous les points de vue avec les mets offerts ici tels que le «Navarin de fruits de mer», le «Soufflé de saumon» et le «Barbeau méridional grillé», accompagné de ratatouille.

Lachsterrine auf Brennesselpüree

Die saubere Anrichteweise dieser Lachsterrine mit der Beigabe von Gemüsejulienne, Safranreis und Brennesselpüree bleibt wohl auf keinen Betrachter ohne Eindruck.

Mit dem nebenstehenden Bild sind wir in der Lage, dem Betrachter ein gutes Beispiel für eine moderne und ansprechende Servicemethode zu geben. Sie ist ein gangbarer Weg zum Erfolg, der uns nachahmenswert erscheint.

Salmon Tureen on a Nettle Purée

The clean method of serving this salmon tureen with the trimming of Julienne vegetables, saffron rice and nettle purée, certainly makes an impression on any viewer.

With the picture published next, we are in the position to give the viewer a good example of a modern and appealing method of serving. The thinking that arises from this is a practicable means towards achieving success, which would seem to us worthwhile to imitate.

Terrine de saumon sur purée d'orties

Le mode de dressage soigné de cette terrine de saumon impressionnait tout observateur avec un accompagnement de julienne de légumes, de riz au safran et de purée d'orties.

Avec l'illustration publiée ci-contre, nous pouvons fournir à l'observateur le bon modèle d'une méthode de service moderne et plaisante. L'aperçu qui en résulte constitue un cheminement practicable vers le succès qui nous apparaît digne d'être imité.

Grillteller mit Lachs und Gemüsen nach Teufelsart

Das Exponat eines gegrillten Fischgerichts, bei dem auch die begleitende Umlage auf dem Rost fertiggestellt ist, ist unserer Zeit entnommen, denn solche Zubereitungen deuten auf heute bevorzugte Eßgewohnheiten hin.

Der von vielen Gästen geschätzte Grillgeschmack hängt jedoch nicht nur alleine von den verschiedenen Fisch- oder Fleischsorten ab, sondern bildet sich auch durch das Einbeziehen der ebenfalls gegrillten Beilagen wie auch der Saucen- oder Buttermischungen.

Die zu diesem Gericht gereichte Sauce ist aus der Reduktion von Sahne, Lachs- und Muschelfond zuberei-tet, mit frischer Butter aufgeschlagen, mit Cayennepfeffer geschärft und mit Brunoise von Gemüsen unterschwenkt.

Grill Plate with Salmon and Vegetables "Teufelsart" (Devil's Style)

This exhibit of a grilled fish dish, in which instance the accompanying outlay, too, has been prepared on the grill, is taken from modern-day cooking, for such methods of preparation point to the fact that preferred eating habits are the case here.

However, the grill taste so appreciated by many guests, is not solely dependent on the various kinds of fish or meat, but rather is dependent on the inclusion of the trimmings also grilled, as well as the sauces or butter mixtures.

The sauce served with this dish was prepared from a minimized selection of cream, salmon and mussel gravy, mixed with fresh butter, seasoned with Cayenne pepper, and tossed in a brunoise of vegetables.

Assiette grillée avec saumon et légumes «à la mode du diable»

L'objet, un plat de poisson grillé où l'accompagnement est traité de manière identique, est pris dans l'actualité car ce genre de préparation indique les habitudes culinaires favorites.

Le goût grillé apprécié par un grand nombre de clients ne dépend pas pourtant uniquement des diverses espèces de poissons ou de viandes mais n'est obtenu qu'avec l'introduction de l'accompagnement également grillé ainsi que des enrobages de sauce ou de beurre.

La sauce attribuée à ce plat était apprêtée avec un fond réduit de crème, de saumon et de coquillages, montée avec du beurre frais, relevée avec du poivre de Cayenne et rissolée avec une brunoise de légumes.

Seezungenfilet „Obispo Bay", Fasanenflügel „Mohaver" und Roulade „Erica"

Wenn die Zusammenstellung der Zutaten für die beabsichtigte Fertigung von Tellergerichten und auch, wie bei dem hier unterbreiteten Angebot, die Portionsmaße stimmen, dann sind der Vielfalt der ausstellerischen Kochkunst im Bereich der Kategorie Tellergerichte fast keine Grenzen gesetzt.

Es ist unschwer festzustellen, daß mit nebenstehenden Tellern ein abwechslungsreiches Gesamtbild geschaffen wird, das mit seinen appetitlich präsentierten Gerichten als sehr gefällig zu beurteilen ist.

Fillet of Sole "Obispo Bay", Pheasant Wings "Mohaver" and a Meat Roll "Erica"

If the composition of ingredients for the preparation of the plate dishes intended is correct, and also has the right proportions, as is the case here with the next offer, then no limits can be set in the variations possible at a cookery show, and this, in the very field of the platedish category.

It is not difficult to see that with the next plates a diversity in the overall picture was created, which is to be given a favorable assessment with its appetizingly presented food dishes.

Filet de sole «Obispo Bay», aile de faisan «Mohaver» et roulade «Erica»

La diversité de l'art culinaire d'exposition dans le domaine catégoriel des mets sur assiettes est presque illimitée quand la combinaison des ingrédients est correcte pour la confection envisagée et aussi, comme il en est avec l'offre proposée ici, lorsqu'ils possèdent le juste sens des proportions.

Il est facile de constater qu'un tableau d'ensemble varié se constituait avec les assiettes ci-contre, qu'on doit qualifier comme très plaisant avec ses plats présentés de manière très appétissante.

Terrine von Jakobsmuscheln

Tellergerichte gleich welcher Art können zu den Vermittlern von Wissen um die Ausgewogenheit der Zusammenstellung wie auch der Präsentation gehören, wenn sie – wie bei der nebenstehenden Terrine von Jakobsmuscheln – in geübter Art in die Konkurrenz gebracht werden.

Das Ganze, bestehend aus der auf Avocadocreme angerichteten Terrine mit ihrer Beigabe von Spargeln und Morcheln, ist von untadeliger Wirkung.

Tureen of Mussel St. Jacques

Plate dishes, regardless of their kind, can be one of the vehicles that convey the knowledge required to make a composition as well as the presentation of a dish appear balanced, that is to say, if they are brought into the contest in a skilled fashion, as is the case here with the next tureen of mussel St. Jacques.

The entire dish, consisting of a tureen served on avocado cream with its trimming of asparagus and morels, had a splendid effect.

Terrine de coquilles saint-Jacques

Les mets sur assiettes de toutes catégories peuvent faire partie de ceux qui transmettent des connaissances en ce qui concerne l'équilibre de la composition ainsi que de la présentation, lorsqu'ils se trouvent adroitement mis sur le marché, comme la terrine de coquilles saint-Jacques ci-contre.

L'ensemble, composé de la terrine dressée sur une crème d'avocat, produisait un effet irréprochable avec son accompagnement d'asperges et de morilles.

Patisserie

Frankfurt – Werbung für die Patisserie

An weltweiten Kochkunstausstellungen, wie sich speziell die IKA in Frankfurt darstellt, bewundern die sich orientierenden Fachleute nicht nur die Erzeugnisse der kalten und warmen Küche, sondern auch in verstärktem Maße die Spitzenerzeugnisse schöpferischer Konditoren und Patissiers.

So hat die nachrückende Generation dieses Berufszweiges der Hotellerie oder Gastronomie auf Ausstellungen mehr denn je Gelegenheit, ihren Gesichtskreis zu erweitern und damit die eigene Phantasie anzuregen. Die ausgestellten Arbeiten, die wir auf den nächsten 60 Seiten dieses Buches vorweisen wollen, enthalten alle Varianten, angefangen bei den Friandises und Pralinen, über Tee- und Käsegebäckzusammenstellungen, wohlproportionierte Dessert- und Cremespeisen bis zu Petits fours, Zucker- und Marzipanarbeiten, formschönen Torten und vielem mehr aus dem Bereich dieser Zunft.

Ohne Übertreibung kann man daher behaupten, daß in dieser Ausstellungsform von einfallsreichen Patissiers Kreationen angeboten werden, die zum Begriff werden können. Dazu zählen nicht allein die verschiedenartigen Arrangements, sondern auch die vielfach verwendeten Mittelstücke, die in zum Teil absolut neuartiger Gestaltung und farblicher Ausgewogenheit zur Komplettierung der Arbeiten eingesetzt waren.

Derartige wohldurchdachte Schaustücke, Skulpturen oder Aufsätze, die aus gegossenem, geblasenem oder gezogenem Karamelzucker, aus Schokolade, Marzipan, Krokant oder Gelatinezucker waren, überzeugten durch Materialechtheit, Akkuratesse wie auch Kunstgerechtigkeit und waren durchweg als beispielhaft zu bezeichnen.

Solch offerierte Empfehlungen rufen selbstverständlich nicht nur bei den betrachtenden Laien Begeisterung hervor. Sie sind ohne weiteres imstande, die Fachwelt zu bewegen, auch wenn die Veröffentlichung ohne Rezepturen erfolgt. Wir sind überzeugt, daß jeder Fachinteressent nach eingehender Betrachtung des Bildmaterials schöpferisch wirken kann. Freilich muß er die nötige Technik beherrschen und wissen – das gilt nicht allein fürs Zuckerkochen und die Pralinenherstellung –, warum dieses oder jenes so und nicht anders getan werden muß. Auch verlangen selbst die einfachsten Patisseriearbeiten neben dem handwerklichen Können Geschmack und Sinn für Form und Farben. Gerade in der Patisserie gilt das Prinzip, daß man sich, bevor die praktische Arbeit begonnen wird, über alle elementaren Grundregeln im klaren sein muß.

Diese Attribute, die unbedingt zum Rüstzeug eines Patissiers gehören, kamen auf der IKA-HOGA '84 voll zur Entfaltung, deshalb waren die Arbeiten absolut bewundernswert.

Frankfort – to Advertise for Pastry

At the world-wide cookery shows, particularly like the IKA in Frankfort, the people specialized in the field do not only admire the products of cooks, served cold and warm, but also to a very great extent the top-notch products of creative confectioners and pastry-makers.

That is why the next generation in the hotel or restaurant business more than ever has the opportunity to enlarge their horizon and in doing so to stimulate their imagination. The pieces of work displayed, and which we want to depict on the next 60 pages, include all the variations, beginning with friandises and chocolates, through cookies and cheese cooky compositions, well proportioned dessert and cream dishes to petits fours, sugar and marzipan creations, beautifully shaped tortlets and a great deal more from the field of this craft.

For this reason, without exaggerating it can be said that creations are offered in this form of exhibiting by inventive pastry-makers that can become a general concept. This does not only include the diversified arrangements, but also the center-pieces, very often used, which were employed to supplement the pieces of work with partially entirely new styling and color schemes.

Such well thought-out show-pieces, sculptures or toppings, which were made of moulded, blown or drawn caramel, chocolate, marzipan, croquant of gelatine sugar, were convinsive through the genuineness of material, accuracy, as well as with skill, and can be said to have been abolutely exemplary in every respect.

It goes without saying that such recommendations made, evoke enthusiasm not only with laymen. Without a doubt they are to enthuse the world of specialists, even if publication is made without any recipes. We are convinced that every interested specialist will be able to work creatively after having taken a close look at the photo material. Needless to say, he has to master the necessary techniques to do so and know – this does not solely apply to cooking with sugar and the making of chocolates – why this or that has to be done and nothing else. Besides skill in the handicraft, even the simplest of chocolate work requires a special feeling for taste, form and color. It is in the very field of pastry work that the principle applies that before beginning with the piece of work practically, one has to be quite conscious of the basic fundamentals.

These attributes, which are definitely required by a pastry-maker as tools, so-to-speak, could be seen at the IKA-HOGA '80 truly developed, for which reason, the show-pieces were without an absolute doubt quite admirable.

Francfort – une publicité pour la pâtisserie

Lors d'expositions internationales d'art culinaire, comme se présente plus spécialement l'IKA de Francfort, les experts qui s'y intéressant admirent non seulement les plats cuisinés froids et chauds mais aussi de plus en plus les meilleurs produits de confiseurs et de pâtissiers créatifs.

Ainsi la prochaine génération de cette branche professionnelle de l'hôtellerie ou de la gastronomie a plus que jamais l'occasion d'élargir son horizon et avec ceci de stimuler sa propre imagination. Les réalisation exposées, que nous voulons présenter dans les 60 prochaines pages de ce livre, contiennent toutes les variantes, depuis les friandises et les chocolats fine, en passant par les combinaisons de petits gâteaux pour le thé et au fromage, les desserts bien proportionnés et les entremets, jusqu'aux petits fours, aux produits en sucre et à la pâte d'amandes, aux tartes de formes harmonieuses et encore bien d'autres choses du domaine de cette corporation.

En partant de ceci, il est possible, sans exagération, d'affirmer que sont offertes des créations de pâtissiers imaginatifs, présentées dans cette forme d'exposition, qui pourront servir de références. Des formes d'arrangements variées n'y entrent pas seules en ligne de compte, mais également les pièces centrales, fréquemment employées, insérées, pour compléter la réalisation, sous un aspect pour une part absolument inédit ainsi qu'avec des couleurs harmonieuses.

Des pièces de présentation, mûrement réfléchies, de cette sorte, sculptures ou compositions, constituées de sucre caramélisé coulé, soufflé ou étiré, de chocolat, de pâte d'amandes, de nougatine ou de sucre gélifié, dénotaient l'authenticité des ingrédients, le plus grand soin ainsi qu'une conformité aux règles de l'art et devraient, d'un bout à l'autre, être qualifiées d'exemplaires.

Le fait d'offrir de telles références ne déclenche pas l'enthousiasme uniquement chez l'observateur profane. Il est, à coup sûr, capable de remuer le monde spécialisé, même si la publication s'effectue sans recettes. Nous sommes persuadés qu'après une observation minutieuse des illustrations tout expert intéressé peut agir de manière créative. Il doit bien sûr posséder la technique nécessaire et (ceci n'étant pas seulement valable pour la cuisson du sucre et la confection des chocolats) savoir pourquoi ceci ou celà doit être fait ainsi et pas autrement. Même les réalisations les plus simples de la pâtisserie demandent du goût et le sens des formes et des couleurs, auprès du savoir-faire artisanal. Le principe, justement applicable à la pâtisserie, est qu'avant d'entreprendre un travail pratique il est indispensable d'avoir une vision claire de toutes les règles fondamentales élémentaires.

Ces qualités, dont le pâtissier doit absolument être muni, s'épanouissaient entièrement pendant l'IKA-HOGA '84; c'est pourquoi les réalisations étaient vraiment dignes d'admiration.

Trüffelpralinen-Arrangement „Zürich Zoo"

Unter den zahlreichen Dekorationsstücken, die der Patisserie zuzuordnen sind, war auch das nebenstehende, aus Schokolade und Canache gefertigte Arrangement, das sich „Rendezvous im Zürich Zoo" nannte.

Eine bemerkenswerte, gefällige und originelle Arbeit, die ebenso als Schaufensterblickfang wie auch als repräsentatives Mittelstück auf einem Dessertbüfett dominieren könnte.

Arrangement of Truffle Chocolates "Zurich Zoo"

The next arrangement, made out of chocolate and canache, and which is called "Rendezvous in the Zurich Zoo", is among the many decorative pieces that fall under the category of pastry work.

A noteworthy, pleasing and original piece of work that could be an eye-catcher in a shop window or dominate as well any buffet as a dessert center-piece.

Présentation de truffes «Zoo de Zurich»

Parmi le nombre importants d'éléments utilisés pour la décoration dans la pâtisserie, la composition faite de chocolat et de ganache portant le nom «rendez-vous au Zoo de Zurich» et figurant à côté, est également attrayante. Un travail intéressant qui plaît, qui est original et qui attirera l'œil, placé dans une vitrine ou au milieu d'un buffet de desserts.

Walderdbeeren in Pistaziencreme und glasiertes Apfeldessert

Wie appetitlich Tagesdesserts sein können, wird mit der nebenstehenden Süßspeise dokumentiert.

Dem Verfertiger muß man für die eigentlich recht schlichte Ausführung Zustimmung zollen. Die Komplettierung durch die Beigabe einer passenden Sauce weist bei dem Ganzen noch zusätzlich ein Geschmacksverständnis aus, dadurch kann diese Arbeit bei einer Kochkunstschau eine gute Beurteilung durch die Jury erreichen.

Auch das zweite Dessert, eine glasierte Apfelspeise, erfüllt die Anforderung, die an ein Tagesdessert gestellt werden muß.

Forest Strawberries in Pistachio Cream and Glazed Apple Sweet Dish

This sweet dish demonstrates how appetizing desserts can also be.

We certainly have to approve of the exhibitor's manner of preparing it, which was actually done in quite a simple fashion. And by having complemented it with the addition of just the right sauce, gave the entire dish a further touch of flavor, which had as a result that it was given a good evaluation by the jury.

The second dessert, too, a glazed apple sweet dish, met the requirements made of an everyday dessert.

Fraises des bois dans une crème aux pistaches et dessert glacé aux pommes

Les entremets ci-contre illustrent combien les desserts journaliers peuvent être appétissants.

On doit être gré au confectionneur de son exécution, à vrai dire réellement sans artifices. Le complément apporté par une sauce appropriée témoignait en outre pour l'ensemble d'une connaissance du goût et pouvait ainsi obtenir une bonne appréciation du jury.

Le deuxième dessert, qui est un dessert glacé aux pommes, rempli également l'exigence de qualité que l'on attend d'un entremet en fin de repas.

Erlesenes Erdbeerschaumdessert

Mit dem in der Abbildung gezeigten Dessert ist der Gedanke einer modernen Präsentation, wie sie vorwiegend bei Extraessen in Anwendung gebracht werden kann, transparent zum Ausdruck gebracht.

Das auf Kristallschalen angerichtete Dessert ist zu seiner Vervollkommnung mit einer aus Karamel gefertigten, stilisierten Erdbeerblüte versehen. Es umkränzt eine aus geblasenem Zucker fassonierte Erdbeere.

Diese Zusammenstellung betont den zum Thema „Erdbeere" verarbeiteten Rohstoff und unterstützt den angestrebten Kontrast recht wirkungsvoll.

Exquisite Strawberry Mousse Dessert

With the dessert dish shown in the picture, the concept of a modern presentation, as is largely employed in the instance of extra foods, has been made quite clear.

The dessert served on crystal bowls, was prepared with caramel for completion, provided with stylized strawberry blossoms, and includes strawberries formed with blown sugar, giving the whole piece of work an outer frame.

This piece of work demonstrates the theme of the very raw materials used: strawberries, and thus, provides the right basis for the contrast striven for, and this, quite effectively, too.

Dessert exquis de mousse aux fraises

L'idée d'une présentation moderne, telle qu'elle peut être mise en majorité à profit lors de repas exceptionnels, s'exprime clairement avec le service de dessert proposé sur l'illustration.

Le dessert dressé dans des coupes de cristal est nanti d'une fleur de fraises stylisée, confectionnée de caramel et entouré d'une fraise façonné en sucre soufflé. Il atteint ainsi la perfection.

Ce sujet constitue une interprétation du thème de l'ingrédient travaillé, c'est-à-dire la fraise et appuie le contraste ainsi recherché avec une grande efficacité.

Zuckerphantasie

Allen Ausstellungsstücken der französischen Schule, deren Vertreter Patisseriearbeiten aus gezogenem wie auch aus geblasenem und gegossenem Zucker in diese Konkurrenz gebracht haben, kann an Reichhaltigkeit und hervorragender Ausführung nichts Ebenbürtiges zur Seite gestellt werden.

Bei allen gezeigten Meisterstücken – der Größe wie auch der Zerbrechlichkeit halber können wir nur einen verschwindend kleinen Teil im Bilde festhalten – kommen alle Finessen zutage, die durch langjährige Erfahrung in der Zuckerbehandlung und -verarbeitung erworben werden können.

Die charakteristisch herausgearbeiteten, stilisierten Formen der Vögel oder Blüten und das prächtige Farbenspiel der Schleifenbänder beweisen eindeutig, daß bis heute dieses Können nicht verlorengegangen ist.

Fantasy in Sugar

All the exhibitors of the French school, who brought pastry show-pieces into the contest, using drawn as well as blown and molded sugar pieces, could in no way be competed with on the same level of quality, this to be seen in great abundance and excellent preparation.

In the instance of all the master-pieces displayed, (we were only able to show an infinitely small number in pictures, owing partially to the size of the pieces and partially because of the possibility of breakage), all the delicate skills were illuminated, the quality of which can only be acquired by many years of experience as well as the necessary talent in the handling and processing of sugar.

The bird and blossom formations, characteristically worked out and stylized, and the splendid play of color of the bows evidence clearly that even today – as at one time – this craft has not yet got lost.

Fantaisie en sucre

Rien ne pouvait égaler la richesse et la remarquable exécution des travaux de pâtisserie, constitués de sucre étiré ainsi que soufflé et coulé, présentés au concours d'exposition par tous les confectionneurs de l'école française.

Toutes les pièces magistrales (dont nous n'avons pu reproduire qu'une infime partie sur les illustrations, parfois faute de place ou aussi à cause de leur fragilité) déployèrent toutes les finesses qui ne peuvent être acquises que par des années d'expérience et du talent dans le maniement et le façonnage du sucre.

Les formes, dégagées et stylisées de manière caractéristique, de l'oiseau ou des fleurs et le magnifique jeu de couleurs des boucles enrubannées démontrent sans équivoque que ce savoir-faire existe (comme jadis) aujourd'hui encore.

Auserwähltes Teegebäck

Wenn auch bei diesem Ausstellungsstück keine ausgesprochene Neuartigkeit festzustellen ist, so kann dem Verfertiger in jedem Falle doch vorbildliche Sauberkeit in Ausführung und Darbietung bescheinigt werden.

Hervorragend schön und das Gesamtbild begünstigend ist auch die geschnitzte Schokoladenfigur „Tanzende Kinder", die dem Ganzen einen subtilen Rahmen gibt.

Beim Anblick dieser Gesamtarbeit kann man sich nicht des Eindrucks erwehren, daß hier Meisterhände am Werke waren.

Selected Cookies

Even if in the case of this display piece nothing strictly new was to be seen, then at least exemplary exactness in preparation and presentation was evidenced by the exhibitor.

The chocolate figurine "Dancing Children", which is of excellent beauty, and lends to the favorable appearance of the whole picture, gives the entire piece of work a subtle frame.

When looking at this entire creation; you certainly gain the impression that expert hands were at work here.

Petits gâteaux sélectionnés pour le thé

Même si aucune nouveauté marquante n'est à constater avec cette pièce exposée, un soin exemplaire dans l'exécution et la présentation doit en tout cas être attesté au confectionneur.

La figurine en chocolat sculpté «Des enfants qui dansent» est d'une remarquable beauté, met tout le tableau en valeur et imprègne l'ensemble d'une atmosphère subtile.

On ne pouvait se soustraire à l'impression qu'une main de maître était à l'œuvre, en considérant cette réalisation.

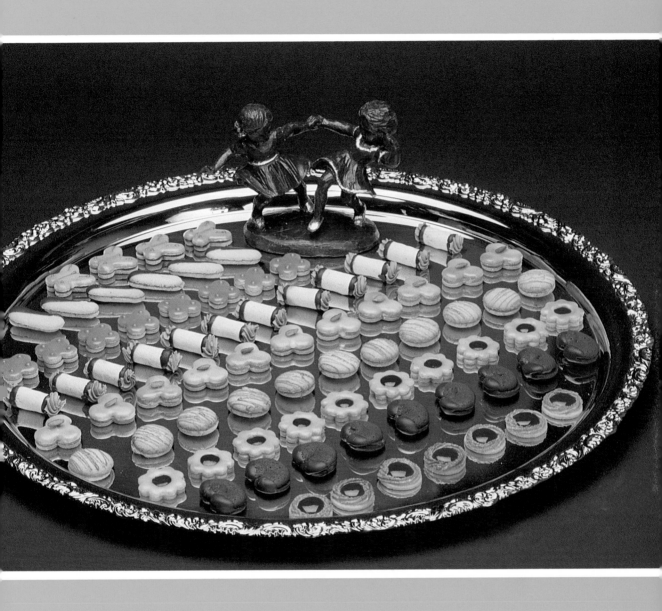

Süßspeisenangebot zur Hochzeit

Mit dem exquisiten Hochzeitdessert hat der Verfertiger nachgewiesen, daß auch mit Patisseriearbeiten in dem für sie zuständigen Ausstellungsbereich große Themen gestaltet werden können.

Die für das Dessert vorgesehene Weincreme, die in mit dünnen Baumkuchenscheiben ausgelegten Kuppelförmchen gestockt und anschließend aprikotiert wird, ist auf stilisierte und aus Schokolade gefertigte Weinblätter gestürzt und für sich angerichtet.

Das dazugehörende Dekorstück, aus heller und dunkler Kuvertüre gefertigt, unterstreicht symbolhaft den Anlaß.

Mit dieser Arbeit wird der Gedanke vermittelt, daß auch bildliche Motive, bei denen Form- und Farbschönheit berücksichtigt sind, ins Kulinarische übersetzt werden können.

Sweat-Dish Offer for a Wedding

With the offer of this exquisite wedding dessert, the exhibitor of this creation evidenced that pastry work, too, can set great goals particular in this area of showpieces.

The wine cream provided for the dessert, which was stiffened in dome-shaped molds, and laid out with thin slices of pyramid cake and later glazed with apricot, was turned over on stylized wine leaves, prepared with chocolate, and finally served as a complete dish.

The required decorative piece, made with light and dark confiture, is to be seen as the symbol piece for the celebration.

The thoughts that were conveyed with this piece of work are intended to demonstrate in the art of cooking that motifs in pictures can also be produced if form and beauty in color are taken into consideration.

Présentation d'entremets pour un mariage

Avec cette présentation de desserts de mariage exquis, le créateur a prouvé que de larges perspectives s'ouvrent également aux réalisations de la pâtisserie, dans le domaine d'exposition qui leur revient.

La crème au vin prévue pour le dessert, prise dans des petites coupoles recouvertes de fines tranches de pièce montée et, pour finir, abricotée, est renversée sur des feuilles de vigne stylisées, confectionnées de chocolat et présentée comme service complet.

Sa pièce décorative, constituée de couverture de fondant claire et foncée, doit être considérée comme un objet symbolique accompagnant la fête.

L'idée transmise avec cette réalisation présume que des motifs imagés peuvent également disposer d'une traduction culinaire, lorsque la beauté des formes et des couleurs est prise en considération.

Petits fours, mit Fondant überzogen

Was diesen in zarten Pastellfarben gefertigten Petits fours den Vorzug gibt, sind die Berücksichtigung einer gleichmäßigen Form und die Erarbeitung einer guten Farbharmonie.

Auch die Garnierung der Fours, die nach den Regeln der süßen Kunst ausgeführt ist, zeugt von Sachkenntnis und Akkuratesse. So präsentiert sich das Angebot, dessen vorbildliche Fertigungsweise sicher nicht jedermann geläufig ist, recht vorteilhaft.

Petits fours coated over with Fondant

What gave these petits fours, made with soft pastel colors, a special feature was that they were evenly balanced in form, also in connection with the harmony in color chosen.

The garnishing of the fours, too, which was done in line with the rules in the sweet art, evidenced knowledge in the field and great accuracy. So, this offer, whose exemplary method in preparation is certainly not known to everyone, was presented in quite a favorable light.

Petits fours recouverts de fondant

La prise en considération d'une forme régulière ainsi que l'attention portée au choix harmonieux des couleurs donnèrent la préférence à ces petits fours, confectionnés dans de délicats tons pastel.

Exécutée dans toutes les règles de l'art sucré, la garniture des petits fours témoignait d'une compétence et d'un soin minutieux. Ainsi l'offre se présentait à son avantage avec une confection exemplaire, certainement très peu courante.

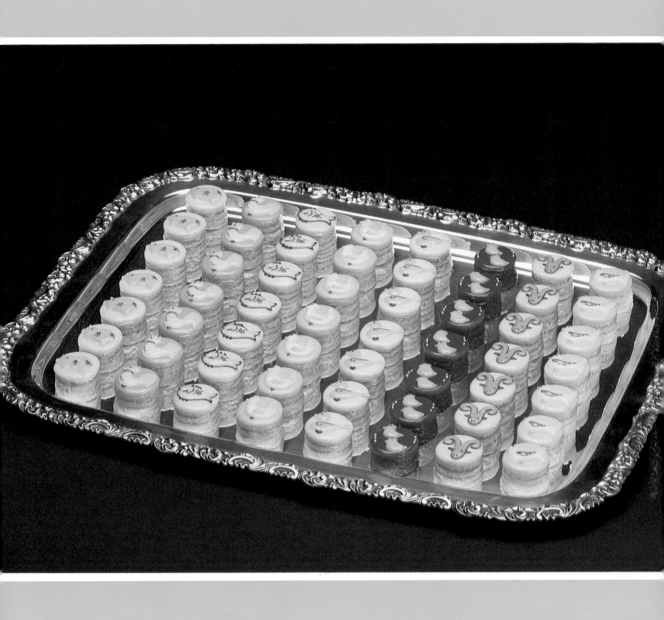

Tee- und Feingebäck mit Schokoladenschnitzerei

Auserlesenes Tee- und Feingebäck wie die fraglos stattliche Mischung aus Kissinger Honigbienchen, Mandelduchesse, Orleans, Pfauenaugen, zusammengesetztem und glasiertem Gebäck, Brabanter Orangenkonfekt, Kissinger Leckerli und Nußblättern wird vom Konsumenten immer als eine Besonderheit aufgenommen.

Jede einzelne Fertigung, die durch Beigaben von Früchten, Konfitüren, Nugat, Marzipan oder Mandeln sowie durch die individuelle Formgebung variiert wird, erfährt, wie auf dem Bild zu sehen ist, noch eine zusätzliche Abwechslung durch das abschließende Überziehen mit Kuvertüre.

Den optischen Eindruck dieser Arbeit, zu der auch das aus Schokolade geschnitzte Schaustück gehört, hat dem Verfertiger, der fraglos auch die Wirkung auf das Geschmacksempfinden kennt, geschickt beachtet.

Tea Cookies and Fancy Cakes with Carved Chocolate Pieces

Exquisite tea cookies and fancy cakes like: Kissinger honey bees, Almond Duchesse, Orleans, Peacock's Eye, composite and glazed cookies, Brabantine Orange confectionery, Kissinger Titbit and Nut Leaves, an unquestionably imposing assortment, made by hand, are always especially well received by consumers.

Every single product, which was made different from the other by the addition of fruits, confitures, nougat, marzipan or almonds as well as by having been given a different shape, were made to look different again – as the picture shows – by having finally been coated over with confiture.

The visual impression of this piece of work, which also includes the carved chocolate show-piece, was skillfully impressed on the mind of the viewer – the exhibitor doubtlessly knows, too, the effect the sense of taste has.

Petits gâteaux fins et pour le thé avec sculptures en chocolat

Un assortiment absolument superbe, sans aucun doute confectionné à la main, de petits gâteaux fins et pour le thé de tout premier choix, sera toujours considéré par le consommateur comme une spécialité. Il en va ainsi avec les petites abeilles de Kissingen, la duchesse d'amandes, Orléans, les yeux de paon, les petits gâteaux assemblés et glacés, les confiseries à l'orange du Brabant, les friandises de Kissingen et les feuilles en noisette.

Comme il est visible sur l'illustration, chacune des confections, diversifiées par les accompagnements de fruits, de confitures, de nougat, de pâte d'amandes ou d'amandes ainsi que par leur façonnage individuel, obtenait encore une variation supplémentaire avec, pour terminer, une couverture de fondant.

L'impression optique résultant de cette réalisation, à laquelle appartient également la pièce de présentation ciselée dans du chocolat, demeure adroitement dans la ligne de mire du confectionneur qui, indiscutablement, connait aussi son effet sur l'appréhension du goût.

Baumkuchenfours

Eine umfassende Ausstellungskultur findet ihren Ausdruck nicht alleine in den zur Genüge vorhandenen exquisiten Schöpfungen der feinen Küche, sondern gleichermaßen in den Erzeugnissen, die der Patisserie vorbehalten bleiben.

Denkt man neben den einladend gestalteten Süßspeisen auch an die unzähligen Fertigungsarten wie Petits fours, Pralinen, Torten, Dessertschnitten, Eisbecher, Tee- und Eisgebäck, um nur einige zu nennen, so kann man von dem Einfallsreichtum vieler Verfertiger begeistert sein. Dazu tragen auch die nebenstehenden Baumkuchenfours bei, die das Gesamtbild der Konfiserieerzeugnisse wertvoll ergänzen.

Pyramid-Cake Fours

Culture, comprising all the show-pieces exhibited, is not only expressed in the exquisite creations of the finest cooks, examples of which amply exist, but is also seen to the same degree in the products of pastry-makers.

Besides listing all the enticingly prepared sweet-dishes, you can also list the innumerable methods of preparation, like, for example: petits fours, confectionery, tortlets, dessert pieces, ice-cream cups, cookies and ice-cream pastry, to mention only a few, then there can be great enthusiasm about the imaginative ideas of many exhibitors. The pyramid-cake fours recommended next also fall under this category, that incites enthusiasm, and which, as the picture shows, presents a valuable contribution to the overall picture of pastry products.

Petits fours de pièce montée

Une culture étendue d'exposition ne s'exprime pas uniquement par les créations choisies, suffisamment représentées, de la plus fine cuisine, mais elle se meut de la même manière dans les produits qui demeurent réservés à la pâtisserie.

On peut se réjouir de la richesse d'inspiration de nombreux confectionneurs, en énumérant aussi, auprès des entremets façonnés de manière aguichante, d'innombrables sortes de confections telles que les petits fours, chocolats fins, tartes, tranches de dessert, coupes de glace, petits gâteaux pour le thé et les glaces, pour n'en citer qu'un certain nombre. Les petits fours de pièce montée conseillés ci-contre, qui, comme le montre l'illustration, représentent un apport précieux dans la panoplie des produits de la confiserie, sont également très réjouissants.

Petits fours „Canadiana"

Außerordentlich und aufschlußreich sind für den Großteil der Betrachter zweifellos diese meisterlich gefertigten Petits fours, bei denen man den landestypischen Geschmack in der Gestaltung berücksichtigt hat.

Wir erwähnten dies bereits in Band 1 dieser Dokumentation, in dem der Verfertiger mit dem fast gleichen Objekt vertreten ist.

Ohne uns zu wiederholen, können wir auch dieses Mal der künstlerischen Fleißarbeit ein hohes Maß an Ideenreichtum und handwerklichem Können bescheinigen.

Petits fours "Canadiana"

These masterfully made petits fours, the taste of which – it is typical of the country – hast to be taken into consideration when preparing them, were certainly extraordinary and informative for the majority of the viewers.

We already mentioned this in the first volume of this documentation, in which instance the exhibitor's piece of work – it was nearly the same – made an impression.

Without repeating ourselves, we can also say this time that the artistic energies employed evidence a great deal of ingenuity and practical skill.

Petits fours «Canadiana»

Ces petits fours magistralement confectionnés, en respectant le goût coutumier au pays, s'avéraient exceptionnels et instructifs pour la majorité des observateurs. Nous les avions déjà mentionnés dans le tome 1 de cette documentation où le confectionneur était apparu avec pratiquement les mêmes objets.

Sans nous répéter, nous pouvons cette fois encore attester une grande richesse d'inspiration et une bonne mesure de savoir-faire manuel à cette réalisation appliquée et artistique.

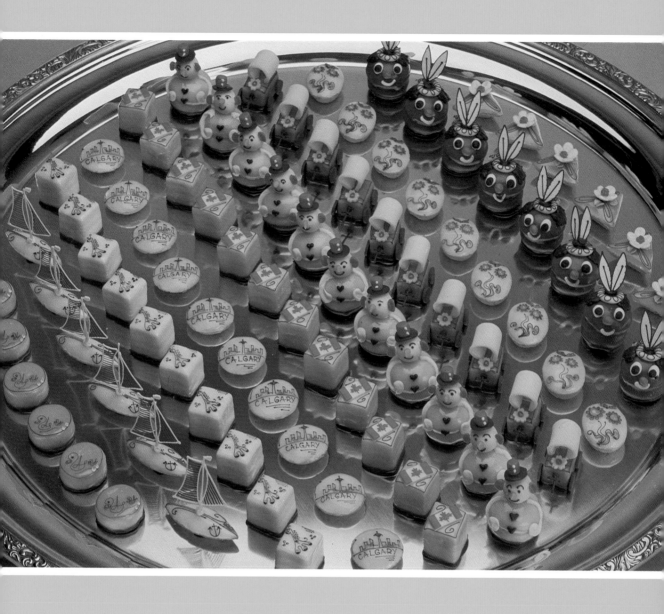

Erlesene Patisserie für das Tagesgeschäft

Es ist bekannt, daß viele Konsumenten nicht nur deshalb eine Konditorei aufsuchen, weil sie eine Portion Kaffee trinken wollen, in den meisten Fällen wollen sie auch ein Konditoreierzeugnis zu sich nehmen.

Will man sich aber mit diesen Erzeugnissen einen Namen machen, so genügen in keinem Fall etwa nur Plunderteile oder Obsttorte. Es gibt eine genügende Anzahl kreativer Konditoren und Patissiers, die sich für ihren Gästekreis etwas einfallen lassen. Dazu gehört auch der hier zitierte Aussteller.

Wenn man die Dessertteile, die im einzelnen auf einer garnierten Marzipanunterlage angerichtet sind, eingehend betrachtet, kommt man zu der Ansicht, daß sich der Verfertiger das einfallen ließ, was gefallen kann und machbar ist.

Exquisite Pastries for Everyday Meals

It is known that many comsumers do not only go to a cake-shop, because they want to have a cup of coffee, but in most cases they also want to have a piece of cake.

But if you want to make a name for yourself with these products, then puff pastry of fruit cake will by no means suffice. There is a sufficient number of creative confectioners, who come up with something special for their guests; the exhibitor mentioned here is one of them.

If you closely examine the dessert pieces, which are served individually on a garnished marzipan foundation, you come to the conclusion that the exhibitor did come up with something special and something which is also practicable.

Pâtisserie de choix pour l'offre journalière

Il est bien connu que bon nombre de consommateurs ne fréquentent pas seulement un salon de thé parce qu'ils veulent boire une tasse de café; dans la plupart des cas ils désirent également déguster une pâtisserie.

Les parts de gâteaux de boulangerie ou les tartes aux fruits ne peuvent jamais suffire si on souhaite se faire connaître par ces produits. Il existe assez de pâtissiers créatifs qui conçoivent quelque chose pour leur clientèle; et l'exposant cité ici est bien de ceux-là.

Il vient à l'idée que le confectionneur s'est inspiré de ce qui pourrait plaire et s'avère réalisable, lorsqu'on examine attentivement ces parts de dessert, dressées chacunes sur une couche de pâte d'amandes garnie.

Petits fours aus Marzipan

Diese äußerst präzise ausgeführten Petits fours aus Marzipan, die eine ebenfalls aus Marzipan modellierte Groteskpuppe umrahmen, sind ein attraktiver Blickfang. Nicht wenige Fachbetrachter einer Kochkunstschau nehmen mit Sicherheit die Gelegenheit wahr, zumindest die gekonnte Zusammenstellung eingehend zu studieren.

Zur Herstellung der einzelnen Petits fours ist der Marzipan teils mit Alkohol und teils mit Pasten abgeschmeckt, mit Kakaobutter übersprüht und je nach dem Motiv ausgarniert.

Marzipan Petits fours

This presentation of marzipan Petits fours, which have been prepared with extreme accuracy, and which also have a grotesque doll, also made of marzipan, that forms a frame around the entire piece of work, were an attractive eye-catcher, which certainly many specialists in the field took the advantage of thoroughly studying at least the masterful composition.

For preparation, the single motifs were partially flavored with alcohol and partially with pastes, sprayed over with cocoa butter, and then depending upon the theme garnished accordingly.

Petits fours à la pâte d'amandes

Cette présentation de petits fours à la pâte d'amandes, exécutée avec la plus grande précision, qui encadrait un poupée extravagant également modelé de pâte d'amandes, constituait un point de mire attractif, duquel bon nombre de spécialistes auront sûrement profité pour au moins étudier de très près cette composition réussie.

La pâte d'amandes est affinée soit avec de l'alcool, soit avec de la pâte, saupoudrée de beurre de cacao et garnie d'après les thèmes de chacun des motifs confectionnés.

Teegebäck zum Kinderfest

Alle an einer Kochkunstschau beteiligten Jünger der süßen Kunst, wie man die Patissiers ja wohl nennen darf, bringen durch erheblichen Fleiß und hervorragendes Können eine vorzügliche Note in das Ausstellungsgeschehen. Das zeigt neben vielem anderen auch diese zu einem Kinderfest gefertigte Gebäckmischung.

Das, was die Arbeit wertvoll macht, ist die Akkuratesse, die vom Verfertiger gezeigt wird. Und schließlich und endlich hat er mit dieser Arbeit einen Überblick gegeben, wie eine Auswahl Tee- und Tafelgebäck ausstellungsmäßig gestaltet werden kann.

Cookies for a Children's Party

All the followers of the sweet art, who participated in the show – patissiers may certainly be called so – did add an excellent touch to the scene at the exhibition, and this, through their extraordinary exertions and fine knowledge in the field. Besides many other aspects, this is also evident in the cookie assortment made for a children's party.

What makes this piece of work valuable is the accuracy the exhibitor put into his job. And not least of all, with his work, he provided a general impression of how a selection of various cookie types can be prepared for an exhibition.

Petits gâteaux à thé pour la fête des enfants

Tous les adeptes (ainsi nous permettrons-nous d'appeler les pâtissiers) participant à la présentation de confiserie apportaient une tenue remarquable au déroulement des expositions. Ceci est illustré, parmi beaucoup d'autres, par l'assortiment de petits gâteaux confectionné pour une fête d'enfants.

C'est le soin méticuleux déployé par le confectionneur qui fait la valeur de cette réalisation. Et, en définitif, il a offert avec ce travail l'aperçu possible de la confection, appropriée aux expositions, d'un assortiment de petits gâteaux pour le thé et le dessert.

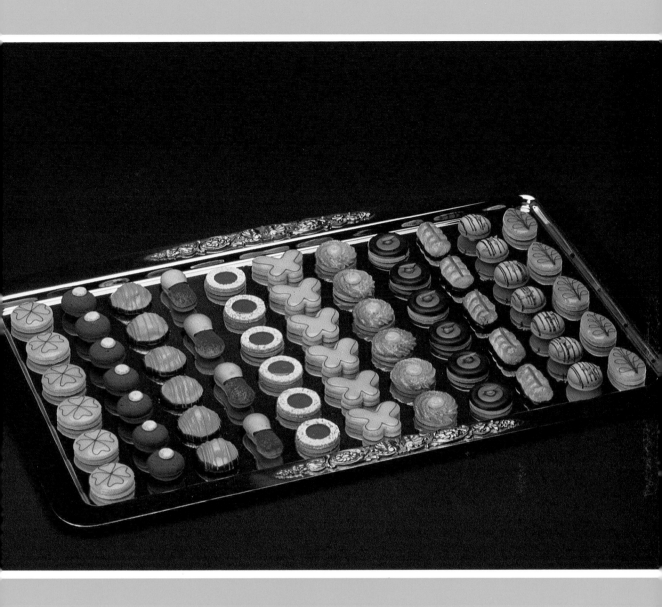

Auserlesene Tagesdesserts mit Eis und Früchten

Unter den recht zahlreichen Patisseriearbeiten auf einer Kochkunstschau kann eine ganze Reihe von Tagesdesserts entdeckt werden, die sich recht vorteilhaft präsentieren. Sie werden von einer beachtlichen Zahl von Ausstellungsbesuchern mit dem größten Interesse aufgenommen. Dazu gehören auch die abgebildeten Vorschläge Vanilleeis auf mit Calvados flambierten Apfelscheiben; Ananasterrine auf frischem Erdbeermark; Erdbeereis mit Melonenkugeln auf passiertem Brombeermark.

Exquisite Everyday Dessert with Ice-Cream and Fruits

Among the great many pastry pieces of work, a vast number of everday desserts could be discovered that were presented in quite an advantageous manner.

In this way, there were many pieces of work, too, that were viewed by the visitors to the exhibition with the greatest of interest. The suggestions depicted here were among those just mentioned, and have the following designations: apple slices flamed with Calvados, pineapple tureen on fresh strawberry paste, or strawberry ice-cream with melon balls on a properly strained blackberry paste.

Desserts journaliers sélectionnés avec glaces et fruits

Il était possible de découvrir toute une série de desserts quotidiens qui se présentaient vraiment à leur avantage parmi les travaux réellement abondants de pâtisserie.

Ainsi, nombre de réalisations furent considérées avec le plus grand intérêt par une respectable quantité de visiteurs de l'exposition. Parmi celles-ci, se trouvent également les propositions représentées ici, intitulées: glace à la vanille sur rondelles de pommes flambées au Calvados, terrine d'ananas sur pulpe de fraises fraîches, glace à la fraise avec des boules de melon sur pulpe de mûres passée.

Drei Tagesdesserts von Erdbeer, Mango und Pistazien

Auch diese nicht gerade alltägliche Darbietung der drei Tagesdesserts, die ein Sujet der Extraklasse darstellen, verdient hervorgehoben zu werden. Natürlich ist es eine Herstellung, die reiche Arbeit erfordert, doch weiß man aus der Praxis, daß diese Frage den konsumierenden Gast wenig berührt.

Für die Fertigung ist von den unterschiedlichen Ingredienzen eine Sahnecreme bereitet, die nach dem Stocken in Blütenhohlkörper aus gezogenem Zucker gestürzt und sparsam ausgarniert ist. Zum besseren Stand hat das Ganze einen Fuß aus einzeln gezogenen Zuckerblättern, die zu der hier sichtbaren Form zusammengesetzt sind.

Three Everyday Desserts of Strawberries, Mango and Pistachios

What deserves special merit, too, is this not all too common presentation of three everyday dessert dishes, which belongs in a special category. It goes without saying that in its making a very great deal of work is required, and yet it is known from practice that this question is of little interest to the guest and consumer.

For its preparation diversified ingredients were required for the cream, which after having thickened in blossom-shaped molds, was turned over on drawn sugar and then very little garnished. To provide the whole show-piece with a better hold, a so-called base was made from singly drawn sugar leaves, which were put together in the shape seen here.

Trois desserts quotidiens de fraises, mangues et pistaches

Représentant un sujet hors-classe, cette présentation plutôt exceptionnelle de trois desserts journaliers mérite dêtre soulignée. Bien sûr, c'est une confection qui exige beaucoup de travail; cependant la pratique nous apprend que ce problème importe peu au consommateur.

Pour la confection, une crème fouettée est préparée avec les différents ingrédients. Une fois prise, elle est versée dans le cœur d'une fleur en sucre étiré et sobrement garnie. Pour un meilleur équilibre, l'ensemble a, pour ainsi dire, un pied constitué de feuilles de sucre étirées séparément, rassemblées sous la forme qui apparaît ici.

Exquisite Tagesdesserts unter Verwendung von Früchten

Diese saubere Anrichtemethode für Süßspeisen bleibt wohl auf keinen Betrachter ohne Eindruck, und sie ist gleichzeitig ein gutes Beispiel für eine moderne Präsentation von Patisserieobjekten.

Die links stehende, als „Bukett von Mango" benannte Kreation ist mit Kiwisauce und Preiselbeeren kombiniert. Das nächste Angebot, als „Liebesapfel" bezeichnet, ist zum Entzücken der Dessertliebhaber mit frischen Erdbeeren und einer Sauce aus schwarzen Johannisbeeren versehen, und die als „Birne Florida" bezeichnete dritte Fertigung besteht aus einer in Vanillesirup zubereiteten Dunstbirne, die von Kiwitalern und Himbeermark begleitet ist.

Exquisite Everyday Desserts Using Fruits

This neat method of preparing sweet dishes left an impression on every viewer and it is at the same time a good example of modern presentation and pastry creations.

The one seen at the left, this creation having been called "Bouquet of Mango" was combined with kiwi sauce and cranberries. The next offer, designated "Love Apple" delighted the dessert lovers with its fresh strawberries and a sauce provided with black currants, and the third piece, called "Pear Florida" comprised a stewed pear, prepared in vanilla syrup, which is accompanied with kiwi-talers and raspberry paste.

Desserts journaliers exquis avec fruits

Cette méthode de dressage soignée des entremets ne pouvait vraiment laisser indifférent tout observateur et elle constitue en même temps un bon modèle pour une présentation moderne d'objets de pâtisserie.

La création placée à gauche, dénommée «Bouquet de mangues» était combinée avec un dressing au kiwi et des airelles. Pour enchanter l'amateur de desserts, l'offre suivante, intitulée «Pomme d'amour», était nantie de fraises fraîches et d'une gelée de cassis et la troisième confection, appelée «Poire Florida», se composait d'une poire étuvée, préparée dans du sirop à la vanille, accompagnée de rondelles de kiwi et de pulpe de framboises.

Himbeercreme im Schokostern und Creme-Omelette mit Melone und Mango

Ein gefälliges Bild bieten auch diese beiden Desserts. Eine aus Vollei, Sahne, Himbeermark und Gelatine hergestellte Creme ist in Timbaleformen zum Stocken gebracht und für den Service auf einem Schokostern angerichtet.

Das Biskuitomelett hat eine Füllung von mit Grand Marnier abgeschmeckter Sahnecreme und ist mit in Kirschwasser mazerierten Melonen und Mangoscheiben umlegt.

Raspberry Cream in a Chocolate Star and Cream Omelette with Melon and Mango

These two desserts also made for an appealing appearance. A cream prepared with a whole egg, cream, raspberry paste and gelatine was poured into timbale molds for hardening, and then served as a dish on a chocolate star.

The biscuit omelette includes a filling of cream flavored with Grand Marnier, and has been given melons macerated in cherry wine and slices of mango.

Crème de framboises dans une étoile en chocolat et crème-omelette avec melon et mangues

Ces deux desserts proposent également un tableau attrayant. Une crème composée d'œuf entier, de crème fouettée, de pulpe de framboises et de gélatine est «prise» dans des timbales et dressée pour le service sur une étoile en chocolat.

L'omelette est fourrée de crème fouettée, affinée avec du Grand Marnier et est entourée de melons macérés dans du Kirsch et de rondelles de mangues.

Vier Tagesdesserts zum Kindergeburtstag

Die akkurate Ausführung macht diese für eine Kindereinladung gedachten Desserts – selbst wenn sie ein wenig zu groß angerichtet sind – zum gefälligen Anziehungspunkt. Jeder Fachbetrachter nimmt sicherlich die Gelegenheit wahr, sie unter die Lupe zu nehmen.

Das Arrangement setzt sich zusammen aus einer Eisberg-Meringe mit Heidelbeeren, einem als Kajak angebotenen Mandelschiffchen, einem Schneemann in Ahorn-Haselnußcreme und einem aus weißem Schokoladenschaum gefertigten Iglu, der mit Himbeermark angerichtet ist.

Four Everyday Desserts for a Children's Birthday Party

These accurately prepared desserts, intended for a birthday party invitation, were appealing eye-catchers, even if as desserts they are somewhat too large in size, and yet the specialists in the field took the opportunity of looking at them closely.

The arrangement comprises an ice-cream meringue with bilberries, an almond ship offered as a kayak, a snowman in a maple-hazelnut cream and an igloo-mousse prepared with white chocolate, which is served with raspberry paste.

Quatre desserts quotidiens pour l'anniversaire d'un enfant

L'exécution méticuleuse de ce dessert conçu pour une fête d'enfants, même s'il était servi un peu trop grand, constituait un pôle d'attraction plaisant duquel les observateurs spécialisés auront certainement profité, en l'examinent dans les détails.

L'arrangement contient une meringue-iceberg avec des myrtilles, une barquette d'amandes présentée comme kayak, un bonhomme de neige dans une crème de noisettes à l'érable et un igloo confectionné de mousse au chocolat blanc, servi avec de la pulpe de framboises.

Auswahl von Tagesdesserts, in Gläsern und auf Tellern angerichtet

Mit dieser Arbeit beweist der Verfertiger, daß sich infolge der neuesten Prinzipien auch Patisseriearbeiten mit machbaren Anrichtemethoden ansprechend gestalten lassen. Neben den in Gläsern angerichteten Speisen wirken auch die auf Tellern angerichteten Desserts, die wir hier, von oben beginnend, aufzeigen wollen.

Es sind eine kleine Eisbombe „Mirabeau" aus Mirabelleneis mit Mirabellenrahm und geschabten Schokoladenröllchen;

die Weincreme „Valaisanne", aus Rotweincreme mit Trauben gefertigt und mit einer Garnitur von Sahnetupfen und Schokoladentraube versehen;

ein mit Vanilleeis gefüllter Windbeutel „Kaukasus", garniert mit marinierten Quittenspalten und frischen Pfefferminzblättern;

Orangeneis „Oriental" aus zwei Kugeln Orangeneis, garniert mit Orangenspalten wie auch frischen Datteln und vollendet mit Orangensauce und einer Schokoladenpalme;

das im Vordergrund stehende Dessert „Crème ‚Soleil florentine'", für das die gestürzte Creme mit einem Stern aus Schokolade und Mandelgebäck umlegt ist.

Selection of Daily Desserts in Glasses and served on Plates

In the case of these dish offers, the exhibitor proved that in consequence of the latest guidelines established, pastries, too, can be prepared with an appealing and feasible method of serving. The desserts served on plates also evidence this fact, and we want to display these here, beginning at the top.

A small ice-cream bombe "Mirabeau" made with Syrian plum ice-cream, including Syrian plum cream and grated chocolate rolls. Wine cream "Valaisanne", prepared with red-wine cream with grapes and comprising an arrangement of dabs of cream, and provided with a chocolate grape. A cream-puff "Kaukasus" filled with vanilla ice-cream, garnished with marinated slivers of quince, and fresh peppermint leaves. Orange ice-cream "Oriental", two balls of orange ice-cream, garnished with orange slivers as well as dates and completed with orange sauce and a chocolate palm-tree. The dessert to be seen in the foreground has been designated cream "Soleil Florentin", for which the cream – it has been turned upside down – has been garnished with a star made of chocolate and almond cookies.

Choix de desserts quotidiens servis dans des coupes de verre et sur des assiettes

Avec ce service, le confectionneur démontre que, par suite des principes les plus récents, des travaux de pâtisserie peuvent également être façonnés de manière attrayante avec des méthodes de dressage praticables. Ceci est certifié tant par les mets servis sur des coupes de verre que par les desserts servis sur assiettes et nous voulons les présenter ici en commençant par le haut:

Une petite bombe glacée «Mirabeau» faite de glace à la mirabelle avec crème de mirabelle et des petits rouleaux de chocolats râclés, une crème au vin «Valaisanne» confectionnée de crème au vin rouge avec du raisin et nantie d'une garniture de mouchetures de crème fouettée et de raisins en chocolat, un chou «Kaukasus» fourré de glace à la vanille et garni de quartiers de coings marinés et de feuilles de menthe fraîches, une glace à l'orange «Oriental», deux boules de glace à l'orange garnies avec des quartiers d'orange ainsi que des dattes fraîches et achevées avec une crème à l'orange et un palmier en chocolat. Le dessert situé au premier plan est une crème intitulée «Soleil Florentine», dans laquelle la crème renversée est entourée d'une étoile de chocolat et de fours aux amandes.

Dessertteller „Paradiso" und gefüllte Feigen auf Fruchtsabayon

Auch diese hier angebotenen Entremets verdienen es, gezeigt zu werden, doch sollten bei jeder Zusammenstellung von Nachspeisen, gleichgültig, ob sie für den À-la-carte-Service oder für den Bankettservice gedacht sind, die kulinarischen Grundsätze zur Geltung kommen, das heißt, auch auf die Proportionen muß geachtet werden.

Beachtet ein Verfertiger diese Kriterien, gewinnen die Tagesdesserts an Bedeutung.

Dessert Plate "Paradiso" and Filled Figs on Fruit Abayon

Also the second courses offered here deserve to be displayed. But when composing desserts, regardless whether they are intended to be served à la carte or for a banquet dinner, culinary rules should be observed, that is to say, the question of proportion has to be taken into consideration.

If the exhibitor is heedful of these criteria, then the everyday desserts, too, will gain on importance.

Assiette de dessert «Paradiso» et figues fourrées sur un sabayon aux fruits

Les entremets offerts ici ont également bien mérité leur présentation. Cependant les principes culinaires devraient être valorisés par toute combinaison de desserts, qu'ils soient conçus pour le service à la carte ou de banquet, ce qui veut aussi dire que les proportions doivent être respectées.

Les desserts journaliers prennent de l'importance lorsque l'exposant tient compte de ces critères.

Desserttörtchen „Colisée" und „Brasilia"

Ebenso wie bei den vorstehenden Desserttörtchen, die, wie man unschwer feststellen kann, vom gleichen Verfertiger sind, wird hier für die Präsentation der gleiche Dekor gewählt, und wir meinen, daß bei der von uns veröffentlichten Anordnung die Freude für das Auge der Freude für den Gaumen vorausgeht.

Die Desserts bestehen aus Mandel-Sahnecreme mit einer Auflage von geschabter weißer Schokolade wie auch aus einer Fertigung auf der Grundlage von Bananencreme und aprikotierten Bananenscheiben.

Dessert Tortlets "Colisée" and "Brasilia"

Just like the dessert tortlets, which, as can easily be seen, were made by the same exhibitor, the same type of decoration was chosen for presentation, and we believe that in the grouping selected for publication, there is a certain eye-appeal which comes before the pleasure of the palate.

The desserts consist of almond cream with a trimming of grated white chocolate as well as preparation of banana cream and apricots on banana slices.

Dessert de tartelettes «Colisée» et «Brasilia»

Comme il est facile de le constater, ces tartelettes sont l'œuvre du même confectionneur que celles du dessert précédent, le décor choisi pour leur présentation est identique et nous croyons qu'avec l'arrangement publié le plaisir de l'œil précède celui du palais.

Les desserts sont constitués de crème fouettée aux amandes pourvue de fins copeaux de chocolat blanc ainsi que d'une préparation à base de crème de banane et de rondelles de bananes abricotées.

Desserttörtchen „Négrillon" und „Dauphinoise"

Bei dieser ansprechenden Präsentation der beiden Törtchen, die als ein glanzvolles Dessert für ein Extraessen konzipiert sind, dominieren die stilisierten Blüten, die dem Arrangement den festlichen Rahmen geben. Sie sind eine perfekte Fertigung aus gezogenem Seidenzucker.

Das sie begleitende Törtchen „Negrillon" ist zusammengestellt aus Sachermasse und einer Füllung von mit Baumnüssen versehenem Canache.

Das Törtchen „Dauphinoise" besteht aus Japonaiseböden, die mit Grand-Marnier-Sahnecreme gefüllt und mit Erdbeeerfilets und Himbeermark vollendet sind.

Dessert Tortlets "Negrillon" and "Dauphinoise"

In the instance of this appealing presentation of two tortlets, which were conceived as an elaborate dessert for an extra meal, the stylized blossoms dominate the arrangement, giving it a festive air.

The blossoms are a perfect reproduction prepared with drawn silk sugar, and the accompanying tortlets have in one case been prepared with a Sacher cakemass, and in the other in a filling of canache provided with tree nuts.

The "Dauphinoise Tortlet" consists of Japonaise bases, which have been filled with Grand Marnier cream, and completed with strawberry fillets and raspberry paste.

Dessert de tartelettes «Négrillon» et «Dauphinoise»

Les fleurs stylisées, qui procurent à l'arrangement un décor d'apparât, dominent dans cette présentation engageante des deux tartelettes, conçues comme dessert brillant pour un repas de choix.

Les fleurs constituent une parfaite création de sucre soie étiré et les tartelettes qui les accompagnent se composent de pâte Sacher, fourrée de canache sertie de noix.

La «tartelette dauphinoise» est formée de ronds de pâte, japonaise, fourrés de crème fouettée au Grand Marnier et achevés avec des filets de fraises et de la pulpe de framboises.

Feigendessert „Harlekin"

Zu den zahlreichen Abwechslungen im Patisseriebereich gehört auch das nebenstehende Dessert „Harlekin", zu dem ein mit Creme versehenes Madeleinetörtchen mit in Portwein mazerierten Feigenspalten belegt und umlegt ist.

Durch die Anordnung des dazugehörigen Himbeermarks, einer Filigrangarnierung, erhält das Dessert eine passende Ergänzung.

Fig Dessert "Harlequin"

Among the numerous variations in the area of pastries, the dessert "Harlequin" is also one that can be counted, to which a Madelaine tortlet, provided with cream, has been placed and surrounded with macerated fig slivers in Port wine.

The dessert was given a suitable completion with the group of the raspberry paste with its filigree garnishing.

Dessert aux figues «Harlequin»

Le dessert ci-contre «Harlequin» constituait une des nombreuses variations sur le thème de la pâtisserie, avec la tartelette Madeleine accompagnée de crème, garnie et entourée de tranches de figues macérées dans du Porto.

Le dessert obtient un complément adéquat par l'arrangement approprié de la pulpe de framboises, avec sa garniture en filigrane.

Erlesene Dessertteile

Zum großen Plus jeder gastronomischen Ausstellung gehören zweifellos auch die Arbeiten der Patissiers. Hier kann der aufgeschlossene Fachmann an unzähligen Kreationen die Studien machen, die ihn möglicherweise im eigenen beruflichen Alltag zu neuen Fertigungsteilen anregen.

Aus diesem Grunde schenken wir bei der Auswahl unserer Bilder gerade diesem Angebot unsere besondere Beachtung.

Von links beginnend, tragen die acht für ein Dessertbüfett angerichteten Teile nachstehende Bezeichnungen: „Gabriel", „Carré surprise", „Barquette ‚Raisins'", „Zitronentimbale", „Kardinal-Törtchen", „Tarte framboise", „Kiwileckerbissen" und „Lyoner Törtchen".

Exquisite Dessert Pieces

Without a doubt the pieces of work done by a patissier should be shown at every gastronomic exhibition, for this is to be valued in the superlative. The objective expert can make his studies of the innumerable creations that are shown here, and which can possibly give him impulses in new lines of preparation, and this, in everyday practice.

For this reason, we gave special attention to this very offer in our selection of pictures.

Beginning at the left, the eight buffet-pieces served were designated: "Gabriel", "Carree Surprise", "Barquett Raisins", "Lemon Timbale", "Cardinal Tortlet", "Tortlet Framboise", "Kiwi Titbits" and "Lyon Tortlet".

Parts de dessert exquises

Les réalisations de pâtisserie sont sans aucun doute à placer dans le bilan largement positif de toute exposition gastronomique. Le spécialiste ouvert peut y étudier des créations innombrables qui l'inciteront peut-être à passer à de nouvelles confections dans son travail quotidien.

Pour cette raison, nous avons accordé justement à cette offre une attention toute particulière lors du choix de nos illustrations.

En débutant à gauche, les huit parts servies pour un buffet-dessert portent les appellations suivantes: «Gabriel», «La surprise de Carrsee», barquette «Raisins», «Timbale au citron», «Tartelettes du Cardinal», «Tarte framboise», «Bouchées exquises de kiwi», et «Tartelettes lyonnaises».

Exzellentes Tagesdessert

In einer ganzen Reihe von Patisseriearbeiten und in der Hauptsache in denen, die das tägliche Dessertangebot umfassen, ist auf einer Kochkunstschau der Wandel vom Einst zum Jetzt recht kontrastreich zur Darstellung gebracht.

Für das unserer Zeit Entsprechende ist das nebenstehende und in Wirklichkeit zweifellos zum Verzehr einladend gestaltete Dessert aus einem aus Erdbeeren und Orangen bereiteten Fruchtsalat, der mit einer Kugel Vanilleeis gekrönt und auf einer Hippenkrustade angerichtet ist, ein aufschlußreiches Beispiel. Zur Vollendung ist das Ganze mit Puderzucker besiebt.

Excellent Everyday Dessert

In the case of quite a large number of pieces of work in the area of pastries, mainly in the instance of those that include an everyday dessert offer, it was the transition from what once was to what now is that was most apparent, and this, in a contrasting manner.

Thus, the dessert, which was without a doubt prepared in an appetizing manner, comprising a fruit salad made with strawberries and oranges, having been crowned with a vanilla ice-cream ball, and served on a ribbed croustade, was an illuminating example of that which is accepted today. For completion, the entire dish has been given a powder sugar topping.

Dessert quotidien excellent

L'évolution de jadis à aujourd'hui était représentée avec force contrastes dans toute une série de travaux de pâtisserie et essentiellement dans ceux qui comprennent l'offre journalière de dessert.

En ce qui concerne notre époque, un exemple instructif est proposé par le dessert ci-contre, sans aucun doute confectionné pour inviter à la dégustation, avec une salade de fruits préparée de fraises et d'oranges, couronnée d'une boule de glace à la vanille et servie sur une croustade en cornets. Pour la finition, l'ensemble est tamisé de sucre glace.

Festliches Dessertarrangement „Schöne Winzerin"

Der Verfertiger zeigt mit seinem richtungweisenden Dessertarrangement, das zu einem internen Winzerfest ausgerichtet ist, überzeugend, daß auch bei Süßspeisen weitgehend nach höchster Vollendung gestrebt wird.

Die Raumaufteilung und Zusammenstellung von Dessert wie auch den beiden Blickfängern ist optimal gelöst. So verrät die Arbeit, daß mit Überlegung das Ziel verfolgt wird, das Objekt nicht nur appetitlich, sondern auch für den Service praktikabel zu gestalten.

Daß dieser Aussteller von seinem Grundwissen und seiner Vielseitigkeit ein sichtbares Zeugnis ablegt, muß hervorgehoben werden.

Festive Dessert Arrangement "Pretty Winegrower"

With his trend-setting dessert arrangement, the exhibitor conveyed that which is to be a guideline at an internal winegrower festivity, a convincing concept that in connection with sweet dishes, largely strives towards utter perfection.

The division of space and the composition of the dessert as well as the two eye-catchers have been solved excellently. In doing this, this piece of work demonstrated that with consideration the goal was sought not only to exhibit the piece in an appetizing manner, but also in a practicable fashion.

That this exhibitor proves quite evidently that he possesses the elementary versatility required has to be emphasized here.

Arrangement fastueux de dessert «Jolie vigneronne»

Avec son arrangement de dessert pilote, le confectionneur révèle qu'il s'est inspiré d'une fête vigneronne traditionnelle: Une idée convaincante qui cherche à se réaliser pleinement et avec la plus haute perfection, en ce qui concerne le service des entremets.

La répartition de l'espace et la composition du dessert, ainsi que les deux attrapes-l'œil forment une parfaite réussite. Le travail dévoile une recherche délibérée pour apprêter l'objet de manière non seulement appétissante mais également pratique pour le service.

Il faut souligner que l'exposant a apporté la preuve évidente de sa richesse fondamentale.

Tagesdesserts von Früchten

An diesen Tagesdesserts, einem erlesenen Fruchtsalat, dargeboten in Orangendressing, wie auch den in Rotwein- und Safransud pochierten Williams Christbirnen, ist beste Gelegenheit gegeben, sich zu überzeugen, daß auch Nachspeisen von Früchten, sofern man ihre Frische bewahrt, für den Service praktikabel sind.

Wir glauben, daß das Angebot von Fachleuten, die alles mit kritischen Augen betrachten, gewürdigt wird.

Everyday Desserts made of Fruits

In the instance of these everyday desserts, an exquisite fruit salad type, presented in orange dressing and also William Christ pears, poached in red wine and saffron juice, the best opportunity was offered to convince oneself of the fact that also desserts of fruits, as long as they are kept fresh, are practicable food-dishes.

We believe that this offer was also appreciated by the experts, who view everything with a critical eye.

Desserts journaliers de fruits

Ces desserts du jour offraient la meilleure occasion de se faire à l'idée qu'il est également possible de servir des fruits comme dessert, à condition de veiller à leur fraîcheur, avec une salade de fruits sélectionnés, présentée dans un dressing à l'orange ainsi que des poires William, pochées dans une décoction de vin rouge et de safran.

Nous croyons que l'offre fut également valorisée par des spécialistes qui considèrent tout avec un regard critique.

Tagesdessert der Sonderklasse

Auch diese Dessertkompositionen gehören zu den hervorragenden Ausstellungsarbeiten. Die Aufmerksamkeit des Verfertigers dieser Exponate ist darauf ausgerichtet, den Entremets durch das Raffinement der Seidenzuckerkollektion eine besondere Note zu geben.

Tellergroße, gegossene Karamelböden sind mit Blüten- und stilisierten Vogelmotiven aus gezogenem und geblasenem Zucker garniert. Diese Motive werden so zu einem zweiten Teller für die einzelnen Desserts, die als „Schokoladencreme", ‚Café Lyonnais'", „Zitronencreme" und als „Nougat-Pralinencreme" bezeichnet sind.

Everday Dessert of a Special Class

These dessert compositions, too, can be classed as excellent show-pieces. In the instance of these exhibits, special importance was attached to giving a special touch to the entremets (second courses), by lending a certain refinement to the silk-sugar collection.

Plate-size, molded caramel bases were drawn and blown from the sugar, and garnished with blossom and stylized bird motifs. These motifs were given as such to a second plate and the single desserts were designated: chocolate cream "Café Lyonnais", lemon cream and "Nougat Confectionery Cream".

Dessert journalier de première classe

Cette composition de dessert est également à classer parmi les réalisations éminentes exposées. Avec ces objets, on s'efforçait d'atteindre un cachet particulier pour les entremets, par la collection raffinée de sucre soie.

Des socles au caramel coulé, de la taille d'une assiette, étaient garnis de motifs de fleurs et d'oiseaux stylisés en sucre étiré et soufflé. Ces thèmes constituaient ainsi une deuxième assiette pour chacun des desserts dénommés: Crème au chocolat «Café Lyonnais», «Crème au citron» et «Crème pralinée au nougat».

Dessertschauplatte „Zur erfolgreichen Badekur"

Nicht nur für die Köche, sondern auch für die Patissiers ist die IKA das Schaufenster der Welt, in dem der jeweilige Leistungsstand sichtbar wird. Aber nicht nur für den Betrachter der Arbeiten ist dies von Wert, auch für den Ausführenden kann dies nützlich sein, weil er möglicherweise Erfahrungen und Erkenntnisse gewinnt.

Der Verfertiger des nebenstehenden Exponats „Zur erfolgreichen Badekur" hat sich, da er zweifellos zu den Routiniers gehört, zwar etwas Lustiges, doch vom Thema her nicht durchweg Realisierbares einfallen lassen.

Um eine aus Kakaobutter geschnitzte und als Bademeister bezeichnete Figur gruppieren sich kleine Hippenwännchen mit Inhalt, die ein Moorbad symbolisieren sollen.

Das außen stehende Dessert mit der Bezeichnung „Schloß Saaleck" besteht aus einer kleinen, ausgehöhlten und pochierten Birne, die mit Mangocreme gefüllt und auf einen Pistazienreissockel plaziert ist.

Das Ganze ist mit einem Krönchen aus Brandmasse sowie einer Amarenakirsche garniert und mit Aprikosensauce umkränzt.

Dessert Show Platter "A Successful Cure"

The IKA is the window to the world not only for cooks but also for patissiers, and this, because of the fact that it reveals the respective standard of performance. But this is not only of value to viewers, but also to those making the dishes, since it is quite possible that knowledge and experience is gained.

The exhibitor of the piece of work "A Successful Cure" did come up with something amusing – he is certainly quite versed in the field – and yet as far as the theme is concerned, it is not always realizable.

Small tubs with contents, which are supposed to depict a mud bath, are grouped around a figurine lifeguard, carved out of cocoa butter.

The dessert at the edge, having been designated "Castle Saaleck" consists of a small, carved out and poached pear, which has been filled with mango cream, and placed on a pistachio rice base.

The entire dish has been garnished with a small crown made of a cream puff-paste as well as with Amerena cherries and wreathed in apricot sauce.

Plateau présenté de dessert «Pour un séjour thermal réussi»

L'IKA constitue la vitrine du milieu où se révèle le niveau respectif des prestations, non seulement pour les cuisiniers mais également pour les pâtisserie. Et ce n'est pas uniquement appréciable pour l'observateur mais peut aussi servir à l'exécutant qui y puisera peut-être des pratiques et des connaissances.

Le confectionneur de l'objet ci-contre «Pour un séjour thermal réussi», certainement expérimenté, s'est imaginé, il est vrai, une chose amusante mais pas toujours réalisable, vu le sujet.

Des petits baquets remplis en forme de cornets, répartis autour d'une figurine ciselée dans du beurre de cacao et représentant un maître nageur, doivent symboliser un bain de boue.

Le dessert disposé à l'exterieur intitulé «Châteu Saaleck» est constitué de petites poires évidées, fourrées de crème de mangues et placées sur un socle de riz aux pistaches.

L'ensemble est garni d'une petite couronne de pâte à choux ainsi que d'une cerise à l'Améréna et entouré avec une crème fluide d'abricots.

Köstliche Torte mit exquisiter Zuckerarbeit „Zur Taufe"

Neben einer köstlichen Torte, die sich aus einem Sacherboden, leicht geliertem Himbeermark wie auch Schokoladenmus zusammengesetzt, überrascht ein aus Zucker gefertigtes Dekorationsstück.

Ohne Übertreibung kann hier festgestellt werden, daß diese Gesamtarbeit, die nur recht selten in dieser Perfektion ausgeführt wird, auf beachtlicher Höhe steht, wobei die Zuckerarbeit den Maßstab liefert.

Das aus gezogenem und geblasenem Seidenzucker gefertigte, mit Schleifen und Blumen umwundene Gebilde, das an Eleganz und Formschönheit nichts zu wünschen übrigläßt, verrät, daß sein Schöpfer eine routinierte Fachgröße und ein Kenner dieser Materie ist, der auch den luxuriösen Ansprüchen erfolgreich zu begegnen weiß.

Delicious Tortlet with Exquisite Pieces made of Sugar "For a Baptism"

Besides a delicious tortlet, which comprises a Sacher cake-base, a slightly jellied raspberry paste, as well as a chocolate pulp, a decorative piece made of sugar was a great surprise.

Without exaggerating it can be said here that this entire piece of work, which is only very rarely mastered to such perfection, was of a high quality of standard, in which instance, the pieces made of sugar furnished the measuring yard.

The formations, made of drawn and blown silk sugar, wound with bows and flowers, which left absolutely nothing to be desired in elegance and beauty in form, evidenced that these creations were made by a versed specialist in the field and that he had knowledge of the material used, and this, knowing as well how to meet luxurious demands successfully.

Tarte savoureuse avec sucreries choisies «Pour un baptême»

Une pièce décorative en sucre surprenait, auprès d'une tarte savoureuse composée d'un fond de tarte Sacher, d'une gelée claire de pulpe de framboises ainsi que de mousse au chocolat.

Il peut sans exagération être constaté ici que l'ensemble de ce travail, maîtrise avec une perfection absolument exceptionnelle, se situe à un niveau respectable, dont la réalisation en sucre offrait toute la mesure.

L'œuvre, confectionnée de sucre-soie étiré et soufflé, ceinte de guirlandes de rosettes et de fleurs, d'une élégance et d'une beauté de forme irréprochables, attestait à son créateur un sens exercé des proportions et qu'il était un connaisseur de ce matériau, qui sait également être à la hauteur des exigences somptueuses.

Festliche Pralinenmischung

Die von diesem Verfertiger gezeigte Pralinenmischung verrät den spezialisierten Könner, denn was man sieht, kann so manchen Jünger der süßen Kunst belehren, daß mit Können und Fleiß auch auf diesem Gebiet ausgezeichnete Ergebnisse zu erzielen sind, wobei möglicherweise ihr Inneres hält, was sie äußerlich versprechen.

Bei den einzelnen Sorten mit den Geschmacksrichtungen Mokka, Banane und Canache, Karamel, Nugat und Mandel, Fondant, Blätterkrokant und Pistazien kann durchweg festgestellt werden, daß sie exakt ausgeführt sind.

Festive Assortment of Chocolates

The assortment of chocolates displayed by this exhibitor evidenced specialized knowledge. For what he showed is something that one or other follower of the sweet art would like to be taugt, in which case, excellent results can be achieved with knowledge and skill, this being, that, if possible, their inner value holds the promise of that which might appear to be seen from the outside.

When taking a look at the individual sorts of chocolates, which in their single tastes were called: mocca, banana, canache, caramel, nougat, almond, fondant, flake-croquant, and pistachio, then it could be seen in all cases that precision of work was attained.

Assortiment fastueux de chocolats fins

Les chocolats fins exposés par ce confectionneur révèlent un connaisseur avisé. Car ce qu'il propose pourrait être enseigné à plus d'un adepte de la pâtisserie: à savoir que d'excellents résultats sont accessibles avec du savoir-faire et de l'application et qu'il est également possible que leur valeur cachée correspond à ce que leur pure apparence promet.

On peut en tout cas constater qu'un labeur authentique fut accompli, en considérant dans chacune de leurs tendances gustatives les diverses espèces telles que: moka, banane, canache, caramel, nougat, amandes, fondant, nougatine feuilletée et pistaches.

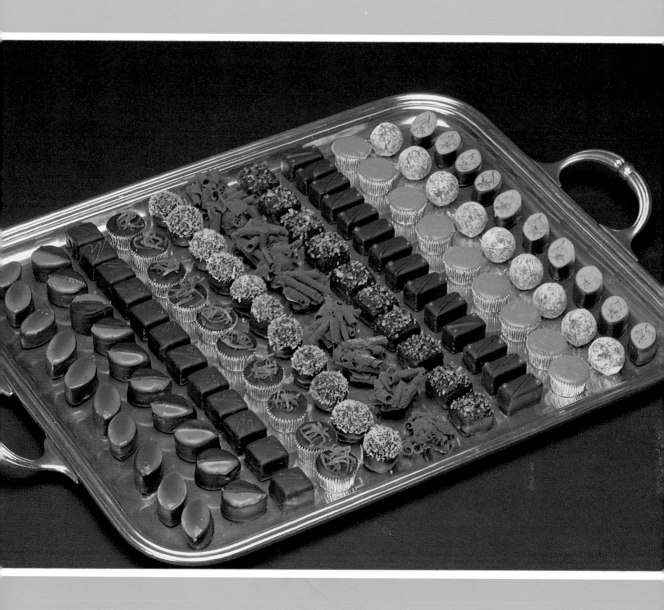

Festliche Pralinenplatte

Nebenstehende Leistung gehört zu den auffallendsten Ausstellungsstücken auf dem Gebiet der Patisserie und Konfiserie.

Um dem Ganzen eine besondere Note zu geben, hat der Verfertiger sein Hauptaugenmerk auf die in Einlaßmanier gefertigte Bonbonniere aus heller und dunkler Kuvertüre gerichtet, wobei die handgefertigten Pralinen, deren Bezeichnung wir in zwangloser Reihenfolge nennen, die Komposition unterstützen.

Neben Trüffelpralinen aus Rahmcanache sehen wir solche aus Marzipan, Rumbuttermasse, Gianduja, Baumnüssen, Pistazien, Weichkrokant und Nugat.

Festive Plate of Chocolate Candies

The next achievement is one of the most striking display pieces in the field of pastries and confectionery. To give the whole piece of work a special touch, the exhibitor laid special emphasis on bonbonniere prepared by machine, and made with light and dark couverture, in which instance, the chocolates made by hand, the designations of which we list at random, round up the entire composition.

Besides the truffle chocolates made with cream canache, we see those made with marzipan, rum-butter paste, gianduja, tree-nuts, pistachios, soft croquant and nougat.

Plateau de chocolats fins d'apparât

La prestation ci-contre compte parmi les pièces exposées les plus remarquables du domaine de la pâtisserie et de la confiserie.

Pour procurer à l'ensemble un cachet particulier, le confectionneur a essentiellement porté son attention sur la bonbonnière, façonnée avec un arrangement alterné de couverture claire et foncée; les chocolats fins, que nous citerons dans le désordre, soutenant la composition.

Auprès des chocolats truffés de crème de canache, nous en voyons d'autres constitués de pâte d'amandes, de pâte de beurre au rhum, de gianduja, de noix, de pistaches, de nougatine tendre et de nougat.

Fazit einer Kochkunstschau
Schlußworte des Textgestalters

Zum Abschluß von Band 2 des Werkes „Kochkunst in Bildern" sei mir als dem Verfasser des textlichen Teils noch ein kurzer Rückblick gestattet.

Im Auftrag des Verbandes der Köche Deutschlands e. V. habe ich zum zweiten Mal den Versuch unternommen, das Ausstellungsgeschehen einer IKA-HOGA auf über 500 Buchseiten darzustellen. Ich glaube, daß mir dies weitgehend gelungen ist.

Sollte der eine oder andere Widerspruch anmelden, so sei die herrschende Hektik, die eine Ausstellung mit sich bringt, als Erklärung angeführt, denn erstens ist die Auswahl des Bildmaterials komplizierter, als sich das der nicht unmittelbar betroffene Fachmann vorstellt, und zweitens gibt es nur recht selten für diese Aufgabe einen Idealzustand.

Über 1000 Köche, Köchinnen und Patissiers haben im Verlauf von sieben Tagen an die 3000 Schau- und Büfettplatten aller Art ausgestellt. Dazu kamen rund 4000 kalte und warme Tellergerichte, die im täglichen Wechsel zu sehen waren. Aus 28 Ländern und unzähligen Betrieben kamen die Verfertiger der in ihrer Menge kaum überschaubaren Kunstwerke, um ihr Können in diesem Wettstreit zu messen. Im Internationalen Restaurant, in dem die zum Wettbewerb gehörenden Spezialgerichte angeboten wurden, kämpften die einzelnen Nationalequipen um die Siegespalme im Nationenwettbewerb. Nicht weniger als 40 Regionalmannschaften, Cercles des Chefs de Cuisine, Gilden etablierter Köche, Amicals, Zweigvereins- und Arbeitsgemeinschaftsgruppen des Verbandes der Köche Deutschlands sowie eine große Zahl von Einzelausstellern waren am großen Erfolg dieser bedeutenden Fachschau beteiligt.

Nur selten wird in diesem Ausmaß gezeigt, daß eine zweckmäßige Anrichteweise nicht auf monumentale Gebilde aus Fisch, Krustentieren, Fleisch und Geflügel beschränkt ist. Die Restaurations- und Tellergerichte, die nach modernen Ausstellungs- und Ernährungsgrundsätzen präsentiert wurden, waren für sich alleine schon sehenswert.

Bei den Vorspeisen, Canapés, Gourmandisen oder Mundbissen und dem Angebot an Langusten-, Hummer- und Lachsterrinen, Krustpasteten sowie Schlachtfleisch-, Geflügel- und Wildplatten zeichneten sich, abgesehen von einigen Schwachstellen, Leistungen von hohem Niveau ab.

Wohl die freudigste Überraschung neben den zahlreichen Aktivitäten in diversen Sonderschauen und -wettbewerben boten die Köche der Gemeinschaftsverpflegung mit den bekömmlichen und außerordentlich sauber hergerichteten Kasino- und Diätgerichten. Auch sie präsentierten vorbildlich aufgemachte Schaugerichte aus der gegenwartsnahen Kochkunst.

Die Spezialisten der süßen Kunst vermochten durch ihr brillantes Können eine vorzügliche Note in das IKA-Geschehen zu bringen. Kunstvolle Weddingcakes, phantasievolle Torten, eindrucksvolle Zucker- und Schokoladenarbeiten, Skulpturen, bekömmliche Süßspeisen, einzeln oder im Service hergerichtet, eine Auswahl Petits fours, Tee- und Käsegebäcke, verschiedene Charlotten und vieles andere mehr zeugten von einer gesunden fachtechnischen Einstellung.

Zu erwähnen sind in diesem Zusammenhang auch die untadeligen Leistungen, die mit hohen Punktzahlen bewertet wurden, darunter Arbeiten von National- und Regionalequipen, von Gruppen aus Arbeitsgemeinschaften und Zweigvereinen des Verbandes der Köche Deutschlands wie auch von Einzelaustellern. Ferner die Arbeiten der unterschiedlichen Hotelgruppen wie Sheraton, The Dorchester, London, Savoy-Hotel, London, Holiday Inn, Plaza Hotel und Lufthansa-Service, der Meistervereinigung Gastronom von Baden-Württemberg zum Beispiel, der Sektionen Kärnten, Tirol sowie Südtirol des Österreichischen Kochverbands und ebenso der vielen schweizerischen Fachvereinigungen.

Bedenkt man, daß täglich einige hundert Ausstellungsobjekte dargeboten wurden, so kann man sich vorstellen, daß die Auswahl aus den vielen realistisch dargestellten Sujets nicht leichtfiel, denn es kam im Endeffekt darauf an, dem Aussteller von morgen einen verwertbaren Querschnitt anzubieten.

Wenn ich ganz offen sein will, so muß ich gestehen, daß mir bei der nicht immer übersehbaren Auswahl auch hin und wieder Zweifel kamen und ich mich verschiedentlich fragte, ob die eine Arbeit nicht der anderen vorzuziehen sei. Natürlich hatte ich ein Konzept, aber vieles kam anders als im voraus bedacht, die Idealvorstellung des Ablaufs wurde von den jeweiligen Gegebenheiten korrigiert.

Küchenmeister Karl Heinz Schneider und ich haben uns bemüht, einen repräsentativen Querschnitt des Gebotenen in dieser Dokumentation unterzubringen. Per saldo glauben wir, dies erfolgreich getan zu haben, doch die Bestätigung liegt beim Leser, wobei wir unter Erfolg verstehen, daß mit diesem Kompendium viele anregende Ausstellungstechniken und Zusammenstellungen sichtbar gemacht wurden.

Dies war auch der Wunsch des Verbandes der Köche Deutschlands. Es sollten durch die hier veröffentlichten Arbeiten von Ausstellungspraktikern fachlich einprägsame, substantielle und phantasievoll schöpferische Hinweise gegeben werden, von denen die nachrückende Ausstellergeneration profitieren soll, damit sie möglicherweise schon in absehbarer Zeit zu den Könnern gezählt werden kann.

Karl Brunnengräber

The Outcome of a Cookery Show
Concluding Words of the Writer

In concluding Volume 2 of the publication "Kochkunst in Bildern" and as author of the textual part, please allow me to take a brief retrospective view.

Commissioned by the Association of Cooks in Germany, I have for the second time made the attempt to present the events that took place at an IKA-HOGA exhibition, and this, on 500 book pages. I believe that I have largely succeeded in doing just this.

Should there be one or other contradiction in the book, then let me give in explanation that the general hectic at an exhibition can be the cause, for in the first place it is a great deal more complicated to make a selection of the photo material than an expert in the field may at first expect and in the second place, there is rarely an ideal solution in this task.

In the course of seven days more than 1,000 male an female cooks, and pastry-makers displayed around 3,000 show and buffet platters in every possible variety. In addition, there were cold and warm plate dishes, which were to be seen differently every day. Exhibitors from 28 countries and countless hotels and restaurants came to the exhibition with their pieces of work, the quantity of which was scarcely to be surveyed, so as to compete at a contest of knowledge and skill. At the "Internationales Restaurant", where the special dishes were displayed for competition, the individual national equipe fought for the prize palm-tree in the contest of the nations. No less than 40 regional teams, Cercles des Chefs de Cuisine, guilds of established cooks, Amicals, branch-club and working groups of the Association of Cooks in Germany, as well as a large number of individual exhibitors contributed to the great success of this important specialized show.

Very rarely is it shown to this extent that an expedient method of serving is limited to monumental pieces made of fish, crustaceans, meat and poultry. The gastronomic and plate dishes, which were presented according to the present-day principles of display and nutrition, were in themselves quite worth seeing.

In the case of entrées, canapés, gourmandises or titbits and the offer of rock-lobster, lobster and salmon tureens, crust-pâtés, as well as butcher's meat, poultry and game platters, accomplishments of a high quality were to be seen, and this, with only a very few weak spots.

In addition to the numerous activities in various special shows and contests, the cooks of cafeteria foods offered the most pleasant surprise with their cafeteria and diet-bland dishes, which were both wholesome and extraordinarily well prepared. They, too, presented exemplarily served show dishes taken from our present-day manner of cooking.

The specialists in the field of the sweet art were able to lend an excellent touch to the IKA events with their billiant skill. Artistic weddingcakes, fanciful fancy-cakes, impressive sugar and chocolate pieces of work, sculptures, wholesome desserts, served singly or as a dish, a selection of petits fours, sweet cookies and cheese cookies, different charlottes and a great deal more evidenced a healthy, knowledgeable point of view.

In this connection, also the perfect accomplishments, which were given high points, are to be mentioned, and this, including pieces of work from the national and regional equipe, the groups from working teams and branch clubs of the Association of Cooks in Germany, as well as the single exhibitors. Moreover, the pieces of work from the different hotel groups, like the Sheraton, The Dorchester, London, Holiday Inn, Plaza Hotel and Lufthansa-Service, the Meistervereinigung Gastronom of Baden-Württemberg (Craftsmen Association of Cooks), for example, the groups of Kärnten, Tyrol as well as South Tyrol included in the Austrian Association of Cooks and also the many Swiss specialized groups.

When one takes into consideration that every day several hundred display-pieces were presented, then one can visualize that it was not easy to make a selection from the many realistically presented pieces of work, for in the end it was a matter of importance to offer the exhibitor of tomorrow a cross-section which is practicable.

If I want to be quite frank, then I have to admit that from the large selection, which was not always surveyable, I now and then had my doubts and sometimes asked myself whether the one piece of work was not better than the other. I did, of course, have a particular concept, but a great deal turned out differently than I had at first thought; the ideal concept of procedure was corrected depending upon the particular case concerned.

Karl Heinz Schneider, a master-craftsman, and myself, have endeavored to collect a representative cross-section of that offered in this documentation. On the whole, we believe that we have done this successfully, but the confirmation of this lies with the readers, in which instance, what we understand by success is that with this collection we have clearly provided new stimulating ideas in display techniques and compositions.

This was also the wish of the Association of Cooks in Germany. By publishing the pieces of work displayed by the practicians in the field, tips were to be given that are impressible, substantial, fanciful and creative, from which the generations to follow can profit, so that they can perhaps in the near future be numbered among the experts in the field.

Karl Brunnengräber

Le bilan d'une exposition d'art culinaire
Epilogue de l'auteur du texte

En conclusion au tome 2 de l'ouvrage «Art culinaire illustré» qu'il me soit encore permis, en tant que rédacteur du texte, un bref aperçu rétrospectif.

Contacté par l'association des cuisiniers allemands, j'ai pour la seconde fois entrepris de relater les évènements d'une IKA-HOGA sur plus de 500 pages. Je crois y être largement parvenu.

Si quelqu'un devait déclarer le contraire, la fébrilité qui règne pendant une exposition servirait d'excuse car, premièrement le choix des illustrations y est plus complexe que ne peut se l'imaginer un spécialiste qui n'est pas directement concerné, et deuxièmement les conditions idéales ne sont vraiment pas souvent réunies pour cette tâche.

Plus de 1000 cuisiniers, cuisinières et pâtissiers ont, durant sept jours, exposé à peu près 3000 plats de présentation et de buffet de toutes sortes. Il s'y est ajouté environ 4000 mets froids et chauds sur assiettes et l'aperçu était chaque jour différent. Les confectionneurs provenaient de 28 pays et d'établissements innombrables pour mesurer, dans cette compétition, leur savoir-faire aux chefs d'œuvre, dont la quantité empêchait de s'en faire un aperçu global. Dans le restaurant international, où furent présentés les plats spéciaux faisant partie du concours, chacune des équipes nationales rivalisait pour obtenir la palme du vainqueur dans le concours des nations. Pas moins de 40 équipes régionales, cercles des chefs de cuisine, guilde des cuisiniers établis, amicales, unions de succursales et de groupes de travail de l'association des cuisiniers allemands ainsi qu'un grand nombre d'exposants individuels, ont apporté leur contribution au grand succès de cette importante présentation spécialisée.

Il n'aura que rarement été démontré dans de telles proportions, qu'un mode de dressage adéquat ne se limite pas aux tableaux monumentaux de poissons, crustacés, viandes et volaille. Les plats de restaurant et les mets sur assiettes, présentés suivant les principes modernes d'exposition et de diététique étaient, à eux seuls, déjà remarquables.

Avec les entrées, les canapés, les gourmandises ou les bouchées et l'offre de terrines de langouste, homard et saumon, de pâtés en croûte ainsi que de plats de viande de boucherie, de volaille et de gibier, se dessinèrent des prestations de haut niveau, quelques faiblesses exceptées.

La surprise la plus réjouissante aura bien été offerte par les cuisiniers des collectivités avec des plats de mess et de diététique digestes et confectionnés de manière extrêmement soignée. Ils présentèrent aussi des plateaux d'exposition arrangés de façon exemplaire, d'un art culinaire au goût du jour.

Avec leur brillant savoir-faire, les spécialistes de la pâtisserie furent à même d'apporter un cachet de haut rang dans le déroulement de l'I-KA. Les gâteaux de mariage faits avec beaucoup d'art, les tartes riches de fantaisie, les réalisations remarquables au sucre et au chocolat, les sculptures, les desserts digestes confectionnés seuls ou en service, un choix de petits fours et de petits gâteaux pour le thé et au fromage, les charlottes variées et encore beaucoup d'autres choses, témoignaient d'une conception saine et qualifiée techniquement.

Dans cet ordre d'idées, il faut également mentionner les prestations impeccables, très bien notées, parmi lesquelles des travaux d'équipes nationales et régionales, d'unions de groupes de travail et de succursales de l'association des cuisiniers allemands, ainsi que d'exposants individuels, et en outre les travaux de groupes d'hôtels divers comme par exemple Sheraton, The Dorchester, London, Savoy-Hôtel, London, Holiday Inn, Plaza Hôtel et Lufthansa-Service, de l'union des chefs gastronomes du Bade-Wurtemberg, des sections de Kärnten, du Tyrol ainsi que du Sud-Tyrol, de l'association des cuisiniers autrichiens et de même de nombreuses fédération d'experts de la Suisse.

Considérant que chaque jour quelques centaines d'objets furent exposés, il est possible de s'imaginer que la sélection, parmi les nombreux objets présentés avec réalisme, ne fut pas chose facile, car il s'agissait, en somme, de proposer à l'exposant de demain un résumé utilisable.

Pour être tout à fait sincère, je dois avouer que je doutais parfois de mon choix, face à l'impossibilité d'un aperçu global et que je me suis à diverses reprises demandé si telle réalisation ne devrait pas être préférée à une autre. Bien sûr, j'avais mes conceptions mais beaucoup se présentait autrement que je ne l'avais imaginé, la représentation idéale du déroulement étant corrigée par les données du moment.

Le maître de cuisine Karl Heinz Schneider et moi nous sommes efforcés de placer une quintessence représentative de l'offre dans cette documentation. Somme toute, nous croyons y être parvenus, mais c'est au lecteur de le confirmer. Nous définirions cette réussite comme étant la révélation de nombreuses et stimulantes techniques d'exposition et compositions, à l'aide de ce manuel.

C'était également le souhait de l'association des cuisiniers allemands. Des indications créatives des practiciens de l'exposition, techniquement faciles à comprendre, substantielles et imaginatives, devraient être procurées par les travaux publiés ici. La génération montante d'exposants devrait en profiter pour, si possible à bref délai, s'inscrire au nombre des maîtres cuisiniers.

Karl Brunnengräber

Register

Register

Register

Registre